Villach, 27. Apr. 07
(Spaziergang mit Frau Poglober)

Liebe Riki –
ein Gruss
Gerd

MARTIN DOERRY

»Mein verwundetes Herz«

Das Leben der Lilli Jahn 1900–1944

SPIEGEL-Verlag

Mit einem Nachwort von Brigitte Hamann

Ungekürzte Lizenzausgabe des SPIEGEL-Verlags
Rudolf Augstein GmbH & Co. KG, Hamburg
für die SPIEGEL-Edition 2006/2007

Die Karte von Nordhessen fertigte Peter Palm, Berlin.
Die Abbildung der Klosteranlage Breitenau wurde
uns freundlicherweise von der Gedenkstätte Breitenau
in Guxhagen zur Verfügung gestellt.

Typografie, Ausstattung, Herstellung
Farnschläder & Mahlstedt Typografie, Hamburg
Gesamtherstellung Clausen & Bosse, Leck
Printed in Germany
ISBN 978-3-87763-027-3

Inhalt

JAHRE DER VERFOLGUNG IN IMMENHAUSEN

DIE VERBANNUNG NACH KASSEL

IM ARBEITSERZIEHUNGSLAGER BREITENAU

DER TOD IN AUSCHWITZ

ANHANG

Einleitung

Das Schicksal Lillis ist ihren Enkeln nicht verschwiegen worden. Doch ihre Geschichte blieb stets ebenso blaß wie unverständlich, ja rätselhaft und wurde immer nur in zwei, drei schlichten Sätzen angedeutet. Großmutter Lilli, so hieß es, ist in Auschwitz umgebracht worden. Und: Euer Großvater Ernst hatte sich von ihr scheiden lassen, so war sie, die Jüdin, den Nazis schutzlos ausgeliefert.

Mehr berichteten Lillis Kinder ihren eigenen Kindern nicht. Gewiß hätten sie mehr gesagt, wenn sie danach gefragt worden wären. Aber das Ungeheuerliche lastete nicht nur auf ihnen, als Trauma, es lastete auch auf Lillis Enkeln als unausgesprochenes Frageverbot.

Dieses Tabu allerdings beherrschte viele Familien von Opfern wie Tätern über Jahrzehnte und verlor erst im Laufe der neunziger Jahre an Kraft und Bedeutung. Eine neue Generation fragte gründlicher denn je nach den Ursachen und Folgen des Nationalsozialismus. Und diese Auseinandersetzung war es, die plötzlich jene Blockade löste, mit der sich viele Überlebende des Holocaust und deren Angehörige vor den eigenen Emotionen zu schützen suchten. Das, was für sie ein halbes Jahrhundert lang nicht viel mehr als eine lähmende, alles überschattende Vergangenheit war, wurde jetzt zum Gegenstand konkreter, oft schmerzlicher Erinnerung.

Als Lillis Sohn Gerhard im Oktober 1998 in Marburg starb, setzte dieser Prozeß auch bei seinen vier Schwestern ein. Gerhard Jahn, der sozialdemokratische Politiker und Bundesjustizminister im Kabinett Willy Brandts, hatte ein unverhofftes Erbe hinterlassen, das seine Schwestern schockierte: In mehreren Kartons und Umschlägen fanden sich etwa 250 Briefe, die Lillis Kinder 1943 und 1944 an ihre damals bereits in einem Lager inhaftierte Mutter geschrieben hatten.

Die Schwestern erinnerten sich natürlich an die Briefe. Nur wußten sie nicht, daß der eigene Bruder diese Dokumente mehr als fünf Jahrzehnte lang aufbewahrt hatte. Nie war von ihnen die Rede gewesen.

Eines Tages, zu Beginn des Jahres 1999, setzten sich Lillis Töchter zusammen und nahmen den Nachlaß in Augenschein. Sie lasen sich ihre eigenen Briefe abwechselnd vor, sie weinten, zuweilen lachten sie aber auch über ihre kindliche Naivität. Dann legten sie alles wieder zurück in die Schachteln und Umschläge und versuchten, erneut zu vergessen.

Doch die Erinnerung ließ sich nun nicht mehr aufhalten. Ilse, 1929 geboren und damit Lillis älteste Tochter, berichtete nach und nach ihren drei Kindern von dem Fund; Johanna, die zweitälteste, rief eines Tages ihre vier Kinder zusammen, um ihnen Lillis Geschichte zu erzählen. Nur Eva, die dritte, sah sich einer Auseinandersetzung mit ihren Briefen zunächst nicht gewachsen und machte sich erst mit einiger Verzögerung an eine gründliche Lektüre. Dorothea schließlich war 1943 gerade drei Jahre alt gewesen, konnte damals also noch nicht schreiben.

Daß die Kinderbriefe überhaupt noch existierten, kam schon einem kleinen Wunder gleich. Lilli war es im März 1944, unmittelbar vor ihrer Deportation nach Auschwitz, gelungen, diese Dokumente aus dem Arbeitserziehungslager Breitenau bei Kassel hinauszuschmuggeln. Wahrscheinlich hatte ihr eine Aufseherin diesen letzten Gefallen getan. Und da Lilli selbst bis dahin ebenfalls eine Reihe von zumeist illegalen Briefen an ihre Kinder geschrieben hatte, ergab sich jetzt erstmals ein geschlossenes Bild der dramatischen Vorgänge im Herbst und Winter 1943/44.

Ilses Sohn, der Autor dieser Zeilen, übernahm anfangs nur die Aufgabe, den Briefwechsel für die Familie zu ordnen und zu vervielfältigen. Bald jedoch stellten sich Fragen über Fragen – vor allem eine galt es zu beantworten: Warum hatte sich Ernst Jahn 1942 von Lilli getrennt, obwohl er doch wissen mußte, daß seine jüdische Frau dadurch dem sicheren Tod ausgeliefert war? Oder konnte er das damals noch nicht wissen?

So gewann plötzlich die Vorgeschichte an Bedeutung: Wie kam es zu Lillis Heirat mit dem Protestanten Ernst? Wie hatte sich ihr Mann in den ersten Jahren nach der Machtergreifung der Nazis verhalten?

Weitere Nachforschungen brachten weitere Briefe ans Licht. Jede der Schwestern, so stellte sich bald heraus, besaß Dokumente oder Briefe der Mutter, von denen die anderen nichts oder wenig wußten. Schließlich ließen sich mehr als 300 weitere Briefe ausfindig machen, zumeist aus der Feder Lillis, geschrieben in den Jahren 1918 bis 1944. Sie alle belegen eindrucksvoll die fortschreitende Stigmatisierung, Isolation und Verfolgung Lillis und ihrer Kinder.

Damit stellte sich die Frage nach einer Veröffentlichung. Zwar hatte Gerhard Jahn zeitlebens jeden Versuch, Lillis Briefe aus Breitenau einem größeren Publikum vorzustellen, scharf kritisiert und in der Regel auch unterbunden. Nur aus welchen Motiven? Rechnete er mit dem Aufbrechen alter, eigener Wunden? Auch Lillis Töchter konnten sich zunächst nicht vorstellen, daß die Leidensgeschichte ihrer Mutter fremden Menschen preisgegeben werden würde; sie fürchteten eine Skandalisierung des Privaten, eine Plünderung ihrer persönlichen Gefühle und Erinnerungen durch den auf den Holocaust fixierten Zeitgeist.

Warum also sollte die Geschichte Lillis überhaupt noch erzählt werden?

Eine einfache Antwort: Jede neue Biographie, jede authentische Quelle aus der NS-Zeit erreicht auch neue Leser und ist schon deswegen ein Gewinn für die politische Kultur der Gegenwart und das historische Bewußtsein kommender Generationen.

Und eine nicht ganz so einfache Antwort: Die meisten, ja fast alle autobiographischen Zeugnisse erzählen naturgemäß die Geschichte von Überlebenden. Sei es Primo Levi, sei es Victor Klemperer oder Ruth Klüger – immer berichten diese Autoren vom Schrecken und vom Leiden aus der Perspektive der Davongekommenen. Wer ihre Bücher aufmerksam liest, wird gewiß im Glück der wenigen Überlebenden das Unglück von sechs Millionen Ermordeten erkennen. Und dennoch fehlt die Erfahrung, die Wahrnehmung jener Opfer, die den Holocaust nicht überlebt haben. Selbstverständlich finden sich Ausnahmen, allen voran das Tagebuch Anne Franks. Aber das in der literarischen Überlieferung Typische ist eben doch das Schindler-Modell: die abenteuerliche Rettung aus höchster Not. Wer die dialektische Bedeutung solcher Berichte nicht begreifen kann oder will, für den summiert sich die Erinnerung zu einer merkwürdig verzerrten Bilanz: Es entsteht das Bild einer Schreckensherrschaft, der die meisten am Ende doch entronnen sind.

Lilli ist ihr nicht entkommen. Im Grunde steht ihr Schicksal nur für das von Millionen. Und doch steckt hinter jedem Holocaust-Opfer eine ganz eigene, besondere Geschichte. Wer etwas über den epochalen Einschnitt des Jahres 1933 wissen wolle, so schrieb Sebastian Haffner in seiner »Geschichte eines Deutschen«, der müsse »Biographien lesen, und zwar nicht die Biographien von Staatsmännern, sondern die raren Biographien der unbekannten Privatleute«. In diesem Sinne beschreibt die Biographie Lilli Jahns eine private Person: eine jüdische Ärztin, die eine aufmerksame Zeitzeugin der zwanziger und dreißiger Jahre in Deutschland war; eine emanzipierte Frau, die ihren Beruf liebte und zugleich in ihrer Mutterrolle aufging; eine literarisch und musisch gebildete Intellektuelle, die mit ihren Freunden philosophische und theologische Debatten führte. Vor allem aber war Lilli eine leidenschaftliche, temperamentvolle Frau, die in ihrer bedingungslosen Liebe zu ihrem Mann bald schon den eigenen Projektionen erlag und dafür hart bestraft wurde.

Ernst Jahn – ebenfalls Arzt – entsprach in seinem grüblerischen Wesen so gar nicht dieser fröhlichen jungen Frau, die hingebungsvoll tanzte und Klavier spielte, die mit Begeisterung Konzerte und Kunstausstellungen besuchte. Erst die Ehe mit Ernst und dann die Verfolgung durch die Nationalsozialisten brachten in ihr Leben jene Düsternis, die heute jede Erinnerung an sie beherrscht.

Dieses Schicksal teilt sie allerdings mit vielen ihrer Leidensgenossen. Das Leben der assimilierten bürgerlichen Juden Deutschlands im ersten Drittel des 20. Jahrhunderts hat erst im nachhinein, durch das Wissen um den Holocaust, seine melancholische Patina erhalten. Trotz der wachsenden antisemitischen Hetze konnten die meisten deutschen Juden bis 1933 ein ebenso zufriedenes oder glückliches Leben führen wie ihre nichtjüdischen Zeitgenossen.

Mit der Machtergreifung der Nazis änderte sich nicht nur Lillis äußere Lage, sondern auch ihr Verhalten: Selbstbewußtsein und Lebensfreude wurden ihr genommen. Lilli war plötzlich eine ängstliche Frau, die jeder fremden Person auswich. Sie spürte, wie sich ihre ganze Umwelt gegen sie verschwor. Sie verließ das Haus nicht mehr – bis sie daraus schließlich vertrieben wurde. Dann folgten die Festnahme durch die Gestapo, die Einweisung in ein Arbeitserziehungslager und Zwangsarbeit in einer Fabrik; am Ende der Transport nach Auschwitz.

Die Kinder wurden zu Zeugen einer langsamen und qualvollen Entwürdigung ihrer Mutter. Sie protestierten auf ihre Weise dagegen: Mit einer Flut von Briefen an die im Lager inhaftierte Mutter kämpften sie um den Erhalt einer längst verlorenen Normalität, sie bezogen Lilli weiterhin in die meisten Entscheidungen der Familie ein, die Kinder schilderten ihren Alltag bis ins Detail – und brachten dabei doch nur in jedem Brief und jeder Zeile ihren Kummer und ihre Sehnsucht zum Ausdruck.

So wie Lillis Schicksal dem Leidensweg vieler Opfer des Nationalsozialismus entspricht, so ist auch das ihrer Kinder in gewisser Hinsicht repräsentativ: Wie Millionen andere Deutsche erlebten sie in diesen letzten Kriegsjahren den Schrecken an der sogenannten Heimatfront. Sie zitterten vor Angst im Luftschutzkeller, sie wurden ausgebombt und evakuiert. Gerhard mußte als Flakhelfer feindliche Flugzeuge vom Himmel holen, Ilse und Johanna wurden zu Katastropheneinsätzen eingeteilt, um anderen Bombenopfern zu helfen.

Auch das gehört zur Geschichte Lillis. Die Kinder berichteten ihr von all diesen Aufregungen, die sie nun ganz ohne die Hilfe und Fürsorge der Mutter durchzustehen hatten. Schlimmer noch: Lilli selbst war auf die Unterstützung ihrer Kinder angewiesen. Sie hungerte – und die Kinder schickten Pakete mit allem, was sie an Eßbarem auftreiben konnten, ins Lager. Sie fror – und die Kinder brachten Wäsche zur Post. Sie flehte um Fürsprache bei der Gestapo – und die Kinder drängten den Vater dazu. Schließlich bat sie für den Fall ihrer Entlassung um Geld für eine Rückfahrkarte – und die Kinder ließen ihr tatsächlich zwanzig Reichsmark zukommen.

All das geschah keineswegs im Verborgenen. Während Lilli im Lager Breitenau eingesperrt war, lebten ihre Kinder in einem noch weitgehend intakten sozialen Umfeld, zunächst in Kassel, später wieder im Hause des Vaters in der Kleinstadt Immenhausen, wo sie aufgewachsen waren. Dutzende, wenn nicht Hunderte von Freunden, Bekannten und Nachbarn wußten damit auch von Lillis Schicksal. Manche, immerhin, äußerten ihr Mitgefühl, aber die meisten nahmen den Terror hin. Alle wußten davon – aber niemand intervenierte oder protestierte gegen die Zerstörung dieses Lebens.

So ist dieser Briefwechsel auch ein Lehrstück über die Gleichgültigkeit der Menschen im Kriege. Er erzählt von den verheerenden Folgen, die ganz alltägliche menschliche Schwächen wie Feigheit oder Egoismus in einem totalitären System zeitigen können. Zugleich zeugt er jedoch von bedingungsloser Liebe, von Mut und Zivilcourage – auch das waren Wesensmerkmale und Tugenden, die sich unter einem so hohen äußeren Druck entfalten konnten.

Solche Schlüsse und Interpretationen überläßt die hier vorgelegte Biographie allerdings in der Regel dem Leser. Der Autor beschränkt sich zumeist auf die Rolle des Chronisten und erklärt das Geschehen nur dort, wo es zum Verständnis der Briefe notwendig ist. Die Vielzahl von aussagekräftigen Dokumenten hätte sicher auch eine konventionelle Biographie möglich gemacht. Allein der Respekt vor dem Authentischen, vor den – ohne Übertreibung – herzergreifenden Briefen Lillis und ihrer Kinder legte eine möglichst umfassende Wiedergabe der Originalquellen nahe.

Vor allem Lillis Briefe wurden von den Adressaten als kostbare Andenken betrachtet und bis heute aufbewahrt. Lilli war noch in einer bildungsbürgerlichen Tradition aufgewachsen, zu der auch eine ambitionierte Briefkultur gehörte. Schon in ihrem Kölner Elternhaus besaß man ein Telefon, doch das diente nur zur knappen Nachrichtenübermittlung. Endlose Gespräche waren nicht üblich, bei der noch unzulänglichen Technik wäre das auch kein Vergnügen gewesen.

Lilli schrieb also aus Überzeugung Briefe, zunächst an ihren Freund und späteren Ehemann, dann an die Freunde, schließlich an die Kinder. Und weil sie sich Briefautorinnen wie Rahel Varnhagen oder Caroline Schelling zum Vorbild genommen hatte, schrieb sie auch mit einem erkennbaren Gestaltungswillen: Lilli berichtete über die Dinge des Alltags ebenso wie über ihre Gefühle und Empfindungen, sie philosophierte, politisierte. Und sie vermittelte diese Vorliebe ihren Kindern. Besonders Ilse und Johanna verraten in ihren Briefen eine durch das häufige Schreiben geschulte Fähigkeit zur Selbstwahrnehmung und Beobachtung.

Hätte Lilli einer Veröffentlichung dieser doch so persönlichen Dokumente überhaupt zugestimmt? Diese Frage drängt sich auf – und ist doch schon deswegen nicht sinnvoll, weil sie Lilli nicht gestellt werden kann. Hätte ihr Schicksal einen anderen, besseren Lauf genommen, so hätte allein Lilli über den Umgang mit ihrer Korrespondenz entschieden. Nun, mehr als fünfzig Jahre nach ihrem Tod, bleibt die Entscheidung ihren Nachfahren überlassen. Mit der Veröffentlichung übernehmen sie eine besondere Verantwortung. Aber die Zeit scheint reif für eine Rekonstruktion dieser – nur auf den ersten Blick – privaten Katastrophe.

»Ein Zeichen unseres Übermuts«
Lillis Elternhaus, Kindheit und Jugend

Am 2. März des Jahres 1897 machte der Kölner Fabrikant Josef Schlüchterer das, was man damals eine »gute Partie« nannte: Josef heiratete seine Braut Paula, eine junge Frau aus bester Familie.

Paulas Vater, der Viehhändler Moritz Schloß, führte in Halle an der Saale ein erfolgreiches Unternehmen, er importierte und exportierte quer durch Europa – Moritz Schloß galt als wohlhabender, ja reicher Mann.

Josef hingegen stammte aus eher bescheidenen Verhältnissen. Sein Vater Anselm war Herrenschneider im fränkischen Zeitlofs gewesen; schon sein Urgroßvater, ein Rabbiner, hatte in dem kleinen Ort gelebt.

Josef war aus dieser Enge geflohen. Er absolvierte in Stuttgart eine kaufmännische Lehre, arbeitete bei namhaften Handelshäusern wie Krailsheimer in London oder Bernard David in Paris und brachte eine Menge guter Zeugnisse mit nach Hause. »He is an honest and industrious young man«, bescheinigte ihm Mister Krailsheimer am 18. August 1882 – er sei ein ehrlicher und fleißiger junger Mann.

Und ein ehrgeiziger dazu. Josef machte sich selbständig. Das notwendige Kapital stiftete der Vater, freilich zur Hälfte auf Pump. Drei Tage nach seinem 30. Geburtstag, am 8. Juli 1893, quittierte der junge Mann die finanzielle Starthilfe:

Ich bestätige hiermit, von meinem Vater zur Gründung
meines Geschäftes 21 000 Mark erhalten zu haben, von
welcher Summe ich nach meiner dereinstigen Verheira-
tung 10 000 Mark zurückzuzahlen verspreche. Falls solche
nicht innerhalb drei Jahren erfolgt, verspreche ich die
Verzinsung dieser zehntausend Mark mit fünf Prozent
vom 1. August 1896 an.

Josef Schlüchterer.

Doch Zins und Tilgung dieses damals hohen Betrages blieben Josef wohl erspart. Zwei Monate vor Ablauf der Frist, am 29. Mai 1896, starb Vater Anselm. Der Jungunternehmer investierte das Geld in eine Fabrik für Haushaltsbürsten und Rasenmäher, die er zusammen mit zwei weiteren Geschäftsleuten im bergischen Solingen aufbaute. Schon 1897, zum Zeitpunkt der Heirat mit Paula, lebte er in Köln.

Seine junge Frau war 1875 im unterfränkischen Oberlauringen zur Welt gekommen, ihre Eltern hatten ihr den etwas altmodisch klingenden Namen Balwine gegeben, doch schon bald wurde sie nur noch Paula gerufen. Paula war das sechste von acht überlebenden Kindern des Ehepaars Schloß; insgesamt hatte Paulas Mutter Ellen Elise nicht weniger als 13 Kinder geboren. Ellen Elise dirigierte den aufwendigen Haushalt des Viehhändlers; sie unterhielt zwei Küchen, eine koschere für die Familie und eine nicht-koschere für die zahlreichen Geschäftsfreunde.

1887 zog man nach Halle und dort in eine Gründerzeitvilla mit vielen Stallungen und Nebengebäuden. Paula besuchte zunächst die Waisenschule der Franckeschen Stiftungen und dann, standesgemäß, die höhere Töchterschule bis zum 16. Lebensjahr. Danach gab es für sie allerdings nur noch privaten Sprach-, Klavier- und Gesangsunterricht – kurzum, Paula Schloß wuchs in soliden, bürgerlichen Verhältnissen auf, freilich mit einer starken Bindung an die jüdische Tradition und Religion.

Davon konnte bei Josef kaum die Rede sein. Er nahm am Leben der liberalen jüdischen Gemeinde in Köln teil, tolerierte auch die religiösen Empfindungen seiner Frau, doch selbst gab er sich eher vernunftbetont.

Mit dieser Einstellung prägte er das Leben der jungen Familie und vor allem natürlich seine beiden Kinder. Lilli kam am 5. März des Jahres 1900 zur Welt, ihre Schwester Elsa am 2. Juni 1901.

Die beiden Mädchen wurden in ein neues Jahrhundert geboren, von dem sich viele Zeitgenossen gewaltige Fortschritte versprachen, bahnbrechende wissenschaftliche Erkenntnisse etwa und einen wirtschaftlichen Aufschwung; von einem »Jahrhundert des Kindes« war die Rede, von einer nun anbrechenden großartigen Ära des Friedens. Lilli und Elsa gehörten damit einer neuen Generation an, die mit den besten Chancen für eine erfolgreiche Zukunft ausgestattet zu sein schien. Anders als ihre Eltern wuchsen die beiden schon in einer modernen Kleinfamilie auf, befreit von vielen familiären und religiösen Zwängen; anders als ihre Mutter durften die Mädchen sogar studieren.

Zu Beginn des 20. Jahrhunderts lebten die Kölner Schlüchterers in gutbürgerlichen Verhältnissen. Man hatte eine großzügige Wohnung in der Bismarckstraße gemietet, ließ die Kinder in regelmäßigen Abständen vom »Hofphotographen« ablichten, besuchte die großen Musikabende im Konzerthaus Gürzenich und nahm hin und wieder am gesellschaftlichen Leben der Großstadt teil. Ein Zeichen der sozialen Integration der jüdischen Familie war die Verleihung der preußischen Staatsbürgerschaft durch den »Königlich-preußischen Regierungspräsidenten zu Cöln« am 22. März des Jahres 1907.

Ein Jahr zuvor war Lilli eingeschult worden. Bis 1913 ging sie in ein »Privat-Lyceum für höhere Töchter« unter der Ägide eines gewissen Fräulein Merlo, danach wechselte sie auf das Real-Gymnasium der Kaiserin-Augusta-Schule in Köln – ein Privileg: Im späten wilhelminischen Kaiserreich besuchten gerade einmal zwei Prozent der Mädchen ein Gymnasium.

Spätestens im August 1914, mit dem Ausbruch des Ersten Weltkrieges, waren die schönen Hoffnungen und Utopien für das neue Jahrhundert dahin. Paulas jüngerer Bruder Julius, ein Gutsbesitzer, dessen Hochzeit 1911 im Berliner Hotel Adlon noch glanzvoll gefeiert worden war, zog an die Front und starb 1918, wahrscheinlich an den Folgen einer Syphilis.

Paula selbst engagierte sich bei der Betreuung verwundeter Soldaten. Zusammen mit weiteren Damen der Kölner Gesellschaft, darunter die Gattin des Regierungspräsidenten und die des Polizeipräsidenten, arbeitete sie in einem Kölner Lazarett. Solche Aktionen hatten nicht zuletzt symbolischen Charakter: Mit der Erfüllung vaterländischer Pflichten löste sich Lillis Mutter ein wenig aus dem jüdischen Milieu und paßte sich dem Idealbild einer alle sozialen Grenzen überschreitenden Gemeinschaft an, das Kaiser Wilhelm II. zu Beginn des Krieges beschworen hatte. Für ihre Verdienste wurde Paula mit einer Medaille ausgezeichnet.

Lilli und Elsa wuchsen währenddessen zu jungen Damen heran. Im August 1918 – noch tobte der Krieg in Frankreich – besuchten beide eine befreundete Familie in Schierke im Harz.

Aus diesem Urlaub stammt ein merkwürdiges Dokument, eine am 29. August abgestempelte Postkarte mit einem Foto der Schwestern und ihrer Gastgeber sowie dem ältesten überlieferten Text von Lilli. Das Herstellen und Verschicken solcher Karten war damals große Mode, gerade in Touristenorten wie Schierke machten die Fotografen damit ein gutes Geschäft.

Lilli hatte sich zum Fototermin in einen Herrenanzug gezwängt, der junge Mann dagegen trug Frauenkleider, Elsa und ihre Freundin hatten sich mit Armee-Uniformen kostümiert. Der seltsame Aufzug zeigt, wie alltäglich der Krieg nun, nach vier Jahren, schon geworden war. Möglicherweise nahmen die jungen Leute ihn nicht so recht ernst. Jedenfalls grüßte das komische Quartett die Lieben daheim in Köln, Lilli machte den Anfang:

Herzliebste Eltern!
Hier ist ein Zeichen unseres Übermuts. Was sagt ihr nun?
Für Eure Karte vielen Dank. Innigst Euer Lillimauserle

Es folgten Grüße von Elsa und den beiden Begleitern, auf die Vorderseite der Karte notierte Lilli noch kurz einige Nachrichten aus der Verwandtschaft.

Während sich im Winter 1918 die politischen Ereignisse überstürzten – der Kaiser floh nach Holland, die Republik wurde ausgerufen, vielerorts herrschten bürgerkriegsähnliche Zustände –, bereitete sich Lilli in Köln auf das Abitur vor. Bis Ostern 1919 absolvierte sie alle Klausuren mit Erfolg.

Nun sollte studiert werden, Lilli wollte Ärztin werden – die Medizin war eines der ersten akademischen Fächer, in dem Frauen überhaupt zum Studium zugelassen wurden, und das auch erst seit knapp zwei Jahrzehnten. Außerdem trug sie sich mit dem Gedanken, eines Tages in die Praxis ihres Lieblingsonkels einzusteigen: Josef Schloß hatte sich in Halle als Kinderarzt niedergelassen.

Eine höhere Tochter indessen konnte nicht so einfach in eine fremde Stadt zum Studium gehen, ein bißchen Aufsicht schien den Eltern unbedingt notwendig. Also machte Lilli ihre akademische Runde unter den kritischen Augen der weitverzweigten Familie: zuerst zwei Semester in Würzburg – im Fränkischen lebte die väterliche Verwandtschaft –, dann drei Semester in Halle, wo sie im Hause der Großmutter untergebracht und so streng kontrolliert wurde, daß sie auch schon mal spätabends über den Balkon Reißaus nahm. Nach dem Physikum in Halle im November 1921 ging Lilli für ein Semester nach Freiburg, dort lebte ihre schon etwas ältere Cousine Olga Mayer. Und schließlich kehrte sie zurück ins Elternhaus nach Köln, nach weiteren vier Semestern stand dort im Frühjahr 1924 das medizinische Staatsexamen an.

In der Zwischenzeit allerdings hatte die heile Welt ihrer Heimatstadt, aus der Lilli zum Studium fortgezogen war, düstere Züge angenommen. Das Unternehmen des Vaters war durch die fortschreitende Inflation in Schwierigkeiten geraten. Auf langen Reisen durch das ganze Land versuchte Josef neue Kunden für seine Fabrik zu gewinnen – nicht immer erfolgreich.

Außerdem hatte sich das Klima in der Synagogengemeinde verändert. Schon vor dem Krieg lebten in Köln mehr Juden als in jeder anderen Stadt des Rheinlands, nun wurde ihre Zahl immer größer, 1925 wohnten in Köln bereits mehr als 16 000 Juden.

Seit den letzten Kriegsjahren und dann vor allem in den frühen zwanziger Jahren waren etwa 100 000 Juden aus Osteuropa ins Deutsche Reich gekommen. Die etablierten Kölner Juden, zumeist assimiliert und bürgerlich-deutscher Lebensart zugetan, sahen ihre gesellschaftliche Anerkennung und Integration durch die häufig ungebildeten und äußerlich auffallenden Fremden aus dem Schtetl gefährdet. Und das alles in einer Zeit, in der der Antisemitismus ohnehin ganz neue, massive Formen angenommen hatte: Die Juden waren an allem schuld, an der Niederlage im Krieg, am sogenannten Schandfrieden von Versailles, an der Inflation und an vielem mehr.

Der wachsende Zustrom von Glaubensgenossen aus dem Osten, so glaubten Lillis Vater und viele alteingesessene Juden der Stadt, würde dem Antisemitismus neue Nahrung geben. Josef Schlüchterer zählte damals als Mitglied des Repräsentantenkollegiums zu den führenden Köpfen der Synagogengemeinde. Und in dieser Funktion versuchte er den Einfluß der Zuwanderer einzudämmen. Geradezu erbost war Lillis Vater über den in der jüdischen Gemeinde entstandenen Plan für ein neues Gemeindewahlrecht, der, wie er meinte, nur dem »Drängen ausländischer und zionistischer Kreise« zu verdanken sei – womit er zu verstehen gab, daß er von der damals viel diskutierten und auch immer häufiger praktizierten Auswanderung der Juden nach Palästina nichts hielt.

Vor allem aber konnte und wollte er sich nicht damit abfinden, daß die Synagogengemeinde eine Art Auffangbecken für durchreisende osteuropäische Juden bilden und ihnen dann auch noch demokratische Rechte zugestehen sollte. Josef Schlüchterer schrieb am 28. April 1921 in dieser Angelegenheit sogar an das preußische Ministerium des Innern in Berlin. Unter Berufung auf zahlreiche Paragraphen und Argumente legte er seinen entschiedenen Widerspruch gegen den Entwurf eines Wahlrechts ein,

der jedem in Köln wohnenden Juden, gleichviel wo er bisher wohnte, das aktive und passive Wahlrecht ohne weiteres bewilligt, so daß jeder hier zugewanderte Jude das Recht hat, über die Geschicke, die Verwaltung und die Zukunft der Kölner Synagogengemeinde mitzubestimmen, obgleich er zufolge seiner Herkunft und Tradition für deren Lebensbedingungen und Bedürfnisse weder Sinn

*noch Verständnis hat. Mit dem weitaus größten Teil der
Kölner Gemeindemitglieder erblicke ich hierin eine große
Gefahr für den Bestand, die Zukunft, das Blühen und
Gedeihen der Kölner Synagogengemeinde.*

Josef Schlüchterers Eingabe blieb erfolglos. Der liberale In-
nenminister Alexander Domenicus mischte sich in den inner-
jüdischen Streit nicht ein, die Kölner Gemeinde beschloß das
neue Wahlrecht im Mai 1921, und der zuständige Oberpräsi-
dent in Koblenz genehmigte es wenige Wochen später.

»Was soll aus uns werden, Amadé?«
Liebesglück und Liebeskummer

Während ihres Studiums mußte Lilli das jüdisch-libe-
rale Milieu immer wieder verlassen. Die meisten Kommilitonen und Professoren waren Nichtjuden. Ihre engsten
Freundinnen allerdings stammten aus der vertrauten Umgebung. Mit den angehenden Ärztinnen Lilly Rothschild und
Liesel Auerbach verbrachte Lilli einen großen Teil ihrer Zeit
in den vier Kölner Semestern. Liesels Vater war zudem zeitweise ihr Chef: Geheimrat Benjamin Auerbach leitete das
Israelitische Asyl für Kranke und Altersschwache in Köln-
Ehrenfeld – jenes jüdische Krankenhaus, in dem Lilli vor
und nach dem Staatsexamen immer wieder arbeitete.

Nach einigen wohl eher oberflächlichen Liebeleien lernte
sie im Spätsommer 1923 einen frisch examinierten jungen
Arzt kennen, der einen ganz anderen, ihr zunächst fremden
familiären Hintergrund hatte: Ernst Jahn, Protestant von
Hause aus, aber schon damals mit einer gewissen Neigung
zum Katholizismus.

Ernst war am 29. März 1900 in Bielefeld geboren worden,
also einige Wochen jünger als Lilli. 1918 hatte er noch ein
paar Monate als Soldat im Ersten Weltkrieg gedient. Zu seinem Freundeskreis, in den Lilli nun aufgenommen wurde,
zählten vor allem zwei junge Katholiken, die Ernst aus seiner
Heidelberger Studentenzeit kannte: der Jurist Leo Diekamp
und der Journalist Leo Barth. Dessen Freundin und spätere
Frau Hanne gehörte mit zur Clique, sie wurde im übrigen

auch von Ernst heftig umworben. In diesem Kreis herrschte ein schwärmerischer Ton, man gab sich literarische Spitznamen, Leo Barth wurde nur Posa genannt, Ernst hieß Amadé, und Lilli bekam nun, aus welchen Gründen auch immer, den Namen Judith verpaßt.

Mit diesem Namen unterzeichnete sie auch den ersten überlieferten Brief an ihren späteren Mann. Sie schrieb ihn am 3. September 1923 in Köln:

Mein lieber guter Ernst Amadé,
ich bin heute so unsagbar müde und zerschlagen, daß ich zu rein gar nichts fähig bin.

Aber ich möchte Ihnen doch noch wenigstens ganz kurz … von Herzen danken für Ihren wunderbar warmen, lieben, guten und zarten Brief! Mehr kann ich dazu nicht sagen – und brauche es wohl auch nicht. Wir haben uns wohl in dieser wortlosen Stunde mehr verraten, als wir in Briefen auch nur andeuten können.

Riesig gefreut habe ich mich, daß Sie überhaupt gekommen sind. Ich hatte Sorge um Sie und wäre sehr unruhig gewesen, wenn Sie ausgeblieben wären. Und wie liebevoll und feinsinnig Sie mir gestern das Buch überreichten! Ich bin gerührt von so viel Güte und freue mich ganz schrecklich auf den Augenblick, wo es seiner Bestimmung gerecht werden wird. Ich danke Ihnen – und nicht nur für das!

Und ich möchte mir wünschen, daß Sie endlich einmal alle Hemmungen überwinden und sich Ihr großes Leid von der Seele reden. Bitte, bitte, tun Sie es.

Ich bin ja schon so froh, daß Sie nach dem qualvollen Zustand der letzten Tage etwas Ruhe gefunden haben. Wenn Sie am Mittwoch nach Barmen fahren, so komme ich am Donnerstag nachmittag zu Ihnen, fahren Sie nicht, so sagen Sie mir, ob ich am Mittwoch schon kommen darf.

Und rechnen Sie es meiner körperlichen – und seelischen Müdigkeit zugute, daß ich nicht so auf Ihre Worte eingehe, wie Sie es wohl mit Recht erwarten und wie ich es von Herzen gerne tun würde. Gerade Ihr Brief trägt ein wenig Schuld an meinem Zustand. Ich hoffe Ihnen bald wieder mehr sagen zu können.

In aller Herzlichkeit,
Ihre Judith

Schon in Lillis erstem Brief klingt das große Thema dieser Liebe an: Ernsts Leiden an der Welt, an seinem Schicksal, aber auch an seiner Person. Zuweilen schien er diese melancholische, ja pessimistische Stimmung allerdings zu kultivieren, zumal sie weibliche Fürsorge und Anteilnahme erkennbar beförderte. Lillis Briefe aus dem Winter 1923/24 zeigen ein für die kommenden Jahre durchgängiges Verhaltensmuster: sie als mütterliche Freundin, er als bemitleidenswerter Unglücksrabe.

Doch das Leben hatte es ihm bis dahin auch nicht gerade leicht gemacht. Sein Vater, zuletzt Kaiserlicher Telegraphendirektor in Hamburg, war bereits 1905 gestorben, die tuberkulosekranke Mutter dann 1913. Der verwaiste Junge wurde von den Verwandten hin- und hergeschoben. Und schließlich verlor Ernst 1923, also in dem Jahr, in dem er Lilli kennenlernte, auch das von der Mutter geerbte Geldvermögen: Die Inflation vernichtete alles.

Ernst war schlicht bettelarm und suchte nun nach dem Examen händeringend nach einer festen Anstellung. Der junge Arzt machte diverse Praxisvertretungen, mal verschlug es ihn nach Barmen, mal nach Burgbrohl, dann nach Zittau und Dresden.

Lilli absolvierte währenddessen ihr letztes Semester an der Universität Köln. Zusammen mit ihrer Freundin Liesel Auer-

bach besuchte sie ein Seminar des prominenten Psychatrie-
professors Kurt Schneider. Am 22. Januar 1924 berichtete sie
Ernst davon – die beiden waren längst zum Du übergegangen:

*Ich habe manches Anregende, Interessante, Geistvolle und
Schöne gehört über Liebe und Mitgefühl. Meine Einstellung war heute nämlich eine besonders subjektive, und
tausendmal habe ich Dich herbeigewünscht, um mit Dir
darüber reden zu können. »Liebe ist Kampf. Ein Kampf um
uns selbst, ein Kampf um den anderen«, so wurde wohl
heute Jaspers rezitiert. Manchmal allerdings wurde mir
dies phaenomenologische, psychologische Kleid zu eng,
und ich mußte nach Luft schnappen, weil alles so kalt, so
berechenbar ist. Nichts von Wärme, von Glut, von Leben –
ich möchte ja Schneider oft mal an den Schultern packen
und ihn schütteln: Du lebst – ja – aber Du erlebst nicht an
und mit Dir und durch Dich selbst – und so auch heute. Ich
weiß nicht, ob ich recht habe, aber ich mußte an die Kunst
denken, an die Musik. Sie bringen uns doch viel mehr bei,
was Liebe ist, wie sie lebt und bebt – nicht nur die Erotik
meine ich. Und dabei steht mir das Mittelstück aus
Rubens' Liebesgarten mit besonderer Deutlichkeit vor
Augen. Aber schön war es doch, und man horcht gespann-
ter in sich hinein und versucht sich selbst in seinen Beziehungen zu der geliebten Person vor sich hinzustellen. Aber
ob es wohl gut ist, wenn man sich selbst so zersetzt und
zergliedert?*

Lilli mußte sich nun auf ihr Staatsexamen vorbereiten und
wurde bald von Prüfungsängsten heimgesucht, wie sie Ernst
am 29. Januar gestand:

*Daß ich nur noch sechs Wochen Zeit habe, will mir gar nicht
in den Sinn. Ich habe nun doch einen ziemlichen Druck und
bin dabei nicht halb so leistungsfähig in der Arbeit, wie ich
gerne möchte. Außerdem wird mir von verschiedensten
Seiten die Hölle heiß gemacht, wie unklug es wäre, zu drei
Juden ins Examen zu gehen. Ich bin ganz deprimiert
darüber. Da ist doch nun nichts mehr zu ändern dran.*

Als es dann aber soweit war, hellte sich ihre Stimmung erkennbar auf. Sogar während der Prüfungswochen arbeitete
sie nebenbei im Israelitischen Asyl für Kranke und Altersschwache. Und am 11. April 1924 – Ernst war inzwischen nach
Immenhausen bei Kassel weitergezogen und vertrat dort
einen Sanitätsrat namens Keil, der ihm Hoffnung auf die
Übernahme seiner Praxis machte – offenbarte sie ihm erste
Pläne für eine gemeinsame Zukunft:

*Mein Amadé, mein lieber kleiner Amadé,
heute morgen erhielt ich Deinen Brief mit Deinen lieben
Osterwünschen und das wunderschöne Buch, mit dem Du
mir eine sehr große Freude gemacht hast. Hab tausend
innigen Dank, Lieb, wirklich, ich freue mich so sehr und
will es auch ganz bald lesen.*

12.4.

*Weiter kam ich gestern nicht mehr, und nach dem
Abendessen war ich so todmüde, daß ich schon um halb
10 Uhr schlafen ging. Und nun habe ich heute in Vertretung von Fräulein Lobbenberg auf meiner Station und der
Privatabteilung Dienst gemacht. Und da ich zu Hause doch
nicht viel Ruhe haben werde, schreib ich noch hier schnell
an Dich.*

*Was wirst Du wohl heute tun, mein Lieb? Ich möcht, ich
hätt Dich hier und könnte Dir all Deine trüben Gedanken*

ein wenig zerstreuen. Und nun muß ich noch ein ganz ernstes Wörtchen mit Dir reden: Du bist ein ganz hartnäckiger Gesell, und ich verbiete Dir hiermit ein für alle Mal, Dir nur überhaupt noch irgendwie einen Gedanken oder einen Vorwurf über Deine Einstellung zu mir zu machen. Ich bin ja schließlich ein erwachsener Mensch, weiß, was ich tue und bin mir über die Konsequenzen meines Handelns vollständig klar. Daß äußere Dinge in meinem Leben eine Rolle spielen, weiß ich selbst am besten, aber Du dürftest mich doch genau genug kennen, um zu wissen, wieviel stärker mein Bedürfnis nach geistigem als nach materiellem Reichtum ist.

Ach Du lieber kleiner Amadé, mach es Dir selbst und uns beiden doch nicht so furchtbar schwer! Ich hab Dich so lieb!! Du selbst hast mir oft gepredigt: »Mehr alles hinnehmen, nicht so stürmisch sein«, und nun gebe ich Dir dieselben Worte zurück. Warte doch erst mal ein paar Monate ab und sprich bald einmal offen mit Sanitätsrat Keil. Daß die Praxis vor Ostern stiller wurde, ist doch ganz erklärlich – an den Feiertagen wollen die Leute nie krank sein; Du wirst schon wieder genug zu tun kriegen … Gewiß kann man von 100 Mark im Monat keine großen Ersparnisse machen, aber das bleibt ja auch nicht so, und einen Teil der Einrichtung krieg ich doch von meinen Eltern mit. Sieh mal, eine eigene Praxis ist doch so gut wie eine Kapitalanlage, selbst wenn hier augenblicklich nicht viel flüssiges Geld vorhanden ist. Und bei meinen Freunden Janssens sehe ich doch auch immer wieder, daß man auch ohne Geld glücklich sein und mit wenigen Mitteln einen Haushalt führen kann …

Schreib mir bald, daß alles so bleibt zwischen uns. Willst Du? Ich küsse Dich, Lieb, und danke Dir nochmals von Herzen!

Deine Lilli

Noch am selben Abend machte sich Lilli an den nächsten Brief, um Ernst über den Gang des Examens auf dem laufenden zu halten. Ihre Prüfer, darunter die Professoren Ferdinand Siegert, Erwin Thomas und Ferdinand Zinsser, schienen sich allerdings eher um Fragen der Tagespolitik zu kümmern:

Mein herzlieber Amadé,
eben als ich von Siegert nach Hause kam, gab mir der Briefträger Deinen Kartengruß; hab recht schönen Dank dafür. Du bist sehr lieb, daß Du so oft schreibst; ich freue mich jedesmal so sehr darüber.

Unser Examen geht doch nicht nach unserem Plan. Gestern, Freitag, trafen wir Siegert nicht an, da er zu sehr mit Reichstagswahlreden etc. beschäftigt ist. Bei einer Reichstagswahlrede in Kalk haben ihn die Kommunisten wahnsinnig angegriffen und ihm gedroht. Wenn sie ihn kriegten, hauten sie ihn tot. Thomas war verreist, und so mußten wir heute wieder hin. Nachdem er uns die Bedeutung der Unglückszahl 13 und des Unglückstages Freitag nach dem neuen Testament erklärt hatte und uns eine Propaganda-Rede für die Deutsch-Völkischen gehalten hatte, geruhte er uns für Montag zu bestellen. Hoffentlich nimmt uns Zinsser nun am Dienstag noch für Mittwoch an. – Lilly Rothschild und ich fühlen uns sehr wohl, seitdem wir uns »emanzipiert« haben.

Nun willst Du gewiß von der »Kassette« hören. Wir hatten noch eine schöne freudige Überraschung, da Schäferlein mittags unvermutet anrief – er war nach Köln gekommen, um sich nach uns umzusehen – und ging dann abends mit uns. Die Darbietungen waren unter aller Kritik, wir waren sprachlos und maßlos enttäuscht, weder Stil noch Esprit noch Künstlerisches – einfach platt und inhaltslos. Das Publikum auch nicht von dieser Qualität und Eleganz,

wie immer geredet wurde. Nachher wurde unten im Wein-
restaurant bei ausgezeichneter Musik, herrlichem Tanz-
boden glänzend getanzt. Wir haben erst zugesehen und be-
obachtet, dann aber auch selber getanzt und wurden auch
verschiedentlich von einem uns vollständig unbekannten
Kavalier eines der Nachbartische aufgefordert, glänzender
Tänzer mit fabelhaft guten Manieren, Alter Ende der 30,
Typ: ehemaliger Offizier, allerdings ohne die übliche Bla-
siertheit und Verblödung. Jedenfalls fühlten wir uns recht
wohl, wenngleich wir uns über die flache, geradezu infan-
tile Musik und Tanzerei als den eklatantesten Ausdruck
unserer Zeit durchaus im Klaren waren. Aber es wàr doch
einmal sehr schön, und wir sind erst um drei Uhr nach
Hause. Allerhand Leichtsinn in der Examenszeit, gell? ...

Übrigens spielen wir so leise mit dem Gedanken, nach
meinem Examen eine achttägige Fußwanderung über die
Bergstraße zu machen. Dann ist alles in voller Blüte, und
außerdem soll es von da ja auch nicht so weit ins Hessi-
sche sein. Aber vorläufig sind das noch Luftschlösser ...

Ich hab ganz schrecklich viel dumme Sehnsucht nach
Dir, und es wird doch nicht besser, wenn ich Dir das
schreibe. Oft lese ich in Deinen Briefen – doch davon ein
ander Mal –, oder ich spiele Chopin. Der liegt mir augen-
blicklich sehr. Ich grüße Dich von Herzen ...,
immer

Deine Lilli

Auch wenn die gemeinsam mit dem Studienfreund Schäfer
besuchte Aufführung der Sternheim-Komödie »Die Kassette« offenbar ein Reinfall war: Lilli ging nur zu gern ins
Theater, sie interessierte sich für Wedekind, Strindberg und
war begeistert von Bernard Shaw. Aber noch häufiger besuchte sie Konzerte mit klassischer Musik. Und die Stars der

zwanziger Jahre gastierten alle im Kölner Gürzenich. Lilli hörte Furtwängler mit der 7. Sinfonie von Beethoven und jubelte danach: »Das ist meine Welt«. Sie erlebte Bruno Walter und die Wiener Symphoniker mit Mozart und Mahler, den Geiger Adolf Busch und den Pianisten Arthur Schnabel. Und die Matthäus-Passion, so berichtete sie am 21. April 1924, habe sie nun »wohl schon zum 10. Mal« gehört. Sie selbst spielte zudem leidenschaftlich Klavier, neben Chopin viel Mozart und Beethoven; mal begleitete sie ihre Schwester Elsa, die Geige spielte, mal spielte sie zusammen mit ihrer Freundin Änne vierhändig ganze Beethoven-Sinfonien nach.

Vorrang hatte in diesen Tagen aber natürlich das Examen. Lilli steckte mitten in den Prüfungen bei den Professoren Külbs und Schneider. Külbs leitete das Augustahospital und betreute später ihre Doktorarbeit, ein zwanzig Schreibmaschinenseiten starkes Werk »Über den Gesamtschwefelgehalt des Blutes, insbesondere der roten Blutzellen«.

Ernst arbeitete weiter in Immenhausen, die Frage der Nachfolge des Sanitätsrats Keil war jedoch noch immer ungeklärt. Und so erwog Ernst einen Umzug nach Honnef, wo sich offenbar eine neue Möglichkeit bot. Am 4. Mai 1924 ging Lilli auf diese Überlegungen ein:

Mein guter lieber kleiner Amadé,
immer freue ich mich auf den Augenblick, wo ich Zeit und
Ruhe habe, um an Dich schreiben zu können. So auch
jetzt … Ist denn bei Euch auch nur so elend schlechtes und
trübes Wetter? Hier merkt man gar nichts von Mai und
Wärme und Sonne. Es ist direkt traurig!

Gestern sind wir nun endlich mit der »Inneren« fertig
geworden. Külbs ließ uns wieder drei Stunden warten,
prüfte uns neurologisch, verzapfte unglaublichen Blödsinn
und schrieb uns dann »bestanden«. Also wieder eine

Station weniger. Jetzt geht's mit Dampf an die Pharmakologie.

Gestern nachmittag und abend war Änne bei mir. Wir haben viel geplaudert mit Mutti, nachher lange vierhändig gespielt und noch einen gemütlichen Abend gehabt ... Meine Eltern lassen Dich recht herzlich grüßen. Und wenn Du Ende Mai herkommst zwecks Deiner Übersiedlung nach Honnef und Dir Dein Zimmer nicht zur Verfügung steht, so bitten Dich meine Eltern sehr, doch die paar Nächte bei uns zu wohnen. Überleg es Dir!

Daß Du herzlich willkommen bist, brauche ich Dir ja nicht besonders zu betonen!

Am Freitag im Gürzenich war es herrlich schön. Dieser Italiener hat eine fast unglaublich schöne Stimme, wunderbar weich, reich modulationsfähig und warm. Rein musikalisch hat es mir weniger gegeben, da diese italienische Musik doch manchmal recht trivial und äußerlich ist. Der äußere Rahmen war prächtig; der ganze alte Gürzenich-Stamm war vertreten. Man kennt einander ja von all den Konzerten. Sehr viel Vornehmheit und Reichtum und gediegene Eleganz. Wir haben uns sehr wohlgefühlt.

Morgen ist Semester-Beginn. Schneider traf gestern Fräulein Rothschild und hat lange mit ihr bei Bremer gesessen und sich nach uns allen erkundigt. Er meinte, wenn Fräulein Auerbach, Fräulein Rothschild und ich nicht mehr ins Kolleg kämen, außer Herrn Schäfer würde er wohl kaum mehr Hörer haben. Ich werde wohl am Dienstag abend von 6–7 Uhr in seine Vorlesung gehen. Ich freue mich wieder sehr auf die Stunden bei ihm. Allmählich bekommen wir ja auch ein wenig persönlichen Konnex mit ihm. –

Gleich gehe ich »wählen«. Diese ganze elende Judenhetzerei des Rechtsblocks veranlaßt mich doch, meine

*Stimme abzugeben. Es bleibt uns nichts anderes übrig als
demokratisch zu wählen. Am liebsten würde ich noch
mehr links wählen.*

*Der Vater drängt mich, ich muß schließen. Ich umarme
Dich von Herzen und geb Dir einen lieben, lieben Kuß,*
Deine Lilli

Die Reichstagswahl vom 4. Mai 1924 brachte nicht das von
Lilli gewünschte Ergebnis. Der Rechtsblock verzeichnete
kräftige Stimmengewinne, die erstmals kandidierenden Nationalsozialisten zogen auf Anhieb mit 32 Mandaten in den
Reichstag ein. Daß Lilli die linksliberale Deutsche Demokratische Partei wählte, war im übrigen wohl ein Zugeständnis
an den Vater. Ihre eigenen Sympathien galten eher der SPD,
zumal sich ihr großes Vorbild, Geheimrat Auerbach, zum So-
zialismus bekannte. Die Erfahrungen, die sie als Praxisvertre-
terin in Kölner Arbeiterstadtteilen sammelte, ließen sie im
Laufe der Zeit politisch immer weiter nach links rücken. »Als
ich am Sonntag plötzlich in ein Haus mit mehr als 30!!! Familien kam«, so gestand sie einige Monate später, »verstand
ich besser als je, daß man Kommunist werden kann.«

Ernsts Pläne, Immenhausen zu verlassen, zerschlugen sich
bald. In seiner depressiven Stimmung suchte er Halt bei alten
Freunden und vor allem Freundinnen – für die Beziehung zu
Lilli eine erste, schwere Belastungsprobe. Sie vermutete sofort, daß ihn ihre jüdische Herkunft abstoßen könnte. Am
24. Mai 1924 stellte sie Ernst deswegen zur Rede:

*Lieb – ich muß ehrlich sein, selbst wenn es Dir sehr weh
tut – so sehr ich mich für Dich freue, daß Du ein paar Tage
mit Hanne zusammen bist – aber auf die Dauer wirst Du
mir dadurch fremd werden, ganz bestimmt. Dann kommt
wieder das Andere, diese Welt, an der Du mich nie teil-*

*nehmen ließest, vielleicht aus dem Gefühl heraus, daß ich
nicht hineinpaßte. Was soll aus uns werden, Amadé, die
Sinne allein überbrücken diese Kluft nicht, und man friert
innerlich hinterher um so mehr. –*

*Meine Verfassung ist traurig, ein Chaos. Alte Konflikte
sind wieder wach. Ich war heute früh in der Synagoge.
Mich packte ein Ekel und eine Wut über alles und mich
selbst.*

Ernsts Reaktion läßt sich nur indirekt aus Lillis nächsten Briefen erschließen. Offenbar versuchte er sie zu beruhigen und
zu besänftigen. Im Laufe des Sommers klärte sich das Verhältnis der beiden vorerst. Und Lilli schlüpfte wieder ganz in
die Mutterrolle, besorgt um das Wohl ihres »kleinen Amadé«.
Den plagten heftige Geldsorgen. Die Praxis in Immenhausen lief schlecht, an eine Unterstützung durch Lillis Eltern
war nicht zu denken. Sie selbst verkaufte in ihrer Not ein paar
Kupferstiche – das Stück für fünf Reichsmark – und half damit Ernst: »Ich schicke Dir also das Geld, bitte keinen Dank.
Der Gedanke, Dich in Geldsorgen zu wissen, ist mir zu
schmerzlich«, gestand sie ihm am 4. Juni. Und es blieb nicht
bei dieser einen Geldspende. Sie tat, was sie konnte, um ihren
Amadé glücklich zu machen.

»Versteh' doch, wer ich bin!«
Ärztin, Ehefrau und Mutter zugleich?

Auch für Lilli war der Start ins Berufsleben keineswegs einfach. Eine Festanstellung im von ihr so geschätzten Asyl bot sich nicht an, sie wurde immer wieder nur für ein paar Wochen eingesetzt. Beharrlich absolvierte sie eine Reihe von Vorstellungsgesprächen bei diversen Kölner Sanitätsräten. Zunächst mußte auch sie sich mit Praxisvertretungen begnügen, verzeichnete aber immerhin – anders als Ernst – einen erheblichen Zulauf an Patienten. Am 4. November 1924 berichtete sie ihm von ihrer Arbeit in einer Kölner Praxis:

Mein lieber kleiner Amadé,
heute bin ich also schon 14 Tage hier ... Die Sprechstunde
war mal wieder rasend voll, von halb 3 Uhr bis kurz vor
6 Uhr. Zum Glück habe ich fast keine Besuche mehr zu
machen; hoffentlich werd ich nicht mehr gerufen.
  Ich will Dir heute nochmals herzlich danken für Deine
feinen Briefe, die ich gestern ja nur nüchtern und eilig
beantworten konnte.
  Die Auszüge aus der Ricarda Huch haben mir viel
Freude gemacht und mich veranlaßt, Dir darauf einiges zu
erwidern. Die Verwandtschaft und Beziehungen der Kün-
ste untereinander hab ich schon oft empfunden und bin
dem sehr gerne nachgegangen. Und nicht nur das, Du
weißt ja selbst, wie oft ich ein Erlebnis oder einen Men-
schen sogar irgendwie musikalisch empfunden habe. Und

das, was Tieck über Michelangelo etc. sagt, hab ich ganz evident immer wieder in Italien empfunden. Ach, nun wünsche ich mir die Ruhe, die Umgebung, die Schreibweise und Ausdrucksmöglichkeit wie eine Rahel Varnhagen, eine Caroline Schelling, um Dir so recht von allem erzählen zu können. Wir bewegen uns übrigens literarisch in der gleichen Zeit, Du und ich, denn abends im Bett lese ich oft noch mal ein oder zwei Briefe der Caroline Schelling. Die bekommst Du später mal von mir.

Und was nun Schlegel über das Verhältnis zur Musik sagt, so pflichte ich ihm durchaus bei. Im umgekehrten Verhältnis zum Beispiel habe ich besonders Bergsons Philosophie als köstliche Musik empfunden – nicht allein durch die Sprache. Die Musik hat genauso ihre Idee wie die Philosophie, und beide – Musik wie Philosophie – einer gemeinsamen Zeit weisen gewisse Ähnlichkeiten auf. Ohne über all das nachgedacht zu haben, passierte mir letztens im Gürzenich, daß ich beim Hören eines modernen Russen (Prokofjew) mich heldenhaft bemühte, mich mit dieser und anderer moderner Musik auseinanderzusetzen, und dann ganz plötzlich zur Änne sagte, ich hätte das Gefühl, als ob auch hier der alte Gottesgedanke gestorben sei – nicht im Sinne irgendeiner Religionsformel, sondern des kosmischen Gottesgedankens überhaupt. Verstehst Du, was ich meine? Und da war ich also ganz intuitiv von der Musik zur Philosophie gelangt.

Wunderst Du dich, dies alles von mir zu hören, nachdem ich Dir kürzlich erst sagte, wie ich Musik höre, koste, erlebe? Aber das hat gar nichts damit zu tun, denn diese Betrachtungen sind ganz im Unterbewußten und kommen erst viel später zur Oberfläche. – Hast Du in Spanien das Schloß Escorial gesehen? Ich las in der Kölnischen Zeitung eine so ausgezeichnete Skizze darüber.

Vorhin habe ich mit zu Hause telefoniert. Vater fährt erst nächste Woche. Das freut mich. Sag, Lieb, weißt Du vielleicht, in welcher Freimaurer-Loge Dein Vater gewesen ist in Hamburg? Es gibt nämlich verschiedene, und es würde meinen Vater interessieren.

Wie geht es Dir sonst, mein Guter? Hast Du viel Arbeit? Schreib mir bald wieder einen so lieben Brief und erzähl' mir von Deinen Büchern und Gedanken ...

Deine Lilli

Ernst hatte 1924 seine Halbschwester Grete in Spanien besucht, die aus der ersten Ehe seines Vaters stammte. Lilli wollte nun die Gelegenheit nutzen, ihren Vater für Ernsts Familie zu interessieren, und sah in dem gemeinsamen Interesse an der Freimaurerei einen möglichen Anknüpfungspunkt. Sie selbst war mit Josef Schlüchterer immer wieder in der Loge gewesen, zum Beispiel bei einem Vortrag über den jüdischen Philosophen Spinoza. »Manches fand Anklang bei mir«, erklärte sie später im Hinblick auf die pantheistischen Anschauungen des Niederländers.

Auch Lilli hatte Reisepläne, im Frühjahr 1925 wollte sie erneut nach Italien fahren, diesmal zusammen mit einer Freundin nach Florenz. Doch in Köln hing der Haussegen schief, Schwester Elsa hatte sich in einen jungen Mann verliebt – in den falschen, wie die Schlüchterers sicher zu wissen glaubten. Am 1. März 1925, kurz vor ihrer Abreise nach Florenz, notierte Lilli noch schnell den Stand der Affäre:

Nun, der Hans war hier und hat um ihre Hand angehalten. Abgesehen davon, daß er meinen Eltern ebensowenig gefällt wie mir, hat er keine Existenz ...

Meiner Mutter ist es furchtbar, daß er kein Jude ist, und seit Tagen liegt sie mir in den Ohren »wenn Du es nur nicht genauso machst«.

Es ist halt verständlich, Amadé – und nicht ganz leicht
für mich –, aber trotzdem, »der Mensch« ist doch die
Hauptsache und nicht seine »Religion«. Aber es ist mir, wie
gesagt, nicht ganz wohl zu Mute. Mein Vaterle kommt
tausendmal leichter drüber weg. – C'est la vie ... Heute in
acht Tagen sind wir also in Florenz – ach wie sich Deine
Lilli freut! Wenn sie Dich nur mitnehmen könnte.

Von Elsas Sorgen unbeeindruckt vertraute Lilli nach ihrer Rückkehr aus Florenz ganz auf eine gemeinsame Zukunft mit Ernst. Nicht einmal dessen Liebe zu einer anderen Frau konnte sie in dieser Gewißheit irritieren. Ernst kannte Annekathrin schon länger als Lilli, die Beziehung der beiden blieb im Grunde ungeklärt. Erst im Laufe des Jahres 1925 sagte sich Annekathrin von Ernst definitiv los, möglicherweise mit Rücksicht auf Lilli; Ernsts erste große Liebe heiratete einen anderen – was den Verlassenen erneut in Depressionen stürzte.

Tatsächlich existieren aus den Jahren 1922 bis 1925 noch heute etwa 50 Liebesbriefe Ernsts an Annekathrin; etwa 150 Briefe der Angebeteten aus den Jahren 1922 bis 1927 finden sich ebenfalls in seinem Nachlaß.

Offensichtlich war Lillis Liebe zu Ernst eine zuweilen einseitige Angelegenheit. Andererseits schien er emotional sehr verwirrt und lieferte ihr durchaus immer wieder eigene Liebesbeweise. Lilli wußte von der Rivalin und bot ihm nun, am 27. März 1925, in einem sehr persönlichen Brief Hilfe in seiner desolaten Gefühlslage an:

Mein geliebter Amadé,
eine ganz ruhige Stunde hab ich mir genommen, um mit
diesen Zeilen zu Dir zu kommen, und nun nehm ich mei-
nen Amadé in den Arm und küß ihn fein und still und hab

ihn herzlich, inniglich lieb und sag ihm all meine treuen Wünsche zum Geburtstag. Möge Dir das zweite Vierteljahrhundert Deines Lebens viel Sonne und Frohsinn und innerste Zufriedenheit und Ruhe bringen, und mögest Du trotz aller Wolken und aller Schmerzen immer wieder Dir bewußt werden, wie groß, wie stark, wie wunderbar das Leben ist!!

Und nun bin ich auch soweit, um Dir, mit aller Ruhe und vollkommenster Gewißheit auf Deinen Brief zu meinem Geburtstag zu antworten. Du lieber Amadé, ich bleibe bei Dir! Ich weiß ganz genau, was ich tue und was das heißt, und soweit man diese Dinge verstandesgemäß behandeln kann, hab ich sie bedacht und überlegt. Und als ich Deinen Brief empfing, war ich stark aus dem Gleichgewicht geraten durch einen Menschen, der mir unendlich viel geben kann und dem ich mich innerlich stark verwandt fühle, durch Maler Kroh.

Wir sind uns sehr nahe gekommen, und dann hab ich ihm von Dir erzählt, und da hat er, obwohl es ihm selbst nicht sehr leicht fiel, aus dem Gefühl heraus, daß es nicht sein dürfe, alles getan, um mir und auch sich zu helfen und mich wieder zurückzubringen und mir die Ruhe wieder zu geben, die er mir genommen hatte. So dankbar ich ihm dafür war, so sehr hab ich unter diesem Zwiespalt gelitten.

Aber daß ich Dir davon heute schreibe, mag Dir Beweis genug sein, daß ich damit voll und ganz abgeschlossen habe und es nunmehr als ein schönes Erlebnis betrachte, um das mich das Leben bereicherte. Wir haben uns seit meiner Reise nicht mehr gesehen. Und wenn ich ihm wieder begegnen sollte, werde ich ruhig sein.

Und auf der Reise habe ich ohne viel Denken wieder ganz stark gefühlt, wie lieb ich Dich habe, und mein Herz, mein Sein, mein Ich hat »ja« gesagt zu Dir, und wenn Du mich so nehmen willst, wie ich bin, Amadé, dann nimm mich, und all mein Fühlen und Lieben soll Dir gehören, und ich will dankbar und zufrieden sein mit dem, was Du mir gibst und will immer versuchen, Dir den Schmerz um Annekathrin zu lindern und tragen zu helfen.

Und daß ich Jüdin bin, lieb Amadé!!!, das werd ich immer ganz bewußt bleiben, und nichts wird mich herausreißen und entwurzeln können aus der Gemeinschaft meiner Väter. Mehr bang ist mir um meine Eltern, die doch sicher darunter leiden werden und denen ich schweren Herzens diese Enttäuschung bereite. Aber ich kann nicht anders!

Und dann hab ich Sorge, ob nicht Dir die Ehe mit einer Jüdin in Deinem Beruf und Deinem Vorwärtskommen Schwierigkeiten bereiten wird, und ich bitte Dich von Herzen, mir mit aller Offenheit darauf zu antworten.

Was nun die Zukunft angeht, über die Du im letzten Brief klagtest, mein Lieb, so weiß ich wohl, wie schwer für Dich die Einsamkeit dort ist, aber sollte Dir die Gewißheit, in Annekathrin und mir zwei Menschen zu haben, die, wenn auch nicht äußerlich, so doch innerlich, ganz, ganz nahe bei Dir sind und Dich nie im Stiche lassen und immer da sind, wenn Du sie brauchst und rufst, sollte diese Gewißheit nicht unendlich viel wert und besänftigend und beruhigend sein!! Ich meine halt, ja!

Und das Äußerliche! Vergiß doch nicht, wieviel weiter Du nun schon gekommen bist und daß die Zukunft doch nicht mehr ein Chaos ist und Du doch ein festes Ziel hast, auf das Du steuerst.

Schließlich holst Du Dir doch eine Frau, die wenigstens in den ersten Jahren mitarbeiten wird, und ich denke mir, daß Du doch Ende dieses Jahres mit meinen Eltern reden kannst und wir dann wieder einen großen Schritt weiter

gekommen sind. Gell, mein Amadé? Und wenn Du wieder
trübe Stunden hast, dann denk daran, daß eine gar nicht
ferne Zukunft viele Deiner Wünsche erfüllen wird und
auch Deine Lilli-Frau dafür arbeitet und sich sehr nach
ihrem Amadé sehnt. –

Ich werde mich tüchtig in Innerer, Kinder und Frauen
ausbilden und mich dann als praktische Ärztin für Frauen
und Kinder niederlassen mit Dir zusammen. Meinst Du
nicht, daß das so richtig ist? ...

Ich freue mich so sehr auf den Frühling! Auf meinem
Schreibtisch stehen so schöne gelbe Osterglocken, und
mein Zimmer duftet ganz stark nach Hyazinthen, die mir
Mutti zum Empfang geschenkt hat. Wie gerne brächte ich
Dir einen Strauß voll duftender Frühlingskinder zum
Geburtstag. Die Tasse, die hoffentlich heil in Deinen
Besitz gekommen ist, stammt aus Florenz aus einer alten
italienischen Porzellanmanufaktur, sie soll auch Dir eine
Erinnerung sein an meine Reise. Die Reproduktionen und
Karten sind auch Italiengrüße, und nicht zuletzt soll die
kleine Gotik eine Geburtstagsfreude sein. Mir hat sie arg
gut gefallen. –

Übrigens ist in den Blauen Büchern ein neuer Band
erschienen, Deutsche Holzschnitte bis zum Ende des
16. Jahrhunderts, ganz wundervoll, und ich hab es uns
gekauft für unsere gemeinsame Büchersammlung,
möchte es nur gerne noch etwas behalten.

Und nun leb wohl mein Amadé. Nimm auch von mei-
nen Eltern Glückwünsche und Grüße ... Glück und Segen,
                                        Deine Lilli

Dieser Brief sollte einen Schlußstrich unter den Liebeskummer der vergangenen Monate setzen. Doch Ernsts Lage war zu verworren. Er machte Lilli wiederum Vorhaltungen, verglich sie mit anderen Frauen und warf ihr ihre intellektuelle Selbständigkeit vor. Sie antwortete auf diese Kritik postwendend am 3. April:

Aber Amadé, lieber guter Amadé, willst Du mich denn so, wie ich bin? Ändern kann ich mich nicht und Du mich nicht. Einen schlichten, einfachen Menschen wie die Hanne zum Beispiel kannst Du nicht mehr aus mir machen. Nach Ruhe und Klarheit strebe ich selbst und will sie erreichen, und alles Frauliche und Mütterliche in mir halte ich hoch und heilig und pflege es als mein Schönstes und Bestes. Wie soll ich Dir nur erklären, was ich sagen will? Schau, das Liebliche und Sanfte liebe ich auch sehr, aber es erfüllt mich nicht ganz ... Aber ich liebe heiß den Michelangelo, ich erglühe für den Faust, mich packt nichts so arg wie Bach und Beethoven, wie das Meer und die Alpen. Das Große, Grenzenlose, Erhabene!! Das Ewige im Werden und Geschehen, mag es alt oder neu sein. Und auch mit Kunst und Literatur der Gegenwart muß ich mich auseinandersetzen. Ob Du mich begreifst? Du kannst doch das Temperament, das Du bei mir auf der einen, der physischen Seite so liebst, auf der anderen, der psychischen nicht nicht wahr sein lassen wollen! Versteh mich doch, und versteh, daß ich natürlich in Extremen rede, nur um Dich verstehen zu lassen, was und wie und wer ich bin. Ach, Lieb, sei nicht böse, aber irgendwie hatte und hab ich Angst, Du wolltest dies und jenes in mir ersticken und anderes dafür großziehen. Ja, und dann wäre ich doch nicht mehr ich!!

Im Grunde versuchte das junge Paar, sich gegenseitig zu erziehen. Ernst wollte aus Lilli eine weniger intellektuelle, mehr mütterliche Gefährtin machen, Lilli wiederum wollte Ernsts zu depressiven Stimmungen neigende Natur kurieren. Noch sah jeder in seinem Gegenüber die Möglichkeit, aus ihm einen anderen zu machen.

Unterdessen hatte Lillis Schwester Elsa bereits einen Heiratsantrag erhalten – von ihrem geliebten Hans, den die Schlüchterers nach wie vor nicht akzeptierten. Der junge Mann galt als Hallodri, außerdem war er nun einmal kein Jude. Am 10. April 1925 berichtete Lilli vom vorläufigen Ende dieser Affäre:

> *Du fragst nach Elsa. Ja, Vater hat den Antrag von Hans W. nun abgelehnt aus triftigen und nur zu verständlichen Gründen, die sie allerdings nicht einsehen will. Sie leidet sehr darunter und meint, es nie verwinden zu können. Bei ihrer zähen und hartnäckigen Natur fällt es ihr gewiß sehr schwer.*

In der Mitte der zwanziger Jahre schien sich die politische Lage der Weimarer Republik endlich zu stabilisieren. Doch mit dem Tod des ersten Reichspräsidenten, des Sozialdemokraten Friedrich Ebert, im Februar 1925 geriet dieses Gleichgewicht schon wieder in Gefahr.

Ein Nachfolger mußte gewählt werden, und im zweiten Wahlgang standen für Lilli nur noch zwei Kandidaten zur Debatte, die sie aber im Grunde beide ablehnte: der Weltkriegs-General von Hindenburg, der Kandidat der Deutschnationalen und der Nationalsozialisten, und der Zentrumspolitiker Wilhelm Marx, der auch von den Liberalen und Sozialdemokraten unterstützt wurde. Der dritte Kandidat, der Kommunist Ernst Thälmann, kam für sie überhaupt nicht in Frage. Am Wahltag, dem 26. April, schrieb sie noch schnell einen Gruß:

Nachher werde ich wählen gehen – Herrn Marx – von zwei
Übeln das kleinere. Nicht als ob ich gegen diese beiden
Persönlichkeiten Gründe hätte. Aber die Parteien, die hin-
ter ihnen stehen! Und da ich als Jüdin meine Stimme doch
den Deutschnationalen nicht gut geben kann, so bleibt mir
nur das Zentrum. Schade, daß diese Leute so wenig
waschecht sind und so gerne – mehr als andere – ihr Män-
telchen nach dem Winde hängen.

Doch Lillis Kandidat verlor. Hindenburg setzte sich mit knap-
pem Vorsprung durch – ein fatales Wahlergebnis. Denn der
greise Generalfeldmarschall erwies sich später als unfähig,
Adolf Hitlers Aufstieg zu verhindern.

Wie sehr die jüdische Herkunft ihre politischen Orientie-
rungen, ja ihr ganzes Weltbild prägte, wurde Lilli damals immer mehr bewußt. Zuweilen war es allerdings auch nur eine
emotionale Betroffenheit, die sich bemerkbar machte – so
beim Besuch einer Ausstellung im Kölner Kunstverein Anfang Mai 1925:

Es ist eine Ausstellung eines Russen, eines Juden Marc
Chagall. Sehr phantasievoll, starke Farbenfreudigkeit und
dennoch eine ungeheure Tragik. Vieles von ihm hat mir
sehr gut gefallen, seine Bilder sprechen zu mir, während
ich das von modernen Künstlern sonst nur wenig behaup-
ten kann. Liegt es daran, weil er Jude ist? Er ist aber nicht
nur modern und revolutionär, er ist auch Russe; und
wie es mir oft beim Lesen russischer Dichter zumute ist,
als krampfe sich mir das Herz zusammen, so auch beim
Betrachten dieser Bilder.

Der Besuch von Ausstellungen und Konzerten lenkte Lilli immerhin ein wenig von den Schwierigkeiten des Berufseinstiegs ab. Nun lag ihr Examen schon ein Jahr zurück, auch die Promotion war längst geschafft – und das »Fräulein Doktor« suchte immer noch nach einer Ausbildungsstelle zur Fachärztin. Sie bewarb sich im Kinderkrankenhaus in der Kölner Buschgasse, ihr Hallenser Onkel machte ihr vage Hoffnungen auf eine Assistentenstelle in Berlin, aber nichts war entschieden. Entmutigt und etwas ratlos berichtete sie Ernst am 1. Mai von ihren Erkundigungen:

Mein lieber Amadé,
heute bin ich den ganzen Vormittag herumgelaufen,
ohne Erfolg bisher. In der Buschgasse war man sehr
freundlich, aber vor nächstem Jahr ist nichts zu wollen.
Dann bin ich zu … Fräulein Dr. Franken. Auch sie riet mir,
wenn ich an eine andere Frauenklinik kommen könnte,
doch lieber dorthin zu gehen … Nun ist guter Rat teuer.
Was soll ich tun? Vielleicht fahre ich mal zu Pankow nach
Düsseldorf.
Ich entbehre es unsagbar, daß Du nicht hier bist und ich
gar nicht richtig mit Dir überlegen kann. Das sind doch
alles Dinge, die für die Zukunft von so ausschlaggebender
Bedeutung sind. Ach weißt Du, diese Ausbildung als
praktischer Arzt ist so lückenhaft: »etwas« Innere, »etwas«
Kinder, »etwas« Frauen, das ist alles so halb und läßt mich
so unbefriedigt. Du wirst mir zur Antwort geben, Du hättest es ja auch nicht anders gemacht. Das stimmt ja schon,
aber ich glaube, ich wäre viel befriedigter, wenn ich in einer
Disziplin eine gründliche Ausbildung hätte.
Und dann die Möglichkeit, daß ich in Immenhausen
auch noch eine Praxis machen könnte, erscheint mir so
unwahrscheinlich und vage. Schau, mein Lieb, ich weiß

sehr wohl, meine ersten Pflichten liegen auf einem ganz anderen Gebiet: Frau und Mutter – aber dieser materielle und geistige Aufwand des Studiums – soll der umsonst gewesen sein? Dann müßte ich heute Schluß machen. Es ist mir halt ein Ding der vollkommenen Unmöglichkeit, pro forma noch ein bis zwei Jahre auf Kosten der Arbeitskraft und Gesundheit meines Vaters die Medizinerin zu spielen, wenn ich doch genau weiß: Du hängst Deinen Beruf über kurz oder lang an den Nagel. <u>Das kann ich nicht!!</u>

Darüber mußt auch Du Dir klar sein. Das ist ja alles so schwer und will auch jetzt entschieden sein, und das so ganz alleine und ohne Aussprache mit meinen Eltern und mit dem Menschen, für den man lebt und da sein will.

Schau mal, wäre es denn kein vernünftiger Gedanke, ich ginge doch nach Berlin, würde Kinderärztin und übernähme später die Praxis meines Onkels in Halle? Und Du sparst tüchtig – denn Deine Angst mit der erneuten Entwertung ist doch sehr unbegründet – und läßt Dich dann in Halle nieder. Das geht doch bei so vielen jungen Ärzten, warum soll Dir das nicht glücken. Und schwieriger als noch auf Jahre hinaus eine ganze Familie in Immenhausen mitzuernähren, ist das gewiß nicht.

Irgendwie müssen wir doch jetzt zu einem Entschluß kommen, überleg Dir alles gut und gib mir <u>bald</u> Antwort. Ich kann nicht mehr lange so herumschwanken. Und ich meine halt, diese Lösung ist nicht so ganz von der Hand zu weisen, abgesehen von der Möglichkeit, in einer größeren Stadt leben zu können; denn wenn ich auch auf die Vorteile einer Stadt verzichten könnte, weil ich Dich so sehr lieb habe, Du brauchst das geistige Leben ebensosehr wie ich. Aber wie gesagt, das sind die letzten Gründe, die *ich in die Waagschale werfe. Ausschlaggebend für mich sind die mißlichen und für mich jedenfalls aussichtslosen Verhältnisse in Immenhausen.*

Hier bricht der Brief ab, ein weiteres Blatt ist nicht erhalten. Lillis Vorbehalte gegen Immenhausen wurden in dem Maße stärker, wie sich Ernst dort mehr und mehr einrichtete. Seit Februar 1925 hatte er in Immenhausen seinen Wohnsitz offiziell angemeldet. Und Lilli mußte davon ausgehen, daß eine Niederlassung für sie persönlich dort schon deswegen kaum erfolgreich sein konnte, weil das damals etwa 2300 Einwohner zählende Städtchen nicht einmal Ernsts Praxis genug Zulauf verschaffte.

Hinzu kamen sicher noch weitere Einwände ihres zukünftigen Mannes. Die Aussicht, daß die eigene Ehefrau einen ebenbürtigen beruflichen Status einnehmen könnte, muß für Ernst äußerst gewöhnungsbedürftig gewesen sein. Und schwerwiegender noch: Lilli besaß, im Unterschied zu ihm, sogar einen Doktortitel. In einer Großstadt wie Köln mochte das noch angehen, aber in einem Nest wie Immenhausen?

All das dürfte Ernst nie so offen ausgesprochen haben. Wahrscheinlich zog er sich vielmehr auf die damals immer noch allgemein gängigen Vorbehalte gegen das sogenannte Frauenstudium zurück. Diese Vermutung jedenfalls legt Lillis für ihre Verhältnisse geradezu wütender Brief vom 6. Mai 1925 nahe:

Mein lieber Amadé,
jetzt weiß ich gar nicht mehr, was ich tun soll und was auf Deinen Brief antworten. Wenn ich mir auch stets denken konnte, daß ich nicht mein Leben lang Praxis ausüben werde und eines Tages andere und wichtigere Pflichten mich in Anspruch nehmen würden, so ist doch durch Dei-

nen Brief diese Frage sehr akut geworden und hat diesen Konflikt ziemlich heftig bei mir ausgelöst.

Und verzeih, Deine etwas schroffe Art hat mich etwas verletzt, dieses »entweder – oder«. Allerdings denke ich heute schon etwas ruhiger darüber als gestern. Ich kann Dich so gut verstehen und begreife vollkommen, was Du willst und wie Du mich haben willst, aber lieb, lieb Amadé, ein klein wenig mußt Du doch auch mir Rechnung tragen und meiner Veranlagung und Einstellung. Und Du kannst sagen, was Du willst, und über das Frauenstudium denken, was Du willst: Ich habe nie aus Spielerei studiert, und je länger ich in meinem Beruf stehe, um so mehr hänge ich daran, um so schwerer wird mir der Gedanke, später gar nicht mehr darin arbeiten zu können.

Ich kenne alle Deine Einwände und weiß, wie berechtigt sie sind – aber das hilft mir doch nicht über diesen Zwiespalt hinweg. Ach, ich wünschte so sehnlichst, Du wärest hier – ich glaube ein Tag wie im vorigen Sommer hülfe mir weiter als all Deine Briefe eines ganzen Jahres. Amadé, ich bin doch so gerne Ärztin, so furchtbar gerne, trotz aller deprimierenden Unzulänglichkeit und leider so häufigen Ohnmacht unseres Berufes. –

Und wer wüßte es denn besser als Du, daß ich trotzdem kein Blaustrumpf bin? Daß ich Frau in aller erster Linie bin und – ach, ich kann das nicht alles schreiben! Aber Du sollst nicht mit einer solchen Handbewegung über Dinge hinweggehen, die ein Teil meiner Selbst geworden sind. Und das hat wehgetan. –

Was nun meine eigene Situation angeht, so werde ich jetzt doch nicht mit meinem Vater sprechen, weil durch die ganze Sache mit Elsa der Zeitpunkt sehr ungünstig ist ... Und wenn Du darauf bestehst, daß ich mit dem Augenblicke meiner Heirat der Medizin Adieu sage, dann

ist der Plan mit Halle ja hinfällig, da ich ja in der Haupt-
sache mit der Praxis meines Onkels rechnete. Ich will Dir
in Deine Pläne überhaupt nicht mehr dreinreden und erst
einmal abwarten, was Deine Auseinandersetzung mit Keil
ergeben wird …

Heute ist das Schumann-Konzert; erst hatte ich mich so
darauf gefreut, und nun hab ich gar keine rechte Stim-
mung dazu. Mutter und Elsa gehen auch mit.

So mein kleiner Amadé, schreib mir bald wieder und sag
mir, daß Du mich verstehst in dem, was ich Dir heute
sagte. Und sag, ob Du mich trotzdem lieb hast, ja?

Ich hab viel Sehnsucht nach Dir!

Alles Liebe und Zärtliche!

Deine Lilli

Ernst war mit den Nerven am Ende: Lillis Beharrlichkeit
setzte ihm zu, die Verhandlungen um die Übernahme der Immenhäuser Praxis mit Sanitätsrat Keil zogen sich hin, und
schließlich war da immer noch der große Kummer über die
gescheiterte Liebe zu Annekathrin. Lilli traf sich in diesen
Wochen sogar mit ihrer Konkurrentin, fand die junge Frau
nicht einmal unsympathisch, erfuhr jedoch von ihr ziemlich
erschreckende Nachrichten aus Immenhausen: Ernst sei
hochgradig nervös und in übler Verfassung. Am 20. Mai gestand sie ihm, daß sie von dem Lagebericht, den ihr Annekathrin gegeben hatte, sehr beunruhigt sei:

So hat es mich doch erschüttert, daß Du Deine 30 bis 40
Zigaretten täglich rauchst. Amadé, Du warst doch sonst
so mäßig und vernünftig!! Und unfaßlich ist mir, daß Du
Morphium nimmst gegen Deine Schlaflosigkeit!! Amadé,
Du als Mediziner, wo Du doch genau die Folgen all dessen
kennst. Ich bitte Dich flehentlich, tu es nicht mehr.

»Und sind die Wasser auch noch so tief!«
Die Eltern wollen Lillis Ehe mit Ernst verhindern

Die Elsa-Affäre war zwar immer noch nicht ganz ausgestanden, doch schon wegen der nervlichen Zerrüttung von Ernst duldete die heikle Frage nun keinen Aufschub mehr: Lilli mußte endlich ihre Eltern in ihre Heiratspläne einweihen – zumal denen die intensive, fast zweijährige Korrespondenz nicht verborgen geblieben war. Und Lilli hoffte sehr, ihren Vater überreden zu können. Am 29. Mai 1925 schrieb sie an Ernst:

> *Ich bin beinahe fest überzeugt, daß er trotz mancherlei Einwänden und Gegengründen nie ein so energisches Veto einlegen wird wie bei der Elsa, weil er immer sein ganzes Vertrauen in mich gesetzt hat und immer wieder betont: Die Lilli geht ihren Weg und wird ihn schon recht gehen. Ich sehe in meinem Vater immer mehr einen Freund, und aus diesem Gefühl heraus werde ich zu ihm reden.*

Am nächsten Tag war es dann so weit, sie sprach mit Vater und Mutter, und am 31. Mai lieferte sie Ernst einen detaillierten Bericht:

> *Mein herzliebster Amadé, Du,*
> *also, der erste Schritt ist gewagt und getan, ich habe gestern nach Tisch mit meinem Vater gesprochen und gestern*

abend mit Mutter. Ich selbst war äußerlich vollkommen
ruhig, beherrscht und klar. Vater und ich haben nicht viele
Worte gebraucht. Er sagte mir: Von all Deinen Kollegen
und Bekannten ist mir Herr Jahn stets der sympathischste
und angenehmste gewesen. Es ist unter diesen Umständen
freilich gar nicht leicht, und ich werde es mir überlegen.
Mehr hat er nicht gesagt, und ich habe ihn nichts gefragt
weiter. Er ist nur sehr lieb und zärtlich zu mir.

Mutter ist sehr aufgeregt, machte allerhand Einwände,
wollte mich auf die Gefahren einer Mischehe aufmerksam
machen, behauptete, mich dadurch ganz zu verlieren und
dergleichen mehr. Ich selbst bin blödsinnig erregt und
habe ein kaum zu bezwingendes Verlangen Dich zu sehen
und zu sprechen. Aber wenn sich auch bisher nichts Tat-
sächliches ergeben hat, bin ich doch fest überzeugt, daß ich
richtig gehandelt habe. Wie es sich nun weiter entwickeln
wird, weiß ich selbst noch nicht.

Pfingstsonntag, 1. Juni.

Lieb – soweit kam ich gestern nachmittags. Dann folgte
eine lange Unterredung mit meinem Vater, der mir sehr
viel Verständnis entgegenbringt und Dir sehr positiv
gegenüber steht. Aber – so leid es ihm tut, helfen kann er
uns nicht, in keiner Weise. Und er sieht auch vorläufig kei-
nen Ausweg. Wir sollten beide erst versuchen, uns eine
Existenz zu gründen, dann könnten wir noch mal wieder
über die Sache reden. Es wäre ja wohl kaum je in einer
Zeit so schwer gewesen, das Ideelle und das so unerläßliche
Materielle miteinander in Einklang zu bringen. Ich sollte
Dir ruhig mitteilen, daß ich mit ihm gesprochen hätte, und
er gebe mir sowohl wie Dir den Rat, wir sollten uns jetzt
noch nicht gegenseitig binden. Wie stark und unlöslich die
Bindung zwischen uns beiden ist, konnte ich ihm nicht
sagen, hätte ja auch keinen Zweck.

Er warnte mich vor Immenhausen; ich könnte mich als Großstadtkind und mit all meinen geistigen und kulturellen Ansprüchen dort nie wohlfühlen, und obwohl er keineswegs an der Echtheit und Tiefe meiner Gefühle zweifle, glaube er nicht, daß auch selbst die Liebe zu Dir mir ein ganzes Leben lang über diese Inkongruenz hinweghülfe. Aber letzten Endes könne er mir ja nicht dreinreden. Dich kenne er ja nicht weiter, aber der Eindruck, den er von Dir habe, sei ein durchaus guter, und er achte Dich sehr.

Aber eines könnte er nicht über sich bringen, gerade mich in äußerlich beschränkten und sorgenvollen Verhältnissen zu wissen. Der konfessionelle Unterschied sei für ihn der letzte Hinderungsgrund und schließlich auch das Alter, da eine Frau eigentlich einen älteren Mann heiraten müsse, um den Gesetzen der Natur irgendwie Rechnung zu tragen. Ich soll also ruhig meinen Weg weitergehen und Du auch, und wenn wir in drei Jahren noch so dächten wie heute und wir bessere Existenzmöglichkeiten hätten, dann sollte ich wieder zu ihm kommen. »Ich wünschte, ich könnte Dir heute 50 000 Mark geben, aber ich habe es nicht, die Inflation hat mich kaputt gemacht.« Soweit mein Vater; und ich habe Dir alles getreulich berichtet, damit Du die großmütige Art und die Liebe meines Vaters zu mir erkennst.

Und nun zu uns beiden. Ich bin froh, daß mein Vater über uns im Bilde ist, aber ich bin sehr, sehr betrübt, daß er uns nicht helfen kann. Besonders Deinetwegen. Amadé, wie sehr leidest Du unter diesen tötenden, monotonen Verhältnissen, welche Energie brauchst Du, um Dich nicht davon erdrücken zu lassen.

Dein letzter Brief hat mich so sehr deprimiert, und mein Gewissen drückt mich, denke ich daran, wie gut, wie schön ich es trotzdem habe, und wie Du darbst und hungerst, Amadé, wenn Du Dich und dadurch auch mich nicht unglücklicher machen willst, dann <u>mußt</u> Du den Plan mit Immenhausen aufgeben.

Amadé, hör mir mal gut zu und hab Vertrauen zu Deiner Lilli, bitte, bitte. Wir beide müssen jetzt ganz mutig unsere Zukunft und unser Leben in die Hand nehmen. Und ich denke doch, das Ziel, das uns winkt, sollte so leuchtend und stark sein, daß es uns Kraft gibt, alle Hindernisse und die Reihe von Jahren noch zu überwinden, die uns bevorstehen. Wir sind ja beide noch jung und haben das Leben noch vor uns, und wir haben uns lieb und vertrauen einander und hoffen gemeinsam, gell Du?!! Amadé, wir müssen das Leben anpacken und ihm ins Auge sehen, sonst verschlingt es uns, und wir werden nicht fertig mit ihm. Ich weiß ja, daß Du mürber bist als ich und das Leben Dich schon hart mitgenommen hat, und ich wünschte, ich könnte Dir etwas einflößen von meiner Lebenslust und -freude, meinem Willen zum Leben, von diesem lebensbejahenden Gefühl, das einem soviel Kraft und Mut gibt und uns nicht untergehen läßt!!

Gestern abend konnte ich nicht mehr schreiben, aber heute nacht habe ich mir vieles überlegt. Ich werde wohl noch diese Woche an meinen Onkel schreiben und in die Pädiatrie gehen, und mein Guter, mein lieber Amadé, wäre es denn gar so schlimm, wenn ich in den ersten Jahren unserer Ehe noch Praxis ausübte, wenn es uns dafür die Möglichkeit brächte, um so eher zusammen zu sein?!!

Ich glaube, das kannst Du noch ruhig mit in den Kauf nehmen, und ich verspreche es Dir, Du sollst <u>nie</u> darunter leiden müssen.

Und Du, Du wartest erst mal ab, wie sich Deine Sache entwickeln wird, und ob Du nun dort oder durch Vertre-

tungen Geld verdienst, ist einerlei. Und das weitere Deiner
Praxis laß mal meine Sorge sein, Lieb, es wird sich ganz
bestimmt die Gelegenheit einer Praxis in Halle oder
sonstwo ergeben. Verlaß Dich mal auf mich. Ich hab Dich
doch so lieb und versprech es Dir heute aufs Neue, ich laß
Dich nicht und bleibe bei Dir, »und sind die Wasser auch
noch so tief!« Lieber, lieber Amadé, ich habe Sehnsucht
nach Dir ...

Ich bleib Dir Deine treue   Lilli

Diese Nachrichten waren nun auch nicht gerade geeignet,
Ernst aus seinen Depressionen herauszuholen. In den nächsten Wochen bemühte sich Lilli um so mehr, ihn zu ermuti-
gen. »Ich möchte in den traurigen dunklen disharmonischen
Klang Deines Lebens den hellen, klingenden strahlenden Ton
hineintragen«, versprach sie ihm am 7. Juni. Und sechs Tage
später berichtete sie begeistert von der Lektüre von Aufsätzen
über Hölderlin, Kleist und Nietzsche: »Gell, Amadé, das Leben ist doch herrlich, ich liebe es so sehr. Und selbst ein noch
so harter Existenzkampf soll Dir und mir die Freude nicht
daran stehlen können.« Lilli selbst war in diesem Existenzkampf wenigstens ein bißchen weitergekommen. Im Israelitischen Asyl gab man ihr eine – allerdings erneut befristete –
Praktikantenstelle. Und am 14. Juli konnte sie ihrem Ernst
immerhin melden, daß sie am Vortag ihre Approbation erhalten hatte: »Das klappte sehr schön.«

Mit dem Herannahen der höchsten jüdischen Feiertage
wurde ihr freilich das Dilemma ihrer Verbindung zu Ernst
wieder allzu deutlich. Nun allerdings wollte sie ihn an ihrer
Welt auch teilhaben lassen, wie sie ihm in einem Brief am
16. September 1925 versprach:

Wir haben übrigens jetzt erst (Samstag-Sonntag) Neujahr
und zehn Tage später Versöhnungstag und erst Anfang
Oktober Laubhüttenfest. Wenn Du eine Laubhütte bauen
kannst, dann kannst Du mehr als Deine Lilli, aber hast
Du denn schon mal eine ganz richtige gesehen? Am Freitag
abend gehe ich mit den Eltern in die Synagoge, ich erzähl
Dir dann von allem.

Die Festtage boten genug Gelegenheit, Lillis Heiratswunsch
im Familienkreis erneut zu diskutieren – mit wenig ermu-
tigenden Ergebnissen, wie Lilli fünf Tage später berichten
mußte:

Im übrigen hat mir Mutter wieder sehr klar und deutlich
zu verstehen gegeben, daß sie sich mit dem Gedanken die-
ser Mischehe durchaus nicht und nie befreunden könnte.
Es wird ja wohl noch manch harten Strauß kosten –
besonders da ich diese Einstellung sehr wohl verstehen
kann durch Erziehung aus dem Milieu meiner Großeltern
und der Überzeugtheit und Frömmigkeit meiner Mutter.

Paula war freilich nicht nur über Lillis Wünsche besorgt. Dra-
matischer schien die Lage von Elsa, die sich trotz des väter-
lichen Machtwortes nicht von ihrem Hans trennen wollte. Im
Hause Schlüchterer herrschte größte Aufregung, das Neu-
jahrsfest und Jom Kippur waren überschattet von den Plänen
beider Töchter, das angestammte Milieu durch Heirat zu verlassen. Lilli ließ trotzdem nicht locker. Am 10. November
konnte sie erste Erfolge nach Immenhausen melden:

Mein guter lieber Amadé,
vielen schönen Dank für Deinen Brief vom Sonntag.
Meine erste Aufregung hat sich ein wenig gelegt; ich hoffe

*immer noch, die Elsa reißt sich los. Aber das Ganze läßt
mir keine Ruhe bei Tag und Nacht, und ich versuche durch
Mutter zu erreichen, daß sie für einige Zeit fort von hier
kommt. Es ist allerdings in der jetzigen Lage nicht so einfach.*

*Und nun habe ich Dir so allerhand Wichtiges mitzu-
teilen. Ich habe Sonntag nachmittag mit Vater nochmals
gesprochen. Das Resultat war, daß er gerne zu einer Unterredung mit Dir bereit ist und im Prinzip einer Verlobung
zwischen uns beiden nicht abgeneigt ist, aber erst dann,
wenn wir eine ausreichende Existenzmöglichkeit hätten.
Er behauptet, mit 400 Mark monatlich könnten wir nicht
auskommen, und er wäre zur Zeit nicht im Stande, uns
beziehungsweise mir einen monatlichen Zuschuß zu
geben. Die ganze Industrie ist so gefährdet, daß die best-
geführten Firmen heute nicht wissen, ob sie morgen nicht
schon unter Geschäftsaufsicht stehen müssen. Denke Dir,
wir hätten Aufträge genug, umzuarbeiten, haben aber
kein Geld, den Betrieb voll aufrechtzuerhalten. Die Hälfte
der Arbeiter ist entlassen, die andere Hälfte arbeitet nur
drei Tage, und am Freitag haben wir nur mit Mühe und
Not das Geld, um die halben Löhne zu zahlen. Und die drei
Herren kürzen sich das Geld, das sie monatlich entnehmen, bis zum äußersten. Davon weißt Du natürlich nichts,
wenn Vater mal davon erzählen sollte.*

*An eine Heirat wäre unter diesen Umständen natürlich
nicht zu denken. Er hoffe, daß es zum Frühjahr besser
würde. Nun, dann ist uns ja gedient, und ich bin sehr
glücklich, daß wir das prinzipielle Einverständnis meines
Vaters haben ... Er ist übrigens vor wenigen Wochen durch
Immenhausen gefahren – mit dem Schnellzug – und war,
soweit er vom Zuge aus sehen konnte, doch etwas entsetzt
über dieses Nest. Doch das schreckt mich nicht ab. Guter,*

ich muß Dir noch ganz flink einen Kuß geben vor Freude und Glück! Ich denke, es bleibt dann bei unserem »Weihnachts-Plan« ... Nun mußt Du aber auch endlich mit Deinem Vertrag voran machen. Vier Wochen bist Du nun schon von Deiner Reise zurück und bist noch gar nicht weitergekommen. Den mußt Du haben, wenn Du mit meinem Vater redest! Nicht böse sein, aber ich muß doch mal energisch mit Dir reden!! —

Lieber, lieber Amadé, nun fangen all die Luftschlösser an, allmählich etwas Wirklichkeit zu werden. Weißt Du, ich vertrete später noch ein oder zwei Mal, und von dem Geld kaufen wir noch Möbel und so weiter. Ich bekomme wohl jetzt 240 Mark, wie ich sie anlege, ist mir noch nicht ganz klar, ich will das nochmal mit Mutter überlegen ... Die Praxis ist etwas ruhiger heute, zum ersten Mal in beinahe drei Wochen. Hier ist es recht kalt geworden, aber schönes Sonnenwetter.

Von Martin Buber wollte ich Dir auch noch erzählen. Er ist ein feiner durchgeistigter Kopf, hat ein kluges Gesicht, sehr blaß, scharf geschnitten, mit langem schwarzem Bart und milden, sehr klaren Augen. Er sprach über den Urgedanken der biblischen Schöpfungsgeschichte.

Er ging aus von der Wissenschaft und der Unfähigkeit, Letztes und Tiefstes zu erklären und zu sezieren, führte ein feines Beispiel aus dem Talmud an: Bei der Erschaffung des Menschen sind drei Kräfte am Werk: Vater, Mutter und Gott. Und dann sprach er davon, daß man die Schöpfung nicht betrachten dürfe als etwas einmal Geschehenes, sondern als etwas Allzeitiges, etwas, das sich ewig erneuert und immer wieder vollzieht, aber stets in anderer Form. Daß kein Geschaffenes dem anderen genau gleicht, daß jede Schöpfung in ihrer Art wieder ewig, einzig ist. Und anhand von Vergleichen babylonischer und

anderer alter Mythen bewies er, daß keine Schöpfungsgeschichte so umfassend und erschöpfend ist wie die des alten
Testaments, die er zum Schluß noch vorlas.

Es war für mich im Grunde nichts Neues, und doch freut
es mich, einmal solche Gedanken ausgesprochen zu
hören. Denn ich verehre Gott in allem Geschehen, in jeder
Lebensäußerung, in katastrophalen Ereignissen wie in
kleinsten Dingen, ich liebe Gott im Rauschen der Bäume
und des Windes wie in der zartesten Blume, wie in allem
Schönen, Hohen und Edlen. Und ich liebe Gott auch in
Mephisto.

Aber wenn mein Gott hineingepreßt ist in die Formen
einer Religion, sei es, welche es mag, dann kann ich ihn
nicht wiederfinden. Und daher auch jedesmal meine Not
an den Feiertagen. Für mich gibt es keinen Gott der Juden,
sowenig wie einen Gott anderer Völker. Für mich gibt es
nur das »Göttliche an sich«. Aber beten kann ich nicht zu
meinem Gott. Ich trage ihn in mir, und mein Glaube an ihn
hilft mir – aber beten kann ich nicht. Verstehst Du das? So
oft, lieb Amadé, hab ich diesen Gegensatz zu Dir darin
empfunden, so oft hat es mich gequält, so oft hab ich es
schreiben wollen – dieser Stunde nun schien es vorbe-
halten. Und nun ist mir bang ums Herz, wie Du diese
Beichte, die noch nie über meine Lippen kam, aufnehmen
wirst. Du, von dem ich ja auch nur ahne, wie anders Dein
Gott ist, wie innig Du lieben kannst, und ich bitte Dich
ganz inständig, sag mir ein paar Worte als Antwort darauf – eine furchtbare Angst, dies könnte Dich unendlich
von mir entfernen, quält mich so sehr – Dich, den ich so
lieb habe!!! …

Deine Lilli

Der Martin-Buber-Vortrag, den Lilli zusammen mit ihrem Vater in der Freimaurerloge hörte, markiert eine wichtige Trennungslinie im religiösen Empfinden der beiden: Während sich Lilli erkennbar von ihren religiösen Wurzeln löste, zog sich Ernst immer mehr in seine katholisch geprägte Denkwelt zurück. Immerhin, als Zeichen ihres Entgegenkommens schmückte sie damals ihr Zimmer mit der Kopie einer Dürer-Madonna. Diese Madonnenverehrung begleitete und vereinte die beiden ihr Leben lang. Für Lilli mochte diese Tradition am Ende mehr ein Ausdruck ihrer Liebe zu Ernst gewesen sein, für Ernst hingegen war sie wohl von Anfang an auch ein Symbol seines Frauenideals.

Auf ihr theologisches Bekenntnis hatte Ernst in seinem Antwortbrief offenbar verständnisvoll reagiert. Und er hatte noch eine gute Botschaft: Die zähen Verhandlungen um den Vertrag für die Übernahme der Keilschen Praxis in Immenhausen waren endlich erfolgreich abgeschlossen. In ihrem Brief vom 18. November zeigte Lilli ihre Freude über diese Nachricht, von ihrer Überlegung eines Wechsels nach Halle war von nun an nie mehr die Rede:

Mein guter lieber kleiner Amadé,
gestern nachmittag war ich bei Sanitätsrat Cahen, der mit
etlichen »Wenn« und »Aber« schließlich mir doch
zusagte; und so kann ich am 1. Dezember im Asyl auf drei
Monate wieder beginnen, wenn ich noch die Einwilligung
von Auerbach habe. Zu diesem Zweck muß ich gleich raus
nach Ehrenfeld, weil er dort am besten zu sprechen ist und
Fräulein Lobbenberg mich eben anrief, es nur ja noch heute
zu erledigen.
So will ich denn wenigstens noch anfangen, Deinen lan-
gen, langen Brief, für den ich Dir von Herzen danke, zu
beantworten ... Ich bin schrecklich froh, daß die Vertrags-

geschichte endlich so weit erledigt ist, und gratuliere Dir ganz, ganz herzlich dazu, und Amadé kriegt einen lieben Kuß dafür. Dir ist doch sicher auch ein Stein vom Herzen. Wenn Du Weihnachten kommst, bring doch bitte den Vertrag mal mit, ich hab ihn gar nicht mehr ganz genau im Kopf ... So, nun muß Lilli schnell fort. Nachher weiter. –

Also auch Chef Auerbach ist einverstanden. Er war so nett und erkundigte sich eingehend nach der Praxis und wie es mir dort ergangen wäre. Ich freue mich riesig; heute abend bin ich nun bei Lobbenbergs. Kisch hat leider abgesagt, er war bereits eingeladen.

Und nun wieder zu Deinem Brief. Ich denke, in etwa 14 Tagen schreibst Du an Vater, er wisse ja, wie Du zu mir ständest, und da sich Deine Vertragsangelegenheiten nun geordnet hätten, bätest Du ihn um eine mündliche Unterredung, und fragst ihn, ob denn der 23. Dezember angenehm sei.

Und wenn Du dann mit ihm sprichst, ist jede Politik oder vorsichtige Überlegung dessen, was Du zu sagen hast, vollkommen überflüssig, sondern Du kannst ruhig mit offenen Karten spielen und jedes Ding beim Namen nennen, und kannst ganz in dem Sinne mit meinem Vater reden, wie Du mir schreibst. Je offener und bestimmter, um so besser. Ich halte das bei meinem Vater für das Beste und Richtigste.

Ja, und die geldlichen Angelegenheiten, lieb Amadé!

Ich denke, Du bekommst ab Januar nach allen Abzügen für Wohnung, Essen und so weiter doch 200 bis 250 Mark monatlich. Da kannst Du Dir doch ruhig einen Anzug und einen Mantel anschaffen bis zum April und bis zum Mai auch den Schreibtisch abzahlen. Und schließlich bekomme ich doch von meinen Onkels zur Hochzeit Geschenke, und da wünsch ich mir halt einen Teppich oder sonst was uns

noch fehlt. Ich glaube doch, daß wir eine Einrichtung
zusammenbringen im Lauf des Jahres, zumal ich doch auch
Kücheneinrichtungen und dergleichen durch die Bezie-
hungen von Vater zu den Engros-Firmen wesentlich billi-
ger bekommen kann. Mach Dir darüber doch nicht soviel
Gedanken, Guter ... Lieb, und wenn Dich all die Schwie-
rigkeiten noch so sehr bedrücken und fast unüberwindlich
dünken, halt den Kopf oben, und glaub mir, wir kommen
durch! ... Deine Lilli

Ein wenig sträubten sich Josef und Paula Schlüchterer noch,
Lilli mußte beide zu der für Weihnachten geplanten Aus-
sprache überreden. Aber dann, Ende November 1925, bekam
Ernst von Paula die formelle Einladung zu einem Besuch bei
Schlüchterers in Köln über die Weihnachtstage.

»Eine geradezu fieberhafte Ungeduld«
Hochzeit mit dem Segen des Rabbiners

Am 23. Dezember des Jahres 1925 hielt Ernst bei Josef Schlüchterer um Lillis Hand an. Von Lilli zuvor eingehend beraten, hatte er seine wirtschaftliche Lage keineswegs beschönigt, aber sich auch nicht zu pessimistisch gegeben. Und so verlief die obligatorische Aussprache über die finanziellen Perspektiven des Paares zu einer gewissen Zufriedenheit des Brautvaters. Die jungen Leute bekamen seinen Segen.

Kaum zurück in Immenhausen bedankte sich der Schwiegersohn in spe artig für die Gastfreundschaft, fügte dann allerdings leichtfertig noch ein paar Bemerkungen an, die zumindest Mutter Paula in helle Aufregung versetzten, wie Lilli am Neujahrstag 1926 berichtete:

Die Eltern haben Deinen Brief erhalten und ihn mir nicht zeigen wollen; nach Deiner Andeutung wußte ich ja, was drin stand, und es hat mich geradezu lächerlich aufgeregt, daß man ihn mir vorenthalten wollte. Vater hat ihn mir dann gegeben, und es war auch nur gut so, denn – er hat eine gewisse Bestürzung hervorgerufen bei den Eltern. Ich verstehe recht gut, aus welchen Motiven heraus Du ihn geschrieben hast, aber ob diese Offenheit so ganz angebracht war, wenigstens heute möchte ich das aus der Wirkung, die sie hervorbrachte, bezweifeln. Nun ist nichts mehr daran zu ändern, und ich möchte Dich herzlichst bitten, nichts irgendwie Erklärendes oder Verteidigendes folgen zu lassen. Das wäre verkehrt. Vater hat wohl Verständnis dafür, aber Mutter regt sich so darüber auf, daß sie sich heute nachmittag zu Bett legen mußte. Sie quält sich und mich mit Zweifeln jeglicher Art, die nur die Zeit beheben kann. Mutter ängstigt sich um mich; sie begreift nicht, daß ich einer inneren Notwendigkeit folgend diesen Weg gehen mußte. Vielleicht klingen diese Eröffnungen für einen Menschen, der sich nicht in all dies hineinversetzen kann, etwas nüchtern und kalt. Daß ich Dich erst – um mit Deinen Worten zu reden – erobern mußte, daß ich jahrelang um Dich gekämpft habe, das versteht sie nicht. Nun macht sie es sich und mir so schwer. Aber bitte, schreibe Du jetzt nicht an sie. Und was ich zu dem Brief sagte, mein Liebes? Ja, Lilli hat im neuen Jahr schon bittere Tränen vergießen müssen. Alte Wunden haben wieder ein bißchen weh getan. Aber nun ist's wieder gut, und durch die Tränen schimmern wieder ein paar glückliche Augen ...

Auch Josef Schlüchterer ließ die Angelegenheit keine Ruhe. Doch er brachte seine Skepsis, ob seine Tochter die richtige Wahl getroffen hatte, höchst diplomatisch zum Ausdruck. Am 2. Januar 1926, im ersten überlieferten Brief an den zukünftigen Schwiegersohn, beschwor er ihn in feierlichen Worten, seiner Lilli treu zu bleiben:

Lieber Ernst,
wie Du siehst, helfen wir Dir über die Dir befremdliche Anrede hinweg, indem wir Dich nicht mit Deinem offiziellen Titel »Schwiegersohn« anreden, sondern wie unseren leiblichen Sohn kurzerhand mit seinem Vornamen, der uns so traut und lieb geworden ist.
Wenn wir Dir das zu ersetzen vermögen, was Dir vom

zarten Kindesalter an gefehlt hat, dann wollen wir es freudigen Herzens tun als Ausfluß unseres Dankes dafür, daß Du unser Sonnenkind mit Deiner ganzen Liebe und treuer Hingabe beglückst, die sie voll und ganz verdient.

Der ganze Gang der Entwicklung, den Du uns in solch klarer, schmuckloser, dafür aber um so überzeugenderer und rührenderer Weise geschildert hast, mag Dir und uns die Gewähr sein, daß Lilli, es mag da kommen, was da will, unentwegt, fest und treu den von ihr als richtig erkannten und verfolgten Weg weiter gehen wird. Und daß wir zu Dir das felsenfeste Zutrauen hegen, daß Du ihr all ihre Liebe, Treue, Hingebung und Güte mit ganzem Herzen dankbar und freudig erwiderst und vergiltst, mag Dir unsere Einwilligung zu Eurer Verbindung beweisen. Wir haben Dir ein Teil des Liebsten und Besten, was wir haben, gegeben.

Als wir vorigen Freitag abend das Gotteshaus betraten, klang uns das herrliche Lied zum Preise des Sabbats entgegen, des Höchsten, Heiligsten und Erhabensten, das unsere Religion kennt. In diesem Liede wird der Sabbat verglichen mit einer lieblichen Braut, die dem Bräutigam entgegenkommt.

Daraus magst Du lieber Sohn ersehen, mit welcher Ehrerbietung, Liebe und Ergebenheit die Braut und spätere Gattin bei uns verehrt und geliebt wird.

Wenn Du Dir für Euer ganzes Leben dies als Richtschnur gelten lassen wirst, dann wird das, was ihr erhofft und ersehnt, in Erfüllung gehen, und ein gütiges Geschick wird Euren Bund segnen.

Euer ungetrübtes Glück und Wohlergehen wird das höchste Glück, der schönste Dank sein für Lillis und Deine

Eltern

Ernst gegenüber zeigte sich die ganze Familie hoch erfreut über Lillis nun für den August geplante Hochzeit. Von allen Seiten trafen Glückwunschadressen und Geschenke ein. Großmutter Schloß in Halle spendierte einen Blüthner-Flügel, ein Onkel in New York stolze 2000 Dollar. Und Lilli wollte in ihrem Überschwang Ernst sogar eine Doktorarbeit schenken. Sie halte zwar von dem »ganzen Zinnober« wenig, aber schaden könne so ein Titel auch nichts. Wenn Ernst zustimme, so bot sie ihm im Januar 1926 an, könne sie die Arbeit noch bis zur Hochzeit fertigstellen, er müsse dann nur noch zur Prüfung nach Köln kommen.

Auf den Schwindel ging der Bräutigam zum Glück nicht ein. Und so konnte sich Lilli in den nächsten Monaten ganz auf die Vorbereitung eines eigenen Hausstandes und auf das Kölner Gesellschaftsleben konzentrieren. Am 25. April etwa besuchte sie eine Party bei ihrem Freund Lutz Salomon:

Die Gesellschaft gestern bei Salomons war trotz allem Luxus und aller Eleganz ziemlich langweilig. Ich fühle mich ja nie sehr wohl in diesen etwas sehr oberflächlichen, unpersönlichen Kreisen und habe dann auch leider nicht das Talent, mich dem Augenblick anzupassen. Rein ästhetisch war es natürlich ein Genuß, diese fabelhaften Räume, dieser Reichtum an Blumen, Kristall und Silber und eine Reihe von äußerst gepflegten, geschmackvollen, zum Teil sehr schönen jungen Frauen! Ein prachtvolles Bild! Wir waren 30 Leute – und eine junge Klavierkünstlerin und ich die einzigen mit langen Haaren! Es waren auch zahlreiche Kollegen dort, die in egoistischer Weise gefachsimpelt haben.

In diesen Jahren setzte sich der sogenannte Bubikopf in der Mode durch. Lilli widersetzte sich vorläufig noch dem Zeitgeist, ein paar Jahre später trug aber auch sie ihre Haare kurz, wie Fotos aus den frühen dreißiger Jahren zeigen.

Schon vier Tage nach der Party bei Salomons ging sie aufs nächste Fest, diesmal im Hause des Geheimrats Auerbach:

> Es war im Gegensatz zu Salomons so nett und fein, wir haben uns so wohl gefühlt, und plötzlich war es zwei Uhr morgens, ohne daß wir es gemerkt hatten, und der Geheimrat war noch in lebhaftester Unterhaltung. Köstliches Essen und mit Hilfe des Radio-Lautsprechers haben wir auf Londoner Tanzmusik getanzt. Als Tischherrn hatte ich einen Juristen vom Oberlandesgericht und rechts von mir saß Löwenstein.

Lilli hatte ihren zukünftigen Ehemann noch nicht ein einziges Mal in Immenhausen besucht. Nun aber führte kein Weg mehr daran vorbei. Sie sollte und wollte sich die gemeinsame Wohnung ansehen und zu diesem Zweck mit ihrer Mutter im Mai nach Hessen reisen. Aus Kostengründen schlug Ernst ausgerechnet das Christliche Hospiz in Kassel zum Übernachten vor – was Mutter und Tochter sogleich dankend ablehnten: Ernst möge bitte ein anderes Hotel ausfindig machen.

Nachdem auch das geklärt war, reisten die beiden zu einem Kurzbesuch in die gefürchtete Provinz. Sei es aus Höflichkeit, sei es aus einer gewissen Erleichterung: Lillis Bilanz dieses ersten Besuchs fiel durchaus positiv aus. Ihr Reisebericht vom 17. Mai:

> Mein guter lieber, lieber Amadé,
> unsere Karte wird Dir inzwischen unsere Ankunft und
> gut überstandene Reise gemeldet haben. Hier haben wir

alles in Ordnung angetroffen, auch Nachricht vom Vater. All die schönen Blumen haben sich herrlich erholt, und wir können uns so richtig dran freuen. Ich danke Dir auch nochmals dafür und für alles andere Liebe. Daß ich mich ganz besonders gefreut habe, Dich am Sonntag vormittag nochmals gesprochen zu haben, wirst Du wohl gemerkt haben.

Liebes, ich bin richtig froh! Nun kann ich mir doch endlich einen Begriff davon machen, in welcher Umgebung Du lebst und arbeitest, wie Dein Zimmer aussieht, wo Du die Donnerstagabende verbringst und so weiter.

Und nun haben auch alle Zukunftsbilder eine greifbare Gestalt angenommen. Daß mir Immenhausen keine Enttäuschung war, dafür hattest Du ja reichlich gesorgt. Es läßt sich dort schon leben, und Kassel hat mir ausnehmend gut gefallen. Und da ja die Eltern in Köln sind, holen wir uns halt dort geistige Anregung und Erfrischung, gell? Und wenn wir beide erst in unserer kleinen Wohnung sind, die Du so lieb und hübsch hast machen lassen und für die wir schon so feine Dinge gekauft haben, dann gibt es zwei glückliche Menschen mehr auf der Welt, gell, mein großes, kleines Amadé-Kind, und dann wirst Du auch ruhiger und heiterer werden.

Ich will Dir auch bei allem helfen, lieb Amadé, innerlich und äußerlich, und will Dir dankbar sein für jedes bißchen Sonne und Liebe, das Du mir entgegenbringst.

Und nun habe ich eine geradezu fieberhafte Ungeduld, bis alles fertig ist und wir endlich zusammen sind!! – Weißt Du, worüber ich mich noch besonders freue, ist, daß Du in Bonsmann einen so prächtigen Menschen und wirklichen Freund hast, dessen herzliches und warmes Entgegenkommen mich richtig gefreut hat. Sag ihm doch bitte einen recht schönen Gruß ...

Mit Elsa haben wir vorhin stundenlang telefoniert, sie
wollte schrecklich viel wissen, ist recht munter und
kommt weder zum Schreiben noch zum Lesen, da sie dau-
ernd Tischtennis spielt (ein Gesellschaftsspiel englischer
Landsitze!) und jeden Abend Gesellschaft ist ... Dir, mein
Liebes, Dank und tausend innigliche Grüße und Küsse,

Deine Lilli

Mit der bevorstehenden Heirat traten neue Freunde in Lillis
Leben. Dabei zählte der Leiter der Lungenheilstätte Philipp-
stift in Immenhausen, Dr. Bonsmann, als einer der wenigen
Akademiker in der kleinen Stadt fast automatisch zum neuen
Bekanntenkreis.

Lillis Schwester Elsa versuchte derweil als Gesellschafts-
dame einer reichen Familie über den Verzicht auf ihren Hans
hinwegzukommen. In ihrem Fall hatten sich die Eltern also
durchgesetzt – eine Enttäuschung, von der sich Elsa erst nach
Jahren erholte.

Um die Geldsorgen zu mindern, machte Lilli damals noch
eine letzte Praxisvertretung in Köln – was Ernst offenbar
mißbilligte, wie aus einer Bemerkung aus Lillis Brief vom
26. Mai hervorgeht:

Es macht mir wieder rechte Freude, obwohl ich mich in
manchen Dingen noch etwas unsicher fühle. Du brauchst
Dir aber keine Gedanken zu machen, Liebes, ich bleibe
trotz allem die Alte. Deine Einwände gegen die Berufs-
arbeit der Frau haben in gewisser Weise wohl ihre Berech-
tigung; aber Du darfst nicht vergessen, daß die moderne
Erziehung und Emanzipation der Frau den Wunsch nach
geistiger Arbeit sehr lebhaft in uns geweckt haben und
mancherlei dadurch entstehende Konflikte nicht so ohne

*weiteres zu lösen sind. Wir werden uns wohl später noch-
mal darüber unterhalten, gell, lieber Amadé?!!*

Am 12. August 1926 erfüllte sich Lillis Traum: In der Wohnung der Eltern in Köln heiratete sie ihren geliebten Amadé,
ein Rabbiner sprach den Segen. Nur Ernst leistete sich noch
einen kleinen Fauxpas: Mit den Ritualen der jüdischen Hochzeit nicht vertraut, fiel er vor dem Rabbiner auf die Knie. Die
versammelte Verwandtschaft guckte für einen Moment betreten zu Boden.

»Deine rührende Sorge um mich«
Die junge Familie

Nach der Trauung im August 1926 fuhren Lilli und Ernst auf Hochzeitsreise nach München. Das Paar besichtigte die Museen der Großstadt, um noch ein wenig Kraft zu tanken für die Übersiedlung nach Immenhausen bei Kassel.

Die hessische Gemeinde besaß zwar Stadtrechte seit mehr als 600 Jahren, war aber kaum mehr als ein Arbeiterdorf. Wer nicht per Bahn in die Kasseler Fabriken zur Arbeit fuhr, der verdiente sein Geld in der Immenhäuser Glashütte oder als Bauer. Die Verhältnisse waren bescheiden, ja ärmlich. Und als dann noch im Zuge der Weltwirtschaftskrise die Glashütte schließen mußte und 190 Männer und Frauen ihre Arbeit verloren, wurde Immenhausen 1930 vom Regierungspräsidenten in Kassel zum Notstandsgebiet erklärt. Im selben Jahr wählte die Stadtverordnetenversammlung erstmals einen Sozialdemokraten zum Bürgermeister.

Die wirtschaftliche Not der Kleinstadt bekamen Lilli und Ernst auch in ihrer anfangs noch gemeinsam betriebenen Arztpraxis zu spüren. Der Zulauf an Patienten war, wie von Lilli befürchtet, zunächst schwach. Schon nach wenigen Monaten wurde sie schwanger und bekam am 10. September 1927 ihr erstes Kind, Gerhard. Von nun an praktizierte in der Regel nur noch Ernst.

Lilli erwartete bald ein weiteres Kind, es wurde zu eng in der gemieteten Wohnung. Nochmals halfen Lillis Verwandte:

Ein Siedlungshaus konnte finanziert, gebaut und mitten im bitterkalten Winter 1928/29 bezogen werden. Ilse kam, am 15. Januar 1929, bereits im neuen Haus zur Welt.

Neben die Eingangstür des Hauses in der Gartenstraße wurden zwei Namensschilder montiert, links das für den praktischen Arzt Ernst Jahn, mit Angabe der Sprechstundenzeiten, rechts das für die praktische Ärztin Frau Dr. Lilli Jahn, ebenfalls mit Nennung der Sprechstunden.

Zuweilen besuchte man Verwandte und Freunde. Ernst konnte Immenhausen freilich nur verlassen, wenn er einen Vertreter für die Praxis fand. Im Juni 1930 übernahm diese Aufgabe ein Dr. Janik. Ernst fuhr in den Schwarzwald, um dort Lillis inzwischen an Tuberkulose erkrankte Schwester Elsa zu treffen, und nach Freiburg zu Lillis Cousine Olga und deren Mann Max Mayer. Lilli selbst blieb daheim, zumal sie in wenigen Wochen ihr drittes Kind erwartete. Während des kurzen Urlaubs nahm das Paar seine Korrespondenz sofort wieder auf. So schrieb Lilli am 9. Juni 1930 an Ernst:

Mein Liebster,
nun sind die Pfingsttage auch vorüber, und ich hoffe, sie
waren für Dich so ruhig, schön, befriedigend und erhol-
sam, wie ich es Dir von ganzem Herzen wünschte. Warst
Du viel mit Elschen zusammen? Was hast Du nun noch
für Pläne? Guter, so leid es mir tut, wie schnell Dein
Urlaub vorüber geht, so sehr freue ich mich darauf, wenn
Du wieder bei uns bist.
   Mir haben die beiden Tage Ruhe sehr gut getan.
Dr. Janik war gestern zu Mittag und Abend bei seinen
Kasseler Verwandten, so haben wir für uns nur einfach
gekocht, ich habe mich nach Tisch zwei Stunden ins Bett
gelegt, habe mir dann meine Kinder fein angezogen und
bin mit ihnen etwas spazierengegangen. Sie waren sehr

vergnügt und artig, und Ilschen läuft schon ganz ordentlich ...

Der heutige Tag war wundervoll! So himmlisches Wetter, daß wir den ganzen Tag im Garten waren. Wir haben
um ½ 9 mit den Kindern draußen gefrühstückt, ich habe
den ganzen Vormittag draußen gesessen, später kam
Dr. Janik dazu, der übrigens eine sehr nette Art hat, mit
den Kindern umzugehen. Wir haben dann sehr opulent
gegessen mit Spargel und Ananas und Schlagsahne und
einem Glas Wein, dann bin ich wieder ins Bettchen – bin
ich nicht artig!! – und Dr. Janik ist in den Wald. Fräulein
Anna und ich haben wieder mit den Kindern draußen
Kaffee getrunken, und dann hat Fräulein Anna den ganzen
Nachmittag mit den Kindern gespielt und sich sehr
bedeutsam Bübchens Gunst erworben.

Ich habe nur im Liegestuhl gelegen und gefaulenzt. Und
da Dr. Janik um 7 Uhr von Bonsmann zum Essen eingeladen war, haben Fräulein Anna und ich auch draußen zu
Nacht gegessen und waren unten, bis es uns zu kühl
wurde. Ich sehe so gut aus wie lange nicht mehr. Ilschen ist
schon tüchtig verbrannt, nur bei dem Jungen merkt man
noch wenig.

Die Praxis ist ganz ruhig, nur gestern gegen Abend zwei
sehr unwesentliche Bestellungen, die Dr. Janik auf der
Rückfahrt von Kassel erledigte. Übrigens erzählte mir
heute Herr Schmidt, daß es seiner Frau noch gar nicht gut
gehe, sie hatte wieder sehr hohe Temperaturen und seit
einigen Tagen eine Venenentzündung im Bein.

Am 10. 6. 30

Liebes, heute morgen kamen von Dir drei Briefe und
eine Karte; ich habe mich ganz schrecklich gefreut über so
viel liebe und gute Post und danke Dir innigst für Deine
rührende Sorge um mich ...

Lieber, ich schreibe Dir dann morgen noch mal nach Freiburg an Olgas Adresse, da ich fürchte, in St. Blasien erreicht es Dich nicht mehr. Zeitungen lohnen sich wohl kaum noch, denn heute ist gar keine gekommen.

Daß Du zu Mayers gehen willst, freut mich. Es sind liebe prächtige Menschen, die ich wirklich gerne mag und in ihrer geraden und offenen Art sehr schätze. Sag Ihnen viele liebe Grüße. Wirst Du Dir die Stadt ein bißchen ansehen?

Deine Berichte über Elschen sind mir eine große Beruhigung, und ich freue mich, daß Ihr eine schöne Autofahrt gemacht habt und doch relativ viel zusammen sein könnt. Grüße sie innig und erzähl ihr von allem! Auf dem Feldberg bin ich auch schon gewesen, damals lag noch Schnee oben, und Schluchsee kenne ich auch. Lieber, ich freue mich schon so darauf, wenn wir einmal gemeinsam in den Schwarzwald können ...

Viel Freude noch, mein guter lieber Amadé, und von uns allen innigste Grüße und alles Zärtliche und Liebe

Deine Lilli

Am 26. Juli 1930 wurde Lillis drittes Kind, Johanna, geboren. Die stetig wachsende Familie, so scheint es, machte Lilli so glücklich wie seit Jahren nicht mehr.

In den dreißiger Jahren gewann sie zudem eine neue, enge Freundin: Lotte, die Tochter ihrer Cousine Olga Mayer. Lotte war zehn Jahre jünger als Lilli, studierte zunächst Jura in Freiburg und heiratete später ebenfalls einen Nichtjuden, den Literaturwissenschaftler Ernst August Paepcke. Das Schicksal, in einer sogenannten Mischehe zu leben, verband die beiden jungen Frauen auf besondere Weise.

Lotte Paepcke wurde nach dem Krieg zur Schriftstellerin und erwähnte bereits 1952 Lillis Schicksal in ihrem Erinnerungsbuch »Unter einem fremden Stern«. In einer längeren Passage erzählte sie die Geschichte ihrer »einzigen Freundin«. Sie beginnt mit Lillis frühen Jahren und dem Einzug in das neue Haus in Immenhausen:

Ein lebensfrohes Gewimmel herrschte in den kleinen Zimmern. Dienstmädchen, Wäscherin, Flickerin, Patienten nahmen den Rest der Räume ein, und Lilli gebot über alle und alles als lebensfrohe und tüchtige Hausfrau.

In einfühlender Liebe folgte sie den eigenwilligen Wegen des klugen, doch immer innerlich umgetriebenen Mannes. Neben seiner großen und anstrengenden Praxis trieb er in den Nächten kunsthistorische Studien, neigte, von Haus aus Protestant, zum Katholizismus, ohne doch den Weg dorthin ganz zu finden, und war in unaufhörlicher innerer Spannung um Klärung und Ordnung geistiger Wirrsal bemüht, ohne ihrer wirklich Herr werden zu können. In mütterlicher Liebe nahm Lilli ihn, ihr ältestes Kind, an ihre Brust und besänftigte zum Bleiben, was in allzu ungebärdigem Streben in ihm umging.

Sie lebten weit von der nächsten Stadt entfernt, doch fanden sie außer an ihrer vorzüglichen Bibliothek feinsinnige Gesellschaft im Pfarrer des Ortes, bei benachbarten Kollegen und einem sehr kultivierten Gutsherrn. Fahrten in die Stadt zu Theater- und Konzertbesuchen waren hin und wieder möglich, und schließlich schufen längere Ferienreisen jedes Jahr neue Anregung und Zerstreuung.

Daß Ernsts depressive und schwierige Natur seine junge Familie immer wieder belastete, wußte er selbst nur zu genau. Er sei »zu einem stacheligen Schalentier für die Umgebung« geworden, bekannte er Ende September 1931 in einem Brief an seinen Studienfreund Leo Barth, der inzwischen in Mannheim als Redakteur einer Tageszeitung arbeitete: »Ich leide unter einer sehr großen nervösen Reizkrankheit – oder nennt's Unbeherrschtheit –, die mir sehr arg ist.«

Im Januar 1932 starb Lillis Vater an einer Hirnblutung, nun mußte sie sich auch noch um ihre Mutter Paula kümmern. Und schließlich verfinsterte sich der politische Horizont. Die Weltwirtschaftskrise und die kräftigen Stimmengewinne der Nationalsozialisten und Kommunisten bei den Reichstagswahlen im September 1930 ließen die Weimarer Republik auf einen Zustand der Unregierbarkeit zusteuern. Am 9. Februar 1932 lieferte Lilli den inzwischen gemeinsamen Freunden Leo und Hanne Barth einen kurzen Stimmungsbericht:

> *Es geht uns gut; wir haben keinen Grund und keine Berechtigung zu klagen, und wenn es natürlich auch Stunden gibt, in denen man die Not und den Druck der Zeit besonders intensiv empfindet und man sich Sorgen macht betreffs des allgemeinen und des persönlichen Schicksals, so glaube ich doch fest daran, daß die natürliche Entwicklung allen Geschehens uns auch aus dieser schweren Zeit wieder herausführen wird.*

Das Gegenteil war der Fall. Das Schicksalsjahr 1933 begann in Immenhausen mit heftigen politischen Auseinandersetzungen. Von symbolischer Bedeutung war der Ausgang der Straßenschlacht vom 13. Januar: Nach einer Demonstration wurden Sozialdemokraten und Kommunisten von Immenhäuser SA-Leuten, die allerdings Verstärkung durch den berüchtigten Göttinger SA-Sturm 99 erhalten hatten, brutal zusammengeschlagen und auseinandergetrieben.

»Wir haben Erschütterndes erlebt«
Die Nationalsozialisten übernehmen die Macht

Am 30. Januar 1933 ernannte Reichspräsident Hindenburg Adolf Hitler zum Reichskanzler, zwei Tage später wurde der Reichstag aufgelöst, ein neuer Wahlgang für den 5. März angesetzt. Wie einschneidend diese politischen Ereignisse waren, war Lilli anfangs wohl nicht bewußt. Am 5. Februar bedankte sie sich bei ihren Mannheimer Freunden Hanne und Leo Barth zunächst nur für die ihrer Familie zugedachten Weihnachtsgeschenke:

Meine lieben lieben guten Hanne und Posa,
eine ruhige Stunde an diesem Sonntag morgen will ich
benutzen, um den in Gedanken schon so oft an Euch
geschriebenen Brief zu beginnen. Wenn es mir jetzt nicht
genau so ginge wie Dir, liebe Hanne, daß Müdigkeit und
eine gewisse Trägheit mich hemmen, so hättet Ihr schon
längst wieder von uns gehört.

Wir danken herzlichst für Hannes lieben letzten Brief,
für Euren Kartengruß zusammen mit Leo Diekamp, und
nun nochmals ganz besonders für Euer liebes Weihnachts-
paket und die dazugehörigen Briefe. Der Gedichtband ist
so schön, so warm und innig, von Herzen kommend und
zum Herzen gehend, daß ich ihn immer wieder zur Hand
nehme und gerade in diesen Monaten eine besonders tiefe
Freude dabei empfinde. Und ich glaube, Amadé geht es
damit nicht viel anders ...

Anfang Januar habe ich dann meine Mutter nach Köln begleitet und bin über den Todestag meines Vaters bei ihr geblieben. Nun ist sie noch dort, wohnt in einer Pension, wo sie ganz gut untergebracht ist, und sucht eine Wohnung zum ersten April. Es ist schwer, weil die Mieten immer noch ziemlich hoch sind. Ich hoffe aber, daß sie bald etwas findet und dann noch ein paar Wochen nach St. Blasien zu meiner Schwester fahren kann; eine Erholung dort könnte sie gut gebrauchen.

Meine Schwester macht uns nach wie vor viel Sorge. Der Kur-Erfolg will sich diesmal nur langsam einstellen. Und nun ist sie doch schon wieder über vier Monate dort. Sie selbst leidet auch sehr darunter und ist unglücklich über die Untätigkeit, zu der sie verurteilt ist.

Für mich waren die fünf Tage in Köln sehr schön und inhaltsreich. Ich habe bei meiner Freundin, der Ärztin Liesel Auerbach, gewohnt und bin von ihr wunderbar verwöhnt worden ... Ich war mal wieder im Wallraf-Richartz-Museum, wo ich in der Kölner Malerschule verschiedenes noch ganz Unbekanntes vorfand und zwei sehr schöne Grünewald zugeschriebene Porträt-Köpfe bewundern konnte. Dann hab' ich mir die neu geordnete Schnütgen-Sammlung angesehen, die jetzt in Deutz in der recht gut umgebauten alten Kürassier-Kaserne untergebracht ist und viel viel besser zur Geltung kommt. Eine Ausstellung im Kunstverein von Modernen war sehr mäßig; daß in einem anderen Salon gleichzeitig Bilder von Peiner, Schimpf etc. – unter anderem Nägele! – ausgestellt waren, wußte ich nicht. Und es tut mir heute noch weh, daß ich das versäumt habe.

Dafür habe ich allerdings ein besonders gutes Gürzenich-Konzert genießen dürfen. Das Schönste war ein Flötenkonzert mit Orchester von Bach. Der fabelhaft virtuose

Geiger Jascha Heifetz war bewundernswert, ließ mich aber innerlich kalt.

Ein ganz ungetrübter Genuß war dann noch eine Aufführung im Deutschen Theater am Rhein »Die Jungfrau von Orleans« mit der Tony van Eyck. Ich war wieder überrascht von der Schönheit, dem Reichtum und der Tiefe des Stückes; etwas beschämt ob dieser alten und doch neuen Erkenntnis, und doch beglückt zugleich bin ich dann nach Hause gegangen ... Daß ich dann auch sonst die ganze Atmosphäre von unserem geliebten Köln mit jeder Faser in mich aufgesogen und gekostet habe, könnt Ihr Euch denken.

Unser Häuschen, so wie es ist, mit seinem ganzen Inhalt, nach Köln versetzt – ich glaube, ich wäre wunschlos glücklich! Aber das ist halt zuviel verlangt und zu unbescheiden für dieses Leben ...

Hin und wieder sehen wir Bekannte bei uns oder sind eingeladen, aber im allgemeinen sind wir zu Hause, und besonders Amadé ist froh, in dieser Zeit politischer Verhetzung nicht vor die Tür zu müssen (abgesehen natürlich von der Praxis). Hier gibt es ja nur zwei Extreme, »Die nationale Front!« und die Linke. Mit ziemlicher Empörung haben wir die Vorgänge der letzten Tage in der Kölnischen Volkszeitung verfolgt. Und wie oft sagt Amadé: »Wie schön wäre das, wenn ich jetzt einmal den Posa reden hören könnte!!!« Und wir nehmen wohl nicht zu Unrecht an, daß Du zur Zeit wieder besonders in Anspruch genommen bist.

Amadé liest und arbeitet viel; er wird wohl bald Spezialist für deutsche Klöster und Ordensgeschichte. Nichtsdestoweniger beneide ich ihn glühend um seine Energie und geistige Leistungsfähigkeit. Meine Tage sind so ausgefüllt mit Haus und Kindern, und abends bin ich restlos müde ...

Und nun seid alle beide von Herzen umarmt und lieb
gehalten von Eurer Lilli

Noch waren es die Extremisten beider Seiten, über die sich Lilli und Ernst empörten, noch schien ihnen der Kampf zwischen Nationalsozialisten und Kommunisten nicht entschieden. Nur beiläufig beklagte sich Ernst zwei Tage später in einem weiteren Brief an das Ehepaar Barth über die ungewisse politische Lage: »Und dann noch dieser Reichskanzler, und diese Art mit dem Judentum – incredibile.« Unglaublich war das alles in der Tat, doch im Grunde wußten Lilli und Ernst noch gar nicht, was sie von den Ereignissen halten sollten.

Der Reichstagsbrand am 27. Februar löste eine große Verhaftungswelle aus, vor allem die angeblich schuldigen Kommunisten waren davon betroffen. Und doch schien die Lage sogar nach den Reichstagswahlen vom 5. März, die den Nazis einen erheblichen Stimmenzuwachs beschert hatten, nicht wirklich geklärt. Im kleinen Immenhausen hatte die Linke erneut deutlich mehr Stimmen erhalten als die Rechte. Und bei den eine Woche später durchgeführten Kommunalwahlen behaupteten die Sozialdemokraten sogar ihre Mehrheit in der Stadtverordnetenversammlung, sie gewannen sechs der elf Mandate.

Dann allerdings setzten sich die Nazis durch: Mit dem Ermächtigungsgesetz, das der Reichstag gegen das Votum der Sozialdemokraten am 23. März 1933 billigte, wurde das Parlament kaltgestellt. Hitlers Kabinett konnte fast unbeschränkt agieren. Und es dauerte gerade mal zwei Tage, bis die Immenhäuser Sozialdemokraten und Kommunisten das auch zu spüren bekamen: SA-Leute drangen in die Häuser und Wohnungen von etwa 20 Genossen ein und verschleppten ihre Opfer in eine ehemalige Knopffabrik in der benachbarten Kreisstadt

Hofgeismar. Dort wurden die Männer vor ein Pseudogericht gestellt und anschließend die Nacht durch geschlagen und gefoltert.

Am nächsten Morgen mußte auch Ernst Jahn die zum Teil übel zugerichteten Leute verarzten. Lilli wurde so mit den Folgen des Naziterrors zum ersten Mal im eigenen Haus konfrontiert. Zudem war es im benachbarten Kassel in diesen Tagen zu antisemitischen Exzessen gekommen. Die Scheiben mehrerer jüdischer Geschäfte wurden eingeworfen. SA-Trupps verprügelten jüdische Kaufleute, Rechtsanwälte und Bankiers. Eines der Opfer starb sogar an den Folgen der Mißhandlungen.

Und von Lillis Freiburger Verwandten kamen ebenfalls schlimme Nachrichten: Max Mayer, der Mann ihrer Cousine Olga, war verhaftet worden. Ihn, den jüdischen Lederhändler und sozialdemokratischen Stadtverordneten, hatten die Nazis unter einem Vorwand schon am 20. März zusammen mit der gesamten SPD-Fraktion ins Gefängnis gesteckt und erst am 31. März wieder freigelassen.

Die Aufregung war groß im Immenhäuser Ärztehaus, offensichtlich wollten die Nazis ihre politischen Gegner systematisch einschüchtern. Diesem Zweck diente auch der sogenannte Judenboykott vom 1. April: Von morgens 10 Uhr an wurden überall im Reich sämtliche jüdischen Geschäfte, Rechtsanwälte und Ärzte boykottiert. Die Immenhäuser nahmen es dabei nicht ganz so genau und bezogen auch Ernsts Praxis in die Aktion ein. Ernst wurde damit erstmals öffentlich für seine Ehe mit einer Jüdin bestraft. Am nächsten Tag schrieb die ohnehin schon sehr strapazierte Lilli – sie stand damals kurz vor der Geburt ihres vierten Kindes – den Freunden Hanne und Leo, was vorgefallen war:

Ihr Lieben,

nur ein paar Zeilen, um Euch zu sagen, daß wir uns von Herzen freuen über die so guten Berichte von Hanne und Eurem Baby. Wir denken ja so oft und voll Liebe an Euch! Dir, liebe Hanne, besonderen Dank für Deine fürsorgliche Karte. Es hat mir gut getan, daß Ihr auch solchen Anteil nehmt an den kleinen Alltäglichkeiten dieses Lebens. Aber ich habe seit dem 1. März eine neue Stütze, die sich gut eingearbeitet hat und tüchtig und ordentlich ist. Und gestern abend ist die Pflegerin gekommen, denn von nächster Woche ab erwarte ich unser Kind ... Gesund sind wir alle, die Kinder sind lieb und munter, und auch ich kann den Umständen entsprechend zufrieden sein!

Aber sonst! Wir haben Erschütterndes erlebt! Und könnt Ihr Euch vorstellen, wie mir zumute ist? Könnt Ihr begreifen, wie schwer mir ums Herz ist und wie bitter weh das alles tut? So, daß die Freude auf das Kommende ganz verschüttet ist!!

Denkt Euch doch, auch über meinen Amadé hat man gestern den Boykott verhängt, weil er mich – eine Jüdin – zur Frau hat!! Wie mich das zutiefst erschüttert hat, dafür fehlen mir die Worte. Und dazu kommt nun die große bange Sorge: Wird es noch weitere Folgen für uns haben? Wir wagen gar nicht weiter zu denken ...

Laßt es recht gut gehen, und denkt auch einmal an Eure sehr deprimierte und isolierte, sich mehr denn je nach Euch sehnende.

Lilli setzte ihren Namen nicht mehr unter den Brief, dafür fügte Ernst noch ein beschwörendes »Und doch Christus vincet, Herzlichst Euer Amadé« hinzu.

Christus vincet, Christus siegt – Lilli fehlte dieses Gottvertrauen; sie litt mindestens so sehr wie Ernst unter der ihm angetanen Demütigung. Ihrer jüdischen Herkunft hatte ihr Mann diese Schikanen zu verdanken. Und sie war bei all dem völlig hilflos, zumal wenige Tage später, am 10. April, Eva, ihre dritte Tochter, geboren wurde.

Bald mußte das Praxisschild rechts neben der Haustür abgeschraubt werden. Um keinen Anstoß zu erregen, verzichtete Lilli auf die weitere Ausübung ihres Berufs. Und schließlich war auch an einen politischen Schutz nicht mehr zu denken: Immenhausens sozialdemokratischer Bürgermeister hatte sein Amt Ende März an einen Nationalsozialisten abtreten müssen.

Betroffen von den neuerlichen Schikanen war auch Lillis Schwester. Elsa hatte in Köln Chemie studiert, war promoviert und hoffte auf eine akademische Karriere. Doch jüdische Wissenschaftler wurden jetzt nur noch im Ausnahmefall an den Hochschulen geduldet, Elsas Ambitionen waren damit geplatzt.

Leo und Hanne reagierten schnell auf Lillis Brief vom 2. April und spendeten ein wenig Trost. Lilli antwortete am 10. Mai:

Ihr Lieben, Guten, Hanne und Leo,
laßt mich Euch von ganzem Herzen danken für Eure
guten Wünsche zur Geburt unseres Babys..., für das mich
während des Wochenbetts sehr erquickende Heft über die
Jesuitenkirche und vor allem für Eure guten Worte, die
Beweise Eures Verständnisses und Eurer Liebe, die meinem
so sehr verwundeten Herzen wirklich wohl getan haben.
Und da will ich mich gleich Amadés Zeilen anschließen und
Euch selbst noch mal innigst bitten, wenn Ihr es möglich
machen könnt, die Pfingsttage mit Ursula bei uns zu ver-
bringen. Könnt Ihr Euch denken, was das für uns bedeuten
würde? Wir wären Euch von ganzem Herzen dankbar...

Unser Evalein geht gut voran ..., die Großen verfolgen mit großem Interesse jede Prozedur des Waschens und Trinkens und würden ihr Schwesterchen gar nicht mehr missen mögen. Sonst sind sie natürlich viel zu sehr mit ihren eigenen Erlebnissen beschäftigt, zumal sie den ganzen Tag draußen sind und für nichts anderes mehr Interesse haben – vor allem der Junge – als für SA und SS, sie marschieren und exerzieren und beglücken uns unentwegt, von früh bis spät, mit dem Horst-Wessel-Lied. Da wir die Pflegerin aus bestimmten Gründen schon vergangenen Samstag entlassen haben, versorge ich mein Kleines ganz alleine und habe natürlich einen reichlich ausgefüllten Tag.

Das ist auch gut so, denn alles andere, was uns liegt und Freude macht, ist durch die Ereignisse doch ganz in den Hintergrund gedrängt, und die Gedanken kreisen immer um die gleichen Dinge ... Wie immer Eure getreue

Lilli

Tatsächlich hatte der knapp sechs Jahre alte Gerhard irgendwo eine kleine Reichsflagge aus Kaisers Zeiten aufgetrieben und stapfte nun stolz und fröhlich singend – »Die Fahne hoch! Die Reihen fest geschlossen« – mit seinen beiden Schwestern Ilse und Johanna durch den Garten des Immenhäuser Ärztehauses.

»Das uns auferlegte Schicksal«
Lilli und ihre Familie werden isoliert

Lillis Freundin Lotte Paepcke hatte noch Ende März das juristische Staatsexamen absolvieren können, wurde dann aber aus »rassischen Gründen« nicht mehr zum Referendardienst zugelassen. Wegen ihrer Mitgliedschaft in der Roten Studentengruppe steckten die Nazis sie im Juli sogar ins Gefängnis. Drei Wochen mußte sie dort ausharren, bis sich ein mit ihrem Vater befreundeter nichtjüdischer Rechtsanwalt für sie verbürgte und Lotte gelobte, ihren kommunistischen Ideen abzuschwören. Nach ihrer Freilassung reiste sie über Zürich nach Rom; aber an eine Emigration war nicht zu denken, weil ihr Freund und zukünftiger Ehemann Ernst August weder italienisch sprach, noch dort als deutscher Literaturhistoriker eine Anstellung finden konnte. Im Januar 1934 kehrten die beiden nach Deutschland zurück und heirateten bald, denn schon damals war absehbar, daß die Nazis über kurz oder lang sogenannte Mischehen verbieten würden.

In Immenhausen hatte sich der Alltag derweil völlig verändert. Die eben noch allseits geachtete Arztfamilie wurde plötzlich von den örtlichen Honoratioren gemieden, ja geächtet. Noch ein Auszug aus Lotte Paepckes Erinnerungsbuch »Unter einem fremden Stern«:

Die Bevölkerung des Dorfes, wenn auch mit der gewissen Anhänglichkeit der Abhängigen dem Doktorhaus ergeben, sah doch nicht ohne wollüstiges und selbstgefälliges Gruseln, wie da einer von den Hohen, Reichen von Staats wegen erniedrigt wurde und wie sie selbst, die gewöhnlichen Volksgenossen, infolgedessen im Rang stiegen ...

Eines Tages kam der Gutsherr in die Sprechstunde, eine unbedeutende Verletzung nur, die er den Arzt doch bitte zu verbinden. Beiläufig nur wollte er ihm, als Freund dem Freunde, erklären, daß er und seine Frau vorläufig leider den Verkehr mit der Doktorsfamilie abbrechen müßten. »Sie verstehen mich, lieber Doktor, es ist eine rein formelle Sache, und es tut unserer tiefen Verehrung für Sie und Ihre Frau Gemahlin keinerlei Abbruch. Aber in meiner exponierten Stellung kann ich es mir einfach nicht leisten ...« Der Doktor verstand und geleitete mit höflicher Verbeugung den Gutsherrn zur Tür.

Bald danach rief der benachbarte Kollege an, er habe einige fachliche Dinge zu beraten und komme nachher einmal mit dem Wagen vorbeigefahren. Nein, zu einem gemütlichen Abend reiche die Zeit leider nicht, er könne nur eben für eine Viertelstunde abkommen. Und es reichte gerade nur, um dem Kollegen zu erklären, daß der freundschaftliche Verkehr der beiden Familien leider durch die politischen Verhältnisse gestört worden sei und er es seiner und seiner Familie Existenz schuldig sei, sich zurückzuziehen. »Sie kennen mich, verehrter Kollege, und wissen, daß nichts meine Achtung vor Ihnen und Ihrer Frau Gemahlin schmälern kann, aber die Verhältnisse ...« Der Doktor verstand und geleitete mit höflicher Verbeugung den Kollegen zur Tür.

Und nach einem halben Jahr kam der Pfarrer und erklärte, daß er von der Parteistelle nun das dritte Mal

verwarnt worden sei und die schönen Plauderstunden im
Doktorhaus leider ein Ende nehmen müßten ... Und der
Doktor geleitete höflich den letzten Gast zur Tür.
    Sie waren nun sehr allein.

Die Freundin Lotte berichtete in literarischer Form aus Lillis
Leben. Die Dialoge sind sicher nur dem Sinne nach authen-
tisch. Und doch: So oder ähnlich werden sich die Ereignisse in
der Gartenstraße zugetragen haben.

Zeitzeugen erinnern sich zudem an vereinzelte Pöbeleien
der Immenhäuser Bürger; noch 1933 sei das Haus einmal von
SA-Leuten unter dem Vorwand umstellt worden, die Jüdin
Lilli Jahn vor der Erbitterung der Bevölkerung »schützen« zu
müssen. Tatsächlich aber war der von der Partei organisierte
»Volkszorn« wohl weitaus größer als der wirkliche Unmut
unter den Einwohnern der Kleinstadt.

Wenn Lilli das Haus zum Einkaufen verließ, so heißt es
heute in Immenhausen, blickte sie stets nur zu Boden, um
niemanden in die Verlegenheit zu bringen, sie grüßen zu
müssen. Nur wenige Menschen durchbrachen diese Isolation
und gingen von sich aus auf sie zu, die meisten kümmerten
sich offenbar kaum um das persönliche Schicksal der stigma-
tisierten Frau und ihrer Familie. Im übrigen war man auf den
tüchtigen Arzt Ernst Jahn schlicht angewiesen. Trotz aller
Schikanen lief seine Praxis nun immer besser.

Im Laufe des Jahres 1933 emigrierte Lillis Schwester nach
England. Elsa war ungebunden, ihre akademische Karriere
ohnehin beendet. Außerdem war sie durch die Tuberkulose
immer wieder zu langen Kuraufenthalten gezwungen. Elsa
ging nach Birmingham. Dort freilich wurden ihre deutschen
Zeugnisse nicht anerkannt. Sie mußte also ihre Abiturprü-
fung und ihre akademische Ausbildung, diesmal mit dem
Schwerpunkt Pharmazie, im Schnelldurchgang wiederholen.

Auch von England aus besuchte Elsa ihre Schwester noch einige Male in Immenhausen, aber Lillis Vereinsamung schritt voran. Zwei Freundespaare hielten zunächst noch aus der Ferne den Kontakt aufrecht: der Rechtsanwalt Leo Diekamp und seine Frau Lise in Bochum sowie, vor allem, Leo und Hanne Barth in Mannheim. Man korrespondierte ein paar Mal im Jahr, man besuchte sich in den Ferien. Am 4. Februar 1934 wurden die Barths von Lilli über die Verhältnisse in Immenhausen informiert:

Meine lieben lieben guten Leo und Hanne,
dieses Mal stehen aber wir sehr tief in Eurer Schuld, und
ich bitte Euch sehr um Entschuldigung wegen unseres fast
ungezogenen Schweigens. Wir haben uns ja noch nicht ein-
mal so richtig für Eure lieben Weihnachtsgrüße und war-
men Neujahrsgrüße bedankt. Wir sind aber seit vor Weih-
nachten kaum zur Ruhe, geschweige zur Selbstbesinnung
gekommen. Und wir beide, Amadé und ich, sind reichlich
abgekämpft; Amadé durch eine – man muß ja eigentlich
sagen: Gott sei Dank – sehr lebhafte und angestrengte Pra-
xis, ich durch allerlei Hausfrauen-Nöte und durch ziem-
lich häufiges Erkranktsein der verschiedenen Kinder.
Sorge macht uns jetzt nur noch unser Gerhardchen.
Er ist doch sehr zart und wenig widerstandsfähig, blaß,
schmal … Letzten Mittwoch habe ich ihn in der Schule
angemeldet. Es war mir dabei nicht ganz leicht ums Herz,
Ihr versteht mich ja. Er selbst war voller Interesse, aber
doch mit einer deutlich spürbaren Zurückhaltung. Daß er
dann zu Hause plötzlich ungefragt die drei Bilder aus dem
Klassenzimmer – wir haben uns keine zehn Minuten dort
aufgehalten – genau und klar beschrieb, mußte selbst sein
Vati, der seinen Kindern gegenüber sehr kritisch und spar-
sam mit Lob eingestellt ist, zufrieden anerkennen. Jeden-

falls ist er – soweit man es heute schon beurteilen kann – kein »Kollektivmensch«. Und wenn seine Anlagen sich so weiter entwickeln, wird er es in reiferen Jahren wohl mit Gleichmut zu ertragen wissen, nicht in den »braunen Kolonnen« mitmarschieren zu dürfen.

Ilschen und Hannele gingen am liebsten schon mit ihrem Bübelein in die Schule, sie sind gesund, kräftig und munter, Ilschen mit Stolz ein Hausmütterchen, Hannele ein Racker. Eine ganze Nummer für sich ist die Eva. Leo, wenn Du sie heute sehen würdest, Du würdest nicht glauben, daß das das ruhige, zufriedene Kind vom Sommer ist. So etwas von Wildheit und Temperament habe ich bei den drei anderen nicht erlebt ...

Weihnachten war schön, sehr schön. Die Kinder mit ihrem rührenden Glauben und ihrer strahlenden Freude haben auch unsere Herzen licht und froh gemacht und dadurch reicher und empfänglicher für unsere gegenseitige Verbundenheit und Liebe, die wir immer wieder als Wall aufrichten müssen gegen das »Draußen«.

Ich glaube, ich bin seit dem Herbst doch etwas ruhiger geworden; die Wunde, die man uns geschlagen hat, bleibt zwar und brennt auch, aber ich versuche schon um meines Mannes und unserer Kinder willen das uns auferlegte Schicksal von einer höheren Warte aus zu betrachten. Und es hat vielleicht auch sein Gutes, daß man heute gezwungen ist, sich mit Fragen auseinander zu setzen, die man früher aus Bequemlichkeit und vielleicht auch aus Feigheit nicht wahrhaben wollte. Aber das sind ja Dinge, die eigentlich nicht in einen Brief gehören, über die müßte man reden können in stillen Stunden des Beisammenseins.

Solche Stunden brachten uns die Tage mit Lise Diekamp. Kinder, war das ein Geschenk für uns, war das eine Oase in unserem sonst so einsamen, so abgeschlossenen

Leben. Aber was ist das auch für eine prachtvolle Frau ...
Nun können wir erst voll begreifen, was auch Euch solch
Zusammensein mit Lise Diekamp bedeuten mag.

Inzwischen hat meine Schwester in London ihr Abitur
gemacht und studiert in Birmingham weiter Pharma-
kologie. Ihre Gesundheit bleibt allerdings weiterhin eine
Sorge. Mutter erwarten wir bald für einige Wochen bei
uns.

Im übrigen ist der gesellschaftliche Boykott hier in
Immenhausen uns gegenüber von einer ungeahnten Voll-
kommenheit. Dem Bonsmann hat die SA-Leitung das
Betreten unseres Hauses verboten!! Daß er sich's hat ver-
bieten lassen, dazu ist jeder Kommentar überflüssig. Ich
selbst gehe fast überhaupt nicht mehr vor die Tür.

Wie sieht es denn bei Euch aus, Ihr Lieben? Was macht
Leos Mutter? Wir denken oft an sie voll bester, herzlich-
ster Wünsche. Und hat Leo denn jetzt etwas mehr Ruhe?
Mit größter Anteilnahme verfolgen wir alle die Dinge, die
Euch besonders angehen. Und die Adventspredigten von
Kardinal F. waren ein sehr trostreicher Genuß für uns.
Auch darüber müßte man reden können ... Vergeltet nicht
Böses mit Bösem, sondern schreibt uns bald wieder. Ich
grüße Euch von ganzem Herzen als Eure getreue Lilli

Die fünf Adventspredigten des Freisinger Kardinals Faulha-
ber aus der Vorweihnachtszeit 1933 wurden von den Zeitgenossen als Zeichen des Widerstandes gegen den nationalsozialistischen Rassenwahn verstanden. Tatsächlich war Faul-
haber jedoch nur bemüht, das Alte Testament als Teil einer
gemeinsamen Tradition von Christentum und Judentum zu
verteidigen. Gegen die politische Diskriminierung der deutschen Juden protestierte er keineswegs; später sympathisierte
er mit Hitler.

Zur gesellschaftlichen Isolation Lillis kamen viele persönliche Enttäuschungen. Jener Arzt etwa, der ihr beim ersten Besuch in Immenhausen noch so imponiert hatte, Ernsts Freund Dr. Bonsmann, trennte sich nicht nur aus Opportunismus, sondern auch aus politischer Überzeugung von der Familie Jahn. Bereits im Juli 1934 wurde er in einem Schreiben des NSDAP-Kreisleiters in Hofgeismar als »rangältester SA-Führer« bezeichnet. Bonsmann hatte es zum »Sanitätsobersturmführer« in Immenhausen gebracht.

In der Anonymität einer Großstadt wie Köln wäre Lillis jüdische Herkunft manchen Nachbarn womöglich gar nicht bekannt geworden. Im kleinen Immenhausen dagegen wußte jeder davon. Wer sich also an den politisch geforderten Boykott nicht hielt, mußte seinerseits mit Sanktionen rechnen.

Da half es auch überhaupt nichts, daß sich Lilli nach außen hin ganz dem christlichen Familienleben angepaßt hatte. Die Kinder waren evangelisch getauft worden und wurden später der Reihe nach konfirmiert. Selbstverständlich hing im Hause Jahn Jahr für Jahr ein Adventskranz, ein Weihnachtsbaum wurde aufgestellt, Weihnachtslieder wurden gesungen. Und Lilli stickte sogar eine aufwendig verzierte Weihnachtsdecke für den Familientisch.

In die Kirche allerdings begleitete sie ihre Kinder nie, zuweilen fuhr sie allein nach Kassel in die Synagoge. Auf ihrem Nachttisch lag ein in silbernen Buchdeckeln eingefaßtes jüdisches Gebetsbuch; hin und wieder wurde sie von ihren Kindern dabei beobachtet, wie sie abends Gebete sprach. Und einmal im Jahr, am Todestag ihres Vaters, brannte auf ihrem Sekretär 24 Stunden lang ein Jahrzeitlicht.

Fast scheint es, als sei ihre bis dahin nur schwache Bindung an den jüdischen Glauben mit ihrer Isolation in Immenhausen wieder etwas stärker geworden.

Ernst entfernte sich ja ohnehin aus der protestantischen

Welt. Schon seine katholische Mutter hatte ihn und seine Schwester heimlich, und gegen den Willen des evangelischen Vaters, mit in die katholische Messe genommen. Und je mehr er nun auch selbst von Kollegen, Freunden und Bekannten wegen seiner Ehe mit Lilli geschnitten wurde, desto mehr wich er in die aus seiner Sicht integre und moralisch gefestigte Sphäre des Katholizismus aus. So war er ein treuer Leser der Zeitschrift »Das Hochland« und begeisterte sich, sicher nicht zufällig, für die literarischen Werke von Konvertiten. Zu seinen Favoriten, so zeigt sein Brief an das Ehepaar Barth vom 27. Februar 1934, zählte der 1921 zum Katholizismus übergetretene Kulturkritiker Theodor Haecker, dessen Werke trotz ihres sehr konservativen Weltbildes von 1938 an im Dritten Reich nicht mehr gedruckt werden durften, sowie die gleichfalls zum katholischen Glauben konvertierte norwegische Nobelpreisträgerin Sigrid Undset mit ihrem Mittelalter-Epos »Olav Audunssohn«:

> *Liebe Hanne, lieber Leo,*
> *nehmt sehr herzlichen Dank für die gütige Bücherspende,*
> *die endlich in Eure Hände zurückkehrt. In den letzten*
> *Wochen habe ich Olav Audunssohn gelesen. Das ist allerhöchste Kunst, Lebenswahrheit und eine seelische Größe*
> *und Tiefe, ein Ernst und eine Sittlichkeit, wie sie offenbar nur aus den Kräften der Religion gestaltet werden*
> *kann.*
> *Solches und Theodor Haeckers Geist, »Das Hochland«,*
> *unsere Kunstbücher – das sind unsere Gäste und unsere*
> *Hilfe in dieser Zeit, der es richtig scheint, Menschen wie*
> *uns als verabscheuungswürdig und zu meidende zu*
> *behandeln. Es ist so grotesk, daß jede Erörterung dieser*
> *Tatsache sinnlos wirkt. Wir Eltern würden dies uns zu der*
> *deutschen Erhebung zugeteilte Los mit einigem Gleichmut*

tragen in dem Bewußtsein, nicht gegen Volk und Staat
irgendwie uns vergangen zu haben, aber unserer Kinder
wegen lastet alles sehr auf uns. Solange wir leben, sind sie
ja immer noch – so Gott will – behütet, aber hernach. –

Lise Diekamps Besuch war eine große dankbar empfun-
dene unverdiente Wohltat; das Bewußtsein, uns Euch und
ihnen verbunden fühlen zu dürfen, ist uns jetzt noch viel
mehr Halt und Trost.

Wie geht es Euch, Euren Eltern und Ursel und Vroni? ...
So gerne würde ich Euch Lilli schicken, aber immer
kommt was dazwischen, sämtliche Kinder haben nachein-
ander Angina gehabt, zur Zeit Lilli selbst eine richtige
Halsentzündung mit Fieber. Morgen Mädchenwechsel,
dann steht Lillis Mutters Besuch in Aussicht. Ob wir uns
in diesem Jahr wiedersehen? ...

Dem schriftlich-freundlichen Rat Leo Diekamps folgend
lesen wir statt der Kölnischen Volkszeitung seit einigen
Monaten die Rheinmainische Zeitung und sind sehr
zufrieden über den Wechsel. Noch ein kleiner Trost ist,
daß mein Kasseler Automonteur eine Kölsche Jung ist, und
zwar ein netter, was man nicht von allen behaupten kann,
nicht wahr Johanna?!

Seid 1000fach gegrüßt von

Eurem Amadé

Das ungewisse Schicksal der eigenen Kinder wurde nun auch
von Lilli mehr und mehr beklagt. Die »bangende Sorge um
ihre Zukunft«, so schrieb sie am 16. Mai 1934 in einem Brief
an die Barths, belastete sie sehr. Nach nationalsozialistischer
Terminologie waren ihre Kinder als »Halbjuden« abgestempelt und somit schon von vornherein fast aller Berufs-, ja
Lebenschancen beraubt. Zwar durften Gerhard, Ilse und Johanna in den nächsten Jahren noch auf Kasseler Oberschulen

wechseln, doch daß ihnen der Lebensweg irgendwann einmal verbaut sein würde, war absehbar. Schon die Aufnahme in die Hitlerjugend kam für Gerhard nicht in Frage. Auch Ilse und Johanna wurde nach ein paar Wochen der Zutritt zu den Treffen der örtlichen Jungmädel-Gruppe nicht mehr gestattet. Lillis Kinder litten unter dieser Außenseiterrolle. Beim Appell auf dem Schulhof standen sie – ohne Uniform – stets abseits.

»Daß unsere Bäume nicht in den Himmel wachsen, dafür sorgt ja Herr Goebbels wieder in seiner letzten Rede«, notierte Lilli in dem Brief vom 16. Mai. Und ein paar Monate später, am 25. Oktober, mußte sie den Freunden in Mannheim »weniger erfreuliche Nachrichten« aus Köln und Birmingham übermitteln:

> Es ist meiner Mutter unmöglich, zur Zeit Geld an meine Schwester zu senden, nicht einmal den Betrag für die Kolleg-Gelder, geschweige das Geld für den Lebensunterhalt; es liege weder ein außen- noch kulturpolitisches Interesse vor, war der Regierungsbescheid. Was nun? Wir machen uns große Sorge. Ist es nicht eine ganz große bittere Ungerechtigkeit: Erst nimmt man uns hier jede Möglichkeit, und nun unterbindet man uns noch das Fortkommen im Ausland.

Ernst legte dem Brief an die Freunde ein paar »Blätter des rassepolitischen Amtes der NSDAP« bei – noch bemühte man sich, die dem Terror womöglich innewohnende Logik zu begreifen. Und offenbar schmiedete der wachsende äußere Druck Ernst und Lilli in diesen Jahren enger zusammen. Immer wieder erzählte Lilli von kleinen Liebesbeweisen ihres Mannes, so auch in einem Bericht über ihren 35. Geburtstag, den sie am 22. März 1935 an die Barths adressierte:

1 Lilli und ihre Schwester Elsa in Karnevalskostümen, um 1903

2 Lilli und Elsa 1905 in Köln

3 Lillis Mutter Paula (rechts hinter dem Bräutigam)
bei der Hochzeit ihres Bruders Julius Schloß mit
Lotte Kirschbaum-Springer 1911 im Hotel Adlon in Berlin.
Ganz rechts in der ersten Reihe: Lillis Onkel Dr. Josef Schloß

4 Lilli im Sommer 1916

5 Lilli Jahn, 1918

6 Lillis Mutter Paula (zweite von links) während des 1.Weltkriegs
bei einer Weihnachtsfeier in einem Verwundetenlazarett

7 Lilli (rechts) und Elsa (links) mit Frau M. Wrede
und Helmuth Wrede im August 1918 in Schierke im Harz

8 Lilli (zweite von rechts) zusammen mit ihren Arztkollegen des Israelitischen Asyls für Kranke und Altersschwache in Köln, um 1924

Köln, am 6. Mai 1925.

Mein lieber Amadé,

[handschriftlicher Brief in Sütterlinschrift]

9 Brief Lillis an Ernst Jahn, 6. Mai 1925

10 Lillis Vater Josef Schlüchterer

11 Lilli und Ernst Jahn, 1926

12 Lilli mit ihren Kindern Gerhard und Ilse, circa 1929/30

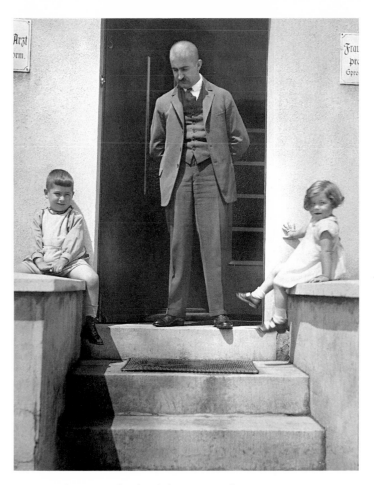

13 Ernst Jahn mit Gerhard und Ilse 1931 vor dem Haus in Immenhausen. Links und rechts der Tür hängen die Praxisschilder von Ernst und Lilli.

14 Gerhard und Ilse 1936 vor dem Haus in Immenhausen.
Lilli Jahns Praxisschild ist inzwischen abmontiert.

15. 16 Gerhard, Ilse und Johanna, Mai 1933

17 Brief Ernst Jahns an Hanne und Leo Barth,
27. Februar 1934

18 Elsa Schlüchterer mit ihrem Patensohn
Gerhard Jahn im August 1936 in Immenhausen

Amadé hat mich wieder so sehr verwöhnt, hat mir einen
ganzen Garten von Frühlingsblumen hergezaubert und
mir unter anderem ein paar schöne Bücher hingelegt ...

Diese ersten schönen sonnigen Frühlingstage haben die
Kinder schon tüchtig ausgenutzt – und es bekommt ihnen
herrlich. Amadé und ich haben gestern den ersten Gang
durchs Feld gemacht und haben uns gefreut an den Wei-
denkätzchen und den ersten Lerchen. Wir sind beide abge-
spannt und sehr erholungsbedürftig; es ist ja nicht nur die
Arbeit, die uns müde macht; es lastet doch immer wieder so
viel auf uns, nicht zuletzt die bange, bange Sorge um die
Zukunft unserer Kinder. Es fehlt uns natürlich auch jede
Abwechslung und Anregung.

Ähnliche Klagen trafen nun in immer kürzeren Abständen
bei den Freunden in Mannheim ein. »Die Ungewißheit über
das zukünftige Schicksal ist quälend. Ihr könnt mir glauben,
wir sind sehr, sehr deprimiert und mutlos«, notierte Lilli am
20. Juli 1935. Und am 23. August: »Manchmal weiß ich nicht
mehr, woher ich die Kraft nehmen soll, alles zu ertragen.«

Zu den politischen Pressionen gesellten sich noch diverse
private Probleme: Ernst war überarbeitet, die Einstellung von
Kinder- und Hausmädchen gestaltete sich für sie als Jüdin
immer komplizierter, und dann gab es zahllose, zum Teil
schwere Kinderkrankheiten. Vor allem die inzwischen fünf
Jahre alte Johanna machte ihr große Sorgen. Das Mädchen
hatte starkes Asthma und wurde aus diesem Grund zweimal
für mehrere Monate in ein Kindersanatorium gebracht. Aber
auch das war nicht ganz einfach. Jedesmal mußte zuvor geklärt werden, ob das »nichtarische« Kind überhaupt aufgenommen werden würde.

Der Sommer 1935 brachte immerhin etwas Abwechslung:
Lillis Schwester kam für mehrere Wochen aus England zu Be-

such. Elsa erkannte schnell die fast aussichtslose Lage der Familie und entwickelte zusammen mit Ernst und Lilli einen Rettungsplan, in dem die in Madrid lebende Halbschwester von Ernst, Grete Jahn de Rodriguez Mateo, eine zentrale Rolle spielte. Grete war mit dem spanischen Journalisten Alfonso de Rodriguez Mateo verheiratet, der zu dieser Zeit wahrscheinlich als Beamter im Madrider Schulamt arbeitete und über einigen Einfluß verfügte. Vielleicht, so Elsas Hoffnung, konnte der Arztfamilie auf diesem Wege geholfen werden.

Um die Zensur zu umgehen, schrieb sie erst nach ihrer Rückkehr aus Deutschland an Grete Jahn, und zwar am 29. August 1935:

Liebe Frau Jahn de Rodriguez Mateo,
meine Schwester und mein Schwager, Herr und Frau
Ernst Jahn aus Immenhausen, haben mich gebeten,
Ihnen von hier aus ihre herzlichsten Grüße zu senden
und Ihnen einmal ausführlich von ihnen und den Ver-
hältnissen in Deutschland zu berichten. Wie Ihnen wohl
bekannt ist, herrscht in Deutschland immer noch schärf-
ste Briefkontrolle, so daß es unmöglich ist, von dort aus
offen die Zustände zu schildern, und Lilli und Ernst bit-
ten Sie sehr herzlich, in Ihrem Antwortschreiben keinerlei
Andeutungen über den Inhalt dieses Briefes zu machen,
sondern lediglich ohne Kommentar meine Fragen zu
beantworten.

Die Zustände in Deutschland haben sich derart zuge-
spitzt, daß Ihr Bruder ernstlich um seine Existenz bangt.
Da er mit einer Jüdin verheiratet ist, ist er unaufhörlich
Diffamierungen ausgesetzt. Die Kollegen im Kreis ver-
kehren nur noch in notwendigsten Fällen telefonisch mit
ihm, er kann nicht Mitglied der N.-S. Ärzteschaft sein,
zur Behandlung der Kinder im N.-S. Kindergarten und der

Frauen von der N.-S. Volkswohlfahrt hat man den Arzt aus einem benachbarten Dorf gerufen, kurz, man sucht ihn auszuschalten, wo immer man kann.

Gesellschaftlich sind die beiden vollkommen isoliert, sogar die treuen Freunde in Mannheim und Bochum haben sich jetzt mit Rücksicht auf ihre eigene gefährdete Existenz – beide sind aktiv tätig in der katholischen Bewegung – von Jahns zurückziehen müssen.

Was Lilli und Ernst seelisch durchmachen, wie sie unter diesen dauernden Diffamierungen leiden, kann ich Ihnen nicht beschreiben, aber auch nicht mit welcher menschlichen Größe beide ihr unsagbar schweres Los tragen. Das Herz zieht sich einem zusammen, wenn man sieht, wie diese beiden Menschen versuchen, sich gegenseitig Trost und Stütze zu sein, und wie vor allem ihr ganzes Streben dahin geht, das Los ihrer Kinder zu erleichtern.

Die Rücksicht und Verantwortung für die Kinder ist es auch, die sie bis jetzt hat ausharren lassen, denn Ernst kann nicht seine bisher noch gute Existenz aufgeben, bevor er die Gewißheit hat, daß er draußen eine neue Existenz aufbauen kann. Die Politik der deutschen Regierung scheint die zu sein, allen Juden, Nichtariern und solchen, die mit Juden versippt sind, nach und nach den Boden wegzunehmen und sie auf diese Weise zu veranlassen, das Land zu verlassen.

Erlauben Sie mir, Ihnen nähere Details über die maßlose Verhetzung des deutschen Volkes zu schreiben. Es gibt in ganz Hessen schon nicht mehr ein Dorf oder eine kleinere Stadt, in der Sie nicht Schilder mit gehässigen Aufschriften des allgemeinen Inhalts »Juden sind hier unerwünscht« finden und ebenso Geschäfte mit Plakaten »An Juden werden keine Waren abgegeben«.

Ein guter Freund von Ernst und Lilli, der in einem

benachbarten Städtchen Arzt war – er ist Jude und mit einer Katholikin verheiratet –, sitzt seit acht Wochen in Untersuchungshaft, weil er unter Anwendung hypnotischer Mittel sich an arischen Mädchen und Frauen vergangen habe. Als Zeugen gegen ihn hat man eine Epileptikerin und eine Frau, die seit Jahren in einer Irrenanstalt sitzt, zusammengescharrt und versucht weitere Zeugen zu bekommen, indem man den Polizisten von Patient zu Patient schickt und sie ausfragen läßt. Für Geld ist im heutigen Deutschland jede Aussage zu haben! Und an der ganzen Geschichte ist nicht ein wahres Wort! Aber das sind die Wege und Mittel, mit denen sie versuchen, jede, aber auch jede jüdische Existenz zu vernichten.

Ich schreibe Ihnen das alles, um Ihnen die Dringlichkeit für Ernst, eine Existenz im Ausland aufzubauen, zu zeigen und um Ihnen klar zu machen, wie berechtigt es ist, daß er um seine Existenz bangt.

Der Zweck meines Briefes ist nun der, in Ernsts und Lillis Auftrag bei Ihnen anzufragen, ob es Ihnen dank Ihrer und Ihres Gatten Beziehungen möglich sei, für Ernst eine Position in Spanien zu finden. Es wäre ihm natürlich das Liebste, wenn er als Arzt eine Stellung finden könnte, aber er wäre auch, so schmerzlich es ihm auch ist, bereit, anderweitig tätig zu sein. Er hofft, daß Ihr Gatte es vielleicht ermöglichen könne, ihm eine Anstellung an einem großen Hospital zu verschaffen oder für ihn die Erlaubnis zur Niederlassung zu erwirken. Daß er ein ausgesprochen tüchtiger und zuverlässiger Arzt ist, mag Ihnen der Umstand beweisen, daß trotz der großen Hetze seine Patienten treu zu ihm halten und seine Praxis nach wie vor sehr gut ist. Aber die Ungewißheit und Unsicherheit seiner Existenz und die seelischen Demütigungen, denen sie beide ausgesetzt sind, haben ihn veranlaßt, sich mit dem

Gedanken, aus Deutschland herauszugehen, ernstlich zu befassen.

Ich bin seit gestern wieder hier in England, um weiter zu studieren. Und obwohl unser Leben hier draußen sehr schwer und entbehrungsreich ist, bin ich glücklich, aus Deutschland heraus zu sein. Ich war auch 14 Tage in Immenhausen, und so harmonisch auch unser Beisammensein war, es war überschattet von dem schweren Druck, der auf uns allen lastet. Die Kinder haben sich prächtig entwickelt, sie sind wirklich die einzige Freude, die Ernst und Lilli noch haben, aber auch für ihre Zukunft haben wir die ernstesten Sorgen ...

Verzeihen Sie, wenn ich Ihnen mit diesen Zeilen das Herz schwer gemacht habe, aber ich wäre nur zu glücklich, wenn es in Ihrer Macht stünde, Ernst und Lilli zu helfen. Und darf ich noch einmal darum bitten, in Ihrem Brief keinerlei Anspielungen zu machen, sondern lediglich die Möglichkeiten zu erörtern, die für den eventuellen Aufbau einer neuen Existenz bei Ihnen in Spanien bestehen. Sie würden Ernst und Lilli in größte Schwierigkeiten bringen, wenn Sie auch nur erwähnten, welch Martyrium die beiden durchmachen.

Auch Ihre Schwester Lore mit den beiden Kindern habe ich dieses Jahr gesprochen. Sie war wieder in Herzhausen am Edersee, und wir haben sie mit den drei Großen von Immenhausen aus besucht – nachdem Lore sich vorher erst erkundigen mußte, ob man uns, als Nichtariern, auch im Hotel ein Mittagessen verabreichen würde! So weit ist es in unserem Deutschland schon gekommen! ...

Wollen Sie mich bitte unbekannterweise Ihrem Gatten empfehlen und nehmen Sie selbst mit ... der Bitte, mir die Offenheit meiner Zeilen nicht zu verargen, die herzlichsten Grüße von Ihrer sehr ergebenen Elsa Schlüchterer.

Eine Reaktion Grete Jahns aus Spanien ist nicht überliefert. Offensichtlich zerschlug sich dieser Plan. Alfonso de Rodriguez Mateo floh nach Francos Regierungsantritt mit Mitgliedern der republikanischen Regierung nach Südfrankreich. Ein Amnestieversprechen ließ ihn später nach Spanien zurückkehren, er wurde jedoch sofort inhaftiert und im Gefängnis, laut Aussage seines Bruders, von den Faschisten erschlagen.

Elsa gab nicht auf, sie fand Freunde in England, die für die Familie Jahn bürgen wollten. Dr. John Henry Crosskey und seine Frau Evelyn, ein wohlhabendes Arztehepaar aus der High Society Birminghams, stellten den deutschen Berufskollegen ein Affidavit in Aussicht. Evelyn Crosskey war eine Verwandte des britischen Premiers Neville Chamberlain und engagierte sich erfolgreich in einem Hilfskomitee für Flüchtlinge aus Deutschland.

Alle formalen Hindernisse waren damit ausgeräumt, die Emigration wurde möglich. Doch Ernst verweigerte sich. Denn trotz aller Schikanen der Nazis lief die Praxis in Immenhausen so gut, daß ihm ein neuer Start in England zu riskant, zu mühsam erschien. Und allein, gar ohne ihre Kinder, wollte natürlich auch Lilli nicht fortgehen.

Schon bald war sie die einzige in Immenhausen lebende Jüdin. 1933 hatten noch zwei jüdische Kaufleute mit ihren Familien in der Kleinstadt gewohnt: der Kolonialwarenhändler Bernhard Friedemann mit seiner Frau Johanna und drei Kindern – zu den Friedemanns unterhielten die Jahns einen lockeren Kontakt –, sowie der mit einer Christin verheiratete Drogist Max Goldin. Beide Familien standen unter regelmäßiger Kontrolle der Obrigkeit. Der Bürgermeister hatte dem Landrat in Hofgeismar einmal im Monat einen politischen Bericht zu erstatten und dabei auch die ortsansässigen Juden zu berücksichtigen. Denen war allerdings nie etwas vorzuwerfen, nur die übrigen Bürger verhielten sich nicht immer wunschgemäß. Eigentlich sollten beide Geschäfte boykottiert werden, doch, so gestand der Bürgermeister etwa im November 1934, es sei nicht zu übersehen, daß bei den Friedemanns »wieder mehr von Christen gekauft wird«. Nach und nach mußten die jüdischen Familien allerdings ihre Geschäfte aufgeben, Goldins wanderten bereits 1934 nach Palästina aus, Friedemanns 1937.

Lilli übrigens wurde in den Berichten des Bürgermeisters nie erwähnt, noch war sie durch ihre Ehe mit Ernst geschützt.

Das Gefühl, allmählich von allen Freunden verlassen zu werden, bedrückte sie sehr. »Nun gehen auch noch unsere einzigen guten Bekannten Mitte Januar nach Südafrika; das ist ein sehr fühlbarer Verlust für uns, denn dann sind wir hier ganz vereinsamt«, schrieb sie am 2. Dezember 1935 an das Ehepaar Barth.

Die fortschreitende Isolation betraf auch die Kinder des Ehepaars Jahn, ihre Außenseiterrolle war nicht mehr zu übersehen. Die Eltern waren ihnen nun eine Erklärung schuldig.

Im Frühjahr 1938 versuchten Lilli und Ernst, den Kindern das den Nationalsozialisten Anstößige ihrer Herkunft begreiflich zu machen. Am 16. April 1938 berichtete Lilli den Mannheimer Freunden von diesem Gespräch:

Wir haben ihnen jetzt reinen Wein eingeschenkt über ihre Abstammung und ihre besondere Situation innerhalb der »Volksgemeinschaft«. Es ging ohne große Erschütterungen ab, Gott sei Dank, und sie bemühen sich nach ihrem kindlichen Vermögen um Verständnis dieser Dinge und um ein gemeinsames Tragen unseres Geschickes. Ich bin froh, daß wir so weit sind, wenn's auch nichts ändert.

Nach nur dreijährigem Besuch der Immenhäuser Volksschule wechselte Ilse in diesen Tagen auf die Jakob-Grimm-Oberschule in Kassel. Dort erlebte sie erste politische Schikanen. »Bei Ilschen«, so schrieb Lilli am 23. August 1938 an Hanne Barth, »tauchen auf der Schule jetzt die von mir gefürchteten Kränkungen und Zurücksetzungen auf.« Noch aber hoffte die Mutter, »durch energischen Einspruch bei dem Direktor diesen Dingen Einhalt« gebieten zu können – eine Illusion, wie sich schnell herausstellte.

»Die jüdische Großmutter«
Eine Hommage an Lillis Cousine Olga

Mit den Nürnberger Gesetzen vom September 1935 hatten die Nationalsozialisten ihrem Rassenwahn eine absurde Systematik verschafft. Dazu zählte ein ganzer Katalog von Schikanen gegen die deutschen Juden, aber auch die sogenannten Mischlinge wurden ausgegrenzt. Lillis Familie war davon ebenso betroffen wie die ihrer Freundin Lotte und alle übrigen jüdisch-christlichen Familien im Deutschen Reich. Die Nazis legten genau fest, wer von nun an welchen Diskriminierungen ausgesetzt werden sollte. Entscheidend für die Bestimmung der Zugehörigkeit zur »arischen Rasse« war die Herkunft der Großeltern. Wer nur eine jüdische Großmutter besaß, galt als Mischling II. Grades, wer zwei jüdische Großeltern hatte, war Mischling I. Grades und somit »Halbjude«. Die »jüdische Großmutter« wurde zum geflügelten Wort. Wer mit ihr »gestraft« war, zählte nicht zu den arischen Herrenmenschen und hatte mit Einschränkungen seiner persönlichen Rechte zu rechnen, die von Jahr zu Jahr spürbarer wurden.

Auch Lottes Sohn Peter wurde 1935 in diese Wahnwelt hineingeboren. Die Paepckes lebten damals noch in Freiburg. Drei Jahre später wurde Lottes Ehemann Ernst August nach Bielefeld versetzt, die junge Familie mußte umziehen. Peters Großvater Max Mayer nahm die bevorstehende Trennung zum Anlaß, um seinem Enkel am 9. Mai 1938 einen langen Brief zu schreiben. Peter wäre mit seinen drei Jahren natürlich noch gar nicht in der Lage gewesen, die ebenso pathetischen wie scharfsinnigen Ausführungen seines Großvaters zu verstehen. Wahrscheinlich hatte Max für seinen Brief ganz andere Adressaten im Blick, seinen nichtjüdischen Schwiegersohn Ernst August etwa, auf dessen Charakterstärke und Standhaftigkeit es nun immer mehr ankam. Tatsächlich aber schickte Max Mayer diesen Brief gar nicht ab. Erst zehn Jahre später, 1948, vertraute er das nunmehr schon historische Dokument seiner Tochter und seinem Schwiegersohn an.

Ob Lilli von diesem Brief wußte, ist fraglich – daß sie seine Aussagen Zeile für Zeile billigte, absolut sicher. Nach dem Krieg wurde der Peter-Brief im Kreise der Mayers, Nördlingers und Schlüchterers zu einer Ikone. Er bezeugt jenes jüdisch-deutsche Selbstbewußtsein, das viele assimilierte Juden im ersten Drittel des 20. Jahrhunderts auszeichnete.

Mein lieber Enkel Peter!
Vor wenigen Tagen, am 3. Mai, bist Du drei Jahre alt geworden. Du bist bisher in meinem Leben und dem Deiner Großmutter Olga das Licht und die tägliche Freude gewesen. Du verdankst diese Feststellung nicht nur der natürlichen Liebe der Großeltern zu ihren Enkeln, sondern unserer einfühlenden und darum wissenden Teilnahme an Deinem Erwachen, an Deinem stetigen Vorrücken in Deine Eindruckswelt, an Deinem Spieltrieb und seinen Richtungen und an Deinem charakterlichen Wachstum. So haben wir den Knaben Peter in seinem Wesen und in seinen Anlagen kennen gelernt, und so wollen wir ihn gerne auch weiterbegleiten.
Und wir haben, Deine Großmutter Olga und ich, auch Deine Gegenliebe. Sie ist nicht mit Schokolade erschlichen, auch nicht mit Nachsicht oder anderen Bestechungen. Auch besteht sie nicht in unserer Einbildung; sie ist

Wirklichkeit. Du nimmst uns noch als Hauptpersonen, die Du anstrahlst. Du interessierst Dich noch für uns. Die Jahre, wenn wir alte Beigabe sein werden, sind noch nicht gekommen. So ist die Lage heute am 9. Mai 1938. Es wird sich am liebreichen Zusammengehören auch weiterhin nichts ändern. Und doch sind beinahe gleichzeitig zwei Vorgänge eingetreten, über welche zu sprechen ich das Bedürfnis habe.

Das erste betrifft die bedauerliche Wahrscheinlichkeit, daß Dein lieber Vater von seiner Firma von hier nach Bielefeld versetzt wird, daß also er, Deine Mutter Lotte und Du uns verlassen werden. Dies wird sich in den nächsten 10 Tagen entscheiden. Wenn es dahin kommt, dann befinden wir uns – wir und Deine Eltern – im Verlust eines schönen, auf tiefster Harmonie beruhenden, immer für einander einsatzbereiten Familienlebens. Die örtliche Trennung wird daran nichts ändern, aber wir können es nicht mehr wie bisher genießen und spenden. An die Stelle des beglückenden täglichen Erlebnisses tritt der Briefwechsel und der alljährliche Ferienbesuch. Indes – solche Trennungen ereignen sich normal in allen Bevölkerungsschichten.

Der zweite, auf Deinen dritten Geburtstag folgende Vorgang ist derjenige, anläßlich dessen ich diese Niederschrift mache:

Du bist gestern, den 8. Mai 1938, in der Kapelle der Lutherischen Kirche in der Stadtstraße in Freiburg getauft worden. Wir sind auf diese Absicht Deiner Eltern von ihnen vorbereitet worden. Es hat mir in meinem Judesein einen Schock gegeben, weil dieses – vordem nur eine zufällige, zwar nie verleugnete, aber bagatellisierte geburtliche Mitgift – in den letzten Jahren der Judenverfolgung meine Trutzburg geworden ist. Von ihrem Söller aus sollte ich

Dich zur Taufe gehen sehen. Ich habe mich aber alsbald zu der Überzeugung durchgerungen, daß die Beweggründe Deines Vaters zutreffend, um nicht zu sagen zwingend sind.

Es wird gegenwärtig in der deutschen Epoche des Masse-Menschen von jedem Deutschen eine Norm verlangt. Er braucht seine Nummer, sein Fach, seine Rubrik, seine Erkennungsmarke, er muß in irgendeine Teilgemeinschaft hineinpassen. Den Typus dieses standardisierten heutigen deutschen Menschen zu analysieren, ist nicht mein Begehren. Damit verzichte ich auch darauf, den Dir durch Taufe und Eingliederung geöffneten Weg anzuvisieren. Ein junger Mensch kann seine Orientierung ohnedies nicht von seinem Großvater nehmen in Fragen, welche von einem neuen Geschlecht gestellt und beantwortet werden wollen.

Aber in einer Sache sollst Du meine Stimme hören und will ich mich vernehmbar machen. Höre, mein Enkel Peter! Seit fünf Jahren sind die Juden in Deutschland einem erbarmungslosen Prozeß der Ausstoßung aus dem Volkskörper überliefert. Die Regierung des dritten Reiches hat nach jahrelanger agitatorischer Vorbereitung von seiten der sie tragenden Partei das Postulat aufgestellt und mit Recht-schaffender Kraft ausgestattet, daß die Juden einen Fremdkörper im Volk bilden, durch welchen die Auserwähltheit des deutschen Volkes in ihrem rechtmäßigen Ausdruck behindert sei. Dieses bedürfe einer Reinigung und Befreiung von der jüdischen Mitgliedschaft und Komponente.

In Verwirklichung dieser als »Weltanschauung« aufgemachten These ist eine Orgie von Rassenhaß gemacht und eine totale systematische Disqualifizierung des jüdischen Menschen ins Werk gesetzt worden. Der ganze Par-

teiapparat, die Presse, die Schulungskurse, das Radio, die
offizielle Propaganda, der nationalpolitische Unterricht
der Jugend, der gesamte Lebensbereich der Nation wurde
in den Dienst der Aufgabe gepreßt, die Juden ihrer Ehre
und Gesellschaftsfähigkeit ohne Ansehen ihrer Person zu
entkleiden. Sie werden aus ihren Existenzen und Heim-
stätten verdrängt, mittellos zur Auswanderung gezwungen, und die Überzeugung von der jüdischen menschlichen Unterwertigkeit soll pflichtgemäß dem Gedanken-
gut des arischen Menschen einverleibt werden.

Das tragische Schicksal der Betroffenen zu schildern,
gehört nicht hierher, auch nicht ihre sachliche Verteidi-
gung. Ihnen gegenüber steht das »arische« Volk. Es unter-
zieht sich dieser befohlenen Judenverfolgung zum Teil
bereitwillig unter der gedankenlosen Benutzung der von
der Propaganda gelieferten Schlagworte. Aber zu einem
sehr großen Teil lehnt das Volk im Wissen um die Unwahr-
heit und Ungerechtigkeit der Schlagworte die Verfolgung
ab, ohne aber den Betroffenen helfen zu können.

Um die Distanzierung vom Juden zu vollenden und um
sich für die Zuständigkeit unter dem arischen Dach legiti-
mieren zu können, wurde den arischen Volksgenossen der
»Ahnenpaß« verliehen. Keine Station des bürgerlichen
Lebens kann mehr durchschritten werden ohne den Nach-
weis der halb-, dreiviertel- oder vollarischen Eigenschaft.
Zu dieser jederzeit beweisfertigen Legitimierung beschaffen sich die Menschen zur Zeit in Deutschland einen
Ahnenpaß und eine Ahnentafel.

Und von dieser Deiner Ahnentafel, mein lieber Enkel
Peter, möchte ich jetzt zu Dir sprechen. Die vorhergehende
Darstellung der Lage der Juden war das unentbehrliche
Vorwort zum Verständnis meiner folgenden Ausführun-
gen über Deine Ahnentafel. Der Termin dafür war Deine

gestrige Taufe. Mit ihr ist, Dir noch nicht bewußt, die Wanderstelle erreicht, von welcher Du auf eigenem Weg auf eine Lebenssphäre hinschreitest, wo der Haßchor alsbald in Hörweite kommt. Ich will Dir meine Gegenstimme mitgeben und das Bekenntnis zu Deiner Ahnentafel.

Der väterliche Zweig Deiner Ahnenreihe bedarf keiner Fürsprache, weil es der arische Zweig ist. Als Dein Vater seinen Entschluß kundgab, unsere liebe Tochter Lotte zu heiraten, haben wir ihn pflichtgemäß und eindringlich auf dessen schweren Inhalt und auf die vielfachen Belastungen hingewiesen, welche er durch die Verbindung mit einer jüdischen Frau auf sich nimmt. Aber diese Überlegungen waren von ihm schon auf Null abgeschrieben. In seiner Zuneigung und Hochschätzung für Lotte, außerdem aber auch aus seiner menschlichen Grundgesinnung stand er fest und aufrecht in dem antisemitischen Sturmwind, welcher seit einigen Jahren in das deutsche Volk hineingepumpt wurde.

In seinem Festhalten an Lotte bestand er seine Sturmprobe. Er hat damit bewiesen, daß er seinen Geist und seine Seele freigehalten hat vom Anhauch dieser Haß-Epidemie. Er ist durch seine Heirat nicht pro-jüdisch geworden. Sondern er hat der jüdischen Welt gegenüber seine ursprüngliche Objektivität und Unbefangenheit behauptet. Daß die Ehe nachher, bis zum heutigen Tag und hoffentlich auch weiterhin die von Deinem Vater erhoffte höhere menschliche Einheit geworden ist, erteilt nicht nur ihm selbst und seiner Heirat die verdiente Rechtfertigung, sondern es offenbaren sich darin die schönen Eigenschaften Deiner Mutter, in welchen die Hoffnungen Deines Vaters ihre Erfüllung fanden.

Deine Mutter, wenn sie gesund bleibt, so daß Du selbst bis hoch in Deine reifen Tage sie besitzen darfst, steht Dir so unmittelbar nahe, daß Du aus ihrer großen Güte, Selbstlosigkeit, aus der Reinheit ihres Wollens und ihrer Führung von selbst die heilige geheimnisvolle Kraft der Mutterliebe erfühlen und an ihr erfassen kannst, daß sie hoch über allem lieblosen Tun der Menschen steht. Die Stelle in Deiner Ahnentafel, an welcher Deine Mutter die Reihe aufsteigend eröffnet, wird von Dir selbst geheiligt werden. Wie sehr auch in den Jahren und Jahrzehnten die Menschen sich verändern, die Mutter ruht ungeschwächt in ihren Herzen. Sie verewigt unser Kindsein, und so wirst Du, so hoffe ich, lieber Peter, auch in späteren Jahren noch so zärtlich wie heute im vierten Lebensjahr sprechen: »meine kleine Mama«.

Wie nun die Dinge heute liegen, bist Du der deutschen neuen Gesetzgebung unausweichlich unterworfen, welche Dich als Mischling abstempelt, weil Deine Mutter jüdischen Blutes ist. Du sollst damit um eine halbe Stufe über Deine Mutter erhoben, und Deine Mutter soll unter Deinem Menschenwert notiert werden. Du bist diesen Bestimmungen rechtlich unterworfen. Ob Du diese Bewertung und Rangordnung anzuerkennen und in Deinen Willen aufzunehmen bereit bist, bleibt Dir freigestellt. Daß Du aus dem Gefühl des Kindseins zu Deiner Mutter stehen wirst, darf ich annehmen. Du sollst Dich aber nicht allein auf das Gesetz der Natur stützen müssen, während Deine deutschen arischen Mitmenschen mit ihrer Ahnentafel den Wert ihrer Eltern überdies aus der Zahl, dem Wert und dem Namen der arischen Vorfahren ableiten.

Wenn schon die Mütter von der Vergangenheit durchleuchtet werden sollen, so sollst Du wissen, daß der geschichtliche Überbau auch Deiner Mutterfamilie jeder Bestrahlung standhält. Die Namen Nördlinger, Leser, Levi, Schlüchterer in Deiner Ahnentafel stehen in gleichem

sittlichen und menschlichen Rang wie die Namen Lederle,
Klausmann, Thorwaldsen oder Finkbeiner in irgendeiner
arischen Ahnentafel. Denn ich kenne unter Deinen Vor-
fahren, welchen ich begegnet bin, keinen Einzigen, wel-
chem der Leumund eines sittlichen Menschen abzuspre-
chen wäre – sittlich im eigenen persönlichen Bezirk und
sittlich nach den Forderungen des Zusammenlebens mit
der deutschen Volksgemeinschaft. Ich sehe bei kritischer
Musterung unserer Anverwandten keinen, welcher an
privater Ehrenhaftigkeit, an Berufsehre, an Pflichtauffas-
sung und Reinheit des Familienlebens hinter einer für alle
gültigen Norm zurückstände. Diese Feststellung behielte
auch dann ihren Wert, wenn irgendwo auf der Ahnen-
treppe ein Fehltritt vorgekommen wäre.

Es ist mir aber keiner bekannt.

Die Kontrolle der rassischen Legierung aber ist in der
Person der Großmutter etabliert worden. Zur Herstellung
der arischen Ausschließlichkeit des deutschen Volkes unter
Ausstoßung des jüdischen Teils bedient sich die deutsche
Regierung der Großmutter als trigonometrischen Punkt.
Für alle diejenigen, welche bei der rückblickenden Aus-
richtung auf diesen Punkt auf eine jüdische Großmutter
stoßen, wird diese zur Schicksals-Großmutter. Sie ent-
wertet den Enkel – es sei denn, daß dieser wie Du ein ari-
sches Elternteil bekommen hat. In diesem Fall überwertet
der Enkel seine jüdische Großmutter um 50 Prozent. Es
gibt je nach der Mischung mehrere Prozentverhältnisse.
Der Rassengehalt in Prozenten ausgedrückt, mit der Groß-
mutter als Blickpunkt, beherrscht zur Zeit die Masse, wel-
che zur legitimen Unterkunft unter dem arischen Dach
hinstrebt. Die jüdische Großmutter ist das Witz- und
Ernstwort der Gegenwart. Darum ist es mir wichtig, Dir
lieber Peter, Deine jüdische Großmutter vorzustellen.

Deine Großmutter Olga ist von beispielhafter mensch-
licher Gesinnung, Feind jeder Unwahrhaftigkeit im For-
malen und Sachlichen. Ohne jede gesellschaftliche Präten-
tion steht sie trotzdem erhöht durch ihren Überdurch-
schnitt an Zuverlässigkeit, Pflichtauffassung, durch ihre
Glaubwürdigkeit in großen und kleinsten Dingen und
durch ihren konsequenten, einfachen Lebensstil.

Deine Großmutter Olga ist opferwillig, gerecht und
milde im Urteil über andere, und versöhnlich gegen alle
menschlichen Schwächen unter der Bedingung, daß diese
ihrer eigenen Auffassung von Treue und Reinheit der
Lebensführung nicht entgegenstehen. Sie ist tapfer in den
Schwierigkeiten des Lebens. Aber die deutsche Judenver-
folgung nagt an ihrem Herzen.

Deine Großmutter Olga spendet Liebe aus den reichen
klaren Quellen ihrer tiefen echten Güte – aber sie ist völlig
unsentimental und unproblematisch, offen und durchsich-
tig, im Tiefsten rein und fein. Sie hat einen klaren Geist
und eine strenge Beurteilung ihrer selbst. Im natürlichen
Egoismus der mütterlichen Fürsorge für die Kinder und
für die Familie hat sie doch immer den lebendigen, erfühl-
ten Zusammenhang mit den Interessen des Volksganzen
gehabt, und sie hat an seinen Ideologien – wenn das eigene
selbständige Urteil sie nicht verwerfen mußte – ehrlich
teilgenommen. Sie hat den Weltkrieg 1914–1918 als
nationale Angelegenheit in der denkbar besten Haltung
und Bewährung durchlebt.

Eine Frau mit den vorgeschilderten Eigenschaften nennt
man bei allen Völkern der Welt: den wirklich sittlichen
Menschen. In Deutschland prätentiös: »eine echte deutsche
Frau«. Das erste ist ausreichend, lieber Peter. Du kannst
auf Deine jüdische Großmutter stolz sein. Du hast nicht
nötig, sie als die schwache Stelle in Deinem Ahnenpaß zu

empfinden. Du darfst mit vollem Vertrauen den Eintrag betrachten; in keinem arischen Ahnenpaß steht eine höhere Großmutter eingeschrieben. Sie selbst würde diese Darstellung ihrer Person mit entschiedener Selbstkritik ablehnen oder nur mit der Einschränkung gelten lassen, daß sie in allen Volksschichten Millionen ihresgleichen hat. Das ist richtig. Und eben diese Gleichstellung wollte ich vollziehen.

Ich grüße Dich, mein Enkel Peter.

Dein Großvater Max Mayer.

Auf den Tag genau ein halbes Jahr nach der Niederschrift dieses Briefes, am 9. November 1938, inszenierten die Nazis mit der sogenannten Reichskristallnacht einen neuen Höhepunkt der Judenverfolgung in Deutschland. Wie viele andere jüdische Bürger wurde auch Max Mayer aus seinem Haus verschleppt und in ein Konzentrationslager gesteckt. Einen Monat lang mußte der 65jährige in Dachau ausharren, er wurde gequält und gefoltert. Als gebrochener Mann fuhr er heim nach Freiburg; und dennoch hoffte er bis zuletzt auf eine Rückkehr der Deutschen zur Vernunft. Erst spät, fast zu spät entschlossen sich Max und Olga zur Emigration. Am 1. September 1939, dem ersten Tag des Zweiten Weltkriegs, überquerten die beiden die Schweizer Grenze.

»Die Liebe höret nimmer auf«
Die Ehe von Lilli und Ernst zerbricht

Die Friedemanns und Goldins waren längst in Palästina, als auch die Immenhäuser SA-Leute zur »Reichskristallnacht« ausrückten. Nur Lilli und ihre Familie schienen noch als Objekte des Volkszorns geeignet. Am Abend des 9. November 1938 kletterten ein paar, zum Teil betrunkene Nazis auf die Garage, in der Ernsts Opel geparkt war, und warfen im Ärztehaus eine Scheibe ein. Im Haus selbst saßen Lilli, Ernst und ihre Kinder und waren ängstlich auf noch Schlimmeres gefaßt. Doch die Männer grölten und stolperten nur noch ein bißchen durch den Garten, dann zogen sie ab. Am nächsten Morgen fuhr Ilse nicht zur Oberschule nach Kassel, sondern blieb daheim. Gerhard machte sich zwar auf den Weg ins Friedrichsgymnasium, wurde aber von einem besorgten Lehrer sofort zurückgeschickt.

Der zuständige SS-Rottenführer erstattete acht Tage später Bericht über die Vorgänge vom 9. November im Landkreis Hofgeismar. In seiner zynischen Bilanz taucht unter anderem auch der Vorfall in der Immenhäuser Gartenstraße auf:

Im hiesigen Kreis wurde nur die Synagoge in Meimbressen demoliert. Leider waren die Synagogen in Hofgeismar und Grebenstein vorher in arische Hände übergegangen, sodaß hier eine Zerstörung nicht am Platze war.

Im Kreis Hofgeismar wurden insgesamt acht Geschäftshäuser demoliert. Außerdem wurden noch an drei Privatwohnungen die Scheiben eingeworfen ...

In einigen Fällen wurden den Juden der Arsch gehauen,
die als besonders übel bekannt waren. Am anderen Tag
mußten sie dann mit blauen Augen und schmerzenden
Gliedern die Straßen reinigen. Zu Plünderungen ist es im
hiesigen Kreis nicht gekommen. Im hiesigen Kreis wurden
insgesamt sieben Juden in Haft genommen.

Kultgegenstände sowie Archivmaterial wurden nicht
sichergestellt. Es ist zum größten Teil verbrannt worden
oder vernichtet. Dafür aber wurden die Geschäftsbücher
der Juden beschlagnahmt, die noch von zuständiger Stelle
überprüft werden.

Zu Selbstmorden oder sonstigen Todesfällen unter den
Juden ist es in dieser Zeit leider nicht gekommen.

Schlimmer noch hatten die Nazis in Köln gewütet. Paulas
Wohnung war total verwüstet worden. Lilli fuhr sofort zu
ihrer Mutter, um ihr bei den Aufräumarbeiten zu helfen. Spätestens jetzt mußte den beiden deutlich geworden sein, daß
jedes weitere Abwarten und Hoffen auf eine Besserung der
politischen Lage aussichtslos sein würde.

Noch im November 1938 wurde den Juden der Besuch öffentlicher Veranstaltungen, vor allem von Theatern und Konzerten, grundsätzlich verboten – gerade für Lilli ein schwerer Schlag. Und am 31. Dezember 1938 erhielt sie eine Kennkarte, ein mit einem großen J gezeichnetes und für alle jüdischen Deutschen von nun an obligatorisches Dokument. Den
neuen Vorschriften entsprechend – jüdische Frauen hatten
zusätzlich den Vornamen Sara anzunehmen, Männer den
Vornamen Israel – unterzeichnete Lilli den von der Stadt
Immenhausen ausgestellten Ausweis mit »Lilli Sara Jahn«,
außerdem mußte sie die Abdrücke ihres linken und rechten
Zeigefingers hinterlassen.

Paula absolvierte dieselbe Prozedur; sie hatte aber bereits

mit den für die Emigration notwendigen Vorbereitungen begonnen. Vierundsechzigjährig und mit nur geringen Kenntnissen der englischen Sprache, blieb ihr nur noch ein Ausweg: der Umzug nach Birmingham zu ihrer Tochter Elsa.

Elsa sorgte in England für die erforderlichen Papiere, Paula mußte sich vom evangelischen Pfarramt in Oberlauringen eine Geburtsurkunde ausstellen lassen und damit in Köln einen Reisepaß beantragen. Vor allem aber mußte sie zahlen: Am 7. März 1939 stellte ihr der Kölner Oberfinanzpräsident eine sogenannte Unbedenklichkeitsbescheinigung aus, in der festgehalten wurde, daß sie den Behörden »gegenwärtig keine Reste an Reichssteuern, Zuschlägen, Strafen, Gebühren und Kosten« mehr schuldete. Ebenso protokolliert wurde, daß sie zuvor eine »Reichsfluchtsteuer« in Höhe von 20144 Reichsmark sowie eine »Judenvermögensabgabe« über 21400 Reichsmark gezahlt hatte. Auch ihre Möbel durfte sie nur nach England mitnehmen, nachdem sie den Kaufpreis für jedes ihr gehörende Stück noch einmal an die Staatskasse entrichtet hatte. Ihr Vermögen war damit weitgehend aufgezehrt. Am 15. Mai 1939 verließ Paula Deutschland.

Lilli blieb zurück. Von einigen Freunden und Verwandten, die mit der Eisenbahn über Kassel nach Hamburg oder Bremen fuhren, um sich dort nach Amerika oder England einzuschiffen, konnte sie sich in den nächsten Monaten noch verabschieden. Auf dem Kasseler Bahnhof kam es dann zu tränenreichen Abschiedsszenen. Schließlich war Lilli von fast allen verlassen, die ihr nahestanden.

Im Laufe des Sommers machte sie mit ihrer Familie eine letzte Reise in den Schwarzwald. Schon in den Jahren 1936 und 1937 waren die Jahns dort gewesen und hatten stets auch Abstecher nach Freiburg zu den Mayers und Paepckes gemacht. 1938 führte die Sommerreise ins Sauerland, dann weiter nach Garmisch und auf die Zugspitze; in diesem Jahr also ging es wieder in den Schwarzwald. Doch die Reise wurde zum Fiasko. Das ursprünglich gebuchte Hotel verweigerte der Familie die Aufnahme: Juden waren unerwünscht. Erst nach langer Suche und mit Hilfe von Max und Olga Mayer fand man schließlich ein Hotel, das über Lillis jüdische Identität gnädig hinwegsah. Auf Lillis Kinder hatte diese Odyssee eine geradezu traumatisierende Wirkung: Wieder mußten sie erleben, daß sie zu den verachteten Außenseitern dieser Gesellschaft zählten.

Möglich geworden waren diese Reisen, weil Ernsts Praxis inzwischen so gut lief, daß die Familie sich diesen kleinen Luxus auch leisten konnte. Entscheidend allerdings war, daß Ernst jedesmal einen Vertreter für seine Patienten in Immenhausen fand. Im Sommer 1939 wurde diese Aufgabe von einer jungen Kollegin aus Göttingen übernommen, die von der ganzen Familie, auch und gerade von Lilli, zunächst als sympathische junge Freundin begrüßt worden war.

Im Familien-Fotoalbum sind die ersten Fotos der jungen Ärztin auf den April 1939 datiert: Rita ließ sich zusammen mit Eva fotografieren, die gerade ihren ersten Schultag hatte. Ernsts Kollegin kam bald auch außerhalb der Ferienzeiten nach Immenhausen und half in der oft von Patienten überfüllten Praxis aus.

In dieser Zeit besuchte Lotte Paepcke die Jahns in Immenhausen und fand ihre Freundin Lilli ziemlich still und verängstigt vor. Zusammen mit ihrem Mann Ernst August, mit Rita, Ernst und Lilli verbrachte Lotte einen denkwürdigen Abend in Immenhausen, an den sie sich später, kurz nach dem Krieg, in einem Brief an ihre inzwischen in New York lebenden Eltern erinnerte. Am Ende, so erzählte sie, sei die Runde sogar etwas munter geworden, man tanzte ein wenig:

Es war für Lilli seit Jahren das erste Mal wieder, und sie
war so mädchenhaft entzückt und animiert davon, daß
man ganz gerührt war. Ernst kann nicht tanzen und
befand sich sehr verlegen dabei, aber Lilli war einfach
selig.

Lotte – auch sie fand Rita zunächst durchaus sympathisch –
wurde in dieser Zeit zu einer wichtigen Stütze von Lilli. Zuweilen arrangierte man sogar kurze Treffen an der »Reichs-
autobahn« bei Kassel; die Paepckes machten dann einen kurzen Stop auf der Fahrt in den Urlaub oder zu Verwandten
nach Rostock. Lotte erfuhr wohl auch als erste, wie aus der
Freundschaft mit Rita plötzlich eine Katastrophe für die Familie Jahn wurde – ein letztes Zitat aus ihrem Erinnerungsbuch »Unter einem fremden Stern«:

Einzig eine junge Ärztin, die den überlasteten Doktor von
Zeit zu Zeit vertrat, brachte Kunde von der Außenwelt.
Sie war für Lilli ein weiteres Kind, das sie umsorgte und
bewunderte, für die Kinder die junge Tante aus der Stadt,
die immer schöne Geschenke brachte, und für den Doktor
eine fühlbare Entlastung bei dem Übermaß seiner Arbeit.
Und bald war sie ihm Freundin. Und dann Geliebte.
Denn sie wurde ihm der Weg zurück ins Leben, dorthin,
wo alle die anderen waren, die es sich erlauben durften, mit
Fingern auf ihn zu zeigen, ihn zu meiden, über ihn zu
spotten.
Nach einer kargen, verwaisten Kindheit hatte der Dok-
tor sich mühsam die Möglichkeit des Studiums erkämpft
und, benachteiligt durch seine Mittellosigkeit, hatte er dem
leichteren, glücklicheren Leben der Kommilitonen zugese-
hen. Endlich aber schien er es erreicht zu haben: die Sicher-
heit eines geordneten Lebens begann ihm zu winken.

Diese Sicherheit war es ja, die er suchte bei seiner Frau. Nach ihr suchte er in der immer wachsenden Schar ihn umgebender Kinder. Sie suchte er im Schoß der mächtigen Mutter Kirche. Und nun? Nun kamen die andern und wollten ihm alles wieder entreißen, den Boden unter den Füßen wegziehen, den er eben erst mit eigener Kraft untermauert hatte. Sie warfen mit Spottworten nach ihm, sie drohten seiner Frau mit Steinen! Ihre schmutzigen Zeigefinger deuteten auf die alten Madonnen in seinen Büchern, auf seinen Bildern, in deren lächelnden Gesichtern er den ewigen Ordo zu finden hoffte, und wollten ihn zerstören? Nein, nein, nein! Er ertrug das nicht.

Er fühlte sich gehetzt und verfolgt, er wurde gereizt und war plötzlich voller Zornausbrüche. Die einst geliebte Frau begann, ihm unerträglich zu werden. Wie sie so unschuldig dasaß und nähte, als ob sie nicht wüßte, was ihm geschah, ihm, der nichts wollte als Frieden! Ehre! Sicherheit!

Oh ja, sie wußte es. Sie sah, was Furchtbares an ihm, an ihnen beiden geschah. Aber sie war ohnmächtig, es zu ändern. Es blieb ihr nur am Tag die Arbeit und in der Nacht das Weinen.

Der Mann begann, die Kinder zu kritisieren – ja, sie waren doch eben nicht blond, nicht einfach strahlend wie die Hitlerjungen, die auf den Landstraßen an ihm vorüberzogen. Wie unglückselig saß dieser Mischlingsjunge an den Sonntagen daheim herum, statt in der Hitlerjugend draußen zu marschieren. Und er wurde so traurig-erbittert über sie alle, die, ein fünfmal vervielfältigtes Unglück, um ihn herumstanden, daß die Kinder Angst vor ihm bekamen.

Doch wie er so dürstete nach dem Leben der Vielen, der Sicheren, da kam Rita als barmherzige Samariterin und *brachte ihm den ersten Schluck zu trinken. Sie forderte ihn auf, mit ihr ins Theater zu fahren, damit er einmal auf andere Gedanken komme. Lilli gab mit Freuden ihre Zustimmung, und er fuhr. Welch ein Glück, wieder einmal in der Loge zu sitzen, im Foyer umherzugehen, Seite an Seite mit seiner schönen Begleiterin! Selbstsicherer und leicht verlegen kehrte der Doktor nach Hause zurück.*

Und Rita schenkte dem Dürstenden mehr: sie arrangierte eine kleine gemeinsame Reise, da Lilli ja doch nicht mehr fahren durfte. Sie schenkte eine große Reise. Und schließlich schenkte sie sich selbst.

Soweit Lottes Bericht; er umfaßt etwa das erste Kriegsjahr 1939/40. In einem Punkt irrte Lotte allerdings nach Meinung von Lillis Töchtern: Johanna und Ilse bestreiten heute ganz entschieden, daß sie sich jemals vor ihrem Vater gefürchtet hätten. Lottes Darstellung sei hier überzogen, ja falsch. Nie habe Ernst seinen Sohn und seine vier Töchter – die vierte, Dorothea, wurde am 25. September 1940 geboren – als »fünfmal vervielfältigtes Unglück« empfunden, nie die jüdische Herkunft seiner Kinder als Makel. Bei allem, was vorgefallen war, sei er dennoch immer ein liebevoller Vater gewesen.

Der Herbst des Jahres 1940 brachte eine neue Hiobsbotschaft für Lilli: den Tod ihres Lieblingsonkels Josef Schloß in Halle. Der Kinderarzt, dessen Praxis sie einst übernehmen wollte, war von den Behörden jahrelang systematisch unter Druck gesetzt worden. Im Herbst 1938 hatte man ihm, wie allen übrigen jüdischen Ärzten, die Approbation entzogen. Im April 1939 mußte er die von seinem Vater geerbte Villa im Rahmen der sogenannten Arisierung abtreten, schließlich wurde er herzkrank. Am 14. Oktober 1940 machte er sein Testament und vermachte einen großen Teil des ihm noch verbliebenen Vermögens ausdrücklich seinen »nichtjüdischen«

Großneffen und Großnichten. Am 25. November 1940 nahm sich Josef Schloß das Leben.

Josefs Schwester Marie Klein hatte den Sterbenden in seinen letzten Stunden begleitet und informierte am nächsten Tag die Verwandtschaft.

Lilli fuhr daraufhin nach Halle und half bei der Auflösung des Haushalts; einige Erbstücke, darunter Biedermeiermöbel, medizinische Apparate sowie ein Pelzmantel für Ernst, ließ man nach Immenhausen transportieren. Die Nationalsozialisten verschleppten Marie später ins Konzentrationslager Theresienstadt; dort verliert sich ihre Spur.

Die Sorgen um die Familie belasteten Lilli und Ernst mehr denn je. Erst Ende 1940 wurde der Briefwechsel mit den Barths wieder aufgenommen, nun aber nur von Lilli und Hanne, denn Leo war zur Wehrmacht eingezogen und in Frankreich stationiert worden. Am 11. Dezember 1940 schickte Lilli ihrer Mannheimer Freundin einen Weihnachtsgruß:

Meine liebe Hanne,
Du hast recht lange nichts von mir gehört, es liegt aber einzig und allein an der unüberwindlichen Krankheit des Zeitmangels. Zwar türmt sich gerade jetzt meine Arbeit berghoch – Amadés nicht weniger –, aber zu Weihnachten sollst Du doch zusammen mit dem Dir und Leo zugedachten Büchlein ein wenig von uns hören.

Wir hoffen bestimmt, daß Leo zum Fest Urlaub bekommen wird, und wünschen Euch allen ein frohes gesegnetes Weihnachten. Wie immer werden auch in diesem Jahr am leuchtenden Weihnachtsbaum unsere Gedanken bei Euch sein in aller Freundschaft und dankbar für Eure beständige und treue Gesinnung, die wir stets so wohltuend und beglückend empfinden ... Leos Brief und liebevolles Gedenken aus Frankreich hat uns innig gefreut.

Damit Ihr auch wißt, wie das Baby aussieht, das das goldige Mützchen tragen soll, lege ich Euch zwei Bildchen ein. Für Deine lieben und guten Wünsche zur Geburt unseres Dorle danke ich Dir herzlich. Sie geht recht gut voran und ist natürlich der Mittelpunkt und der Liebling des ganzen Hauses. Selbst der große Bruder kümmert sich mit Interesse und Liebe um das Baby. Ich selbst habe mich recht schnell und gut erholt und kann gottlob wieder tüchtig schaffen von früh bis abends spät. Die Kinder sind alle gesund und munter und recht gewachsen, es wird nicht mehr lange dauern, bis Gerhard uns über den Kopf gewachsen ist.

Es gäbe noch allerhand zu erzählen, aber wieviel schöner wäre es doch, Du könntest sie wieder einmal selbst sehen und erleben. Und ich gebe auch so die Hoffnung nicht auf, daß es sich von Deiner Seite in hoffentlich nicht mehr allzu fernen Friedenszeiten ermöglichen läßt.

Und mit diesem uns allen gemeinsamen, brennenden und innigen Wunsch nach Frieden laß mich für heute schließen, liebste Hanne. Möge das Jahr 1941 uns allen Gutes bringen und uns allen, denen das Leben so mancherlei zu tragen gibt, Mut und Zuversicht und ein starkes Herz erhalten – und Gottes Segen.

Sei von ganzem Herzen gegrüßt, mit Leo, den Kindern, Opa und Oma, stets Deine Lilli

Der Alltag der Familie wurde nun zu Lillis einzigem Lebensinhalt. Alles drehte sich um das Wohlbefinden Ernsts und der Kinder. Das Haus verließ sie nur noch im Ausnahmefall.

Am 23. März 1941 wurde der Sohn Gerhard konfirmiert. Die obligatorischen Fotos zeigen den Knaben im Konfirmationsanzug zusammen mit seinen Eltern im Garten des Ärztehauses. Doch aus demselben Anlaß ließ sich Ernst – mit finsterem Gesichtsausdruck – auch in einer anderen Konstellation fotografieren: zu seiner Rechten die sichtlich mitgenommene Lilli, zu seiner Linken seine Geliebte Rita. Offenbar sollte hier um fast jeden Preis Normalität simuliert werden. Die Konstellation erinnert an Ernsts Doppelleben zu Beginn seiner Beziehung mit Lilli. Damals war es die Freundin Annekathrin gewesen, die ihn in den Bann zog, nun war es Rita, die ihn fesselte.

Und wiederum hinderte ihn diese innere Zerrissenheit keineswegs an Aufmerksamkeiten für Lilli. Zu Ostern 1941 schenkte er ihr ein Reprint des »Hausbüchels« von Jakob Grimm. Das Kalendarium bot Platz genug für eine Fülle eigener Notizen – Ernst machte den Anfang, mit einer Widmung und einer Reihe von Zitaten:

Meiner lieben Lilli
voll Dank zum Sonntag, dem 6. April 1941
mit viel guten Wünschen,
damit sie sich mal ein ganz persönliches Büchlein
aneignen möge,
sich zur Freude, uns allen zum Heile und zur
Bereicherung

Amadé

Auf die Buchinnenseite setzte Ernst ein Zitat aus Dantes »Divina Commedia«, auf die erste freie Doppelseite klebte er eine Kunstpostkarte mit Madonnenmotiv und schrieb ein Goethe-Zitat darunter:

Große Gedanken und ein reines Herz,
das ist es, was wir von Gott erbitten sollten.

Zwei weitere Zitate aus Goethes »Italienischer Reise« notierte Ernst auf der nächsten Doppelseite. Eines davon lautet:

Was im Anfang einen frohen Genuß gewährte, wenn man es oberflächlich hinnahm, das drängt sich hernach beschwerlich auf, wenn man sieht, daß ohne gründliche Kenntnis doch auch der wahre Genuß ermangelt.

Lilli wiederum setzte später ein Schiller-Zitat darunter, das Goethes etwas schulmeisterlich klingende Weisheit sinnvoll erweiterte, ja im Grunde kommentierte:

Die höchste Fülle des künstlerischen Genusses mit dem Genuß des Herzens zu verbinden, war immer das höchste Ideal, das ich vom Leben hatte, und beide zu vereinigen ist bei mir auch das unfehlbarste Mittel, jeden zu seiner höchsten Fülle zu bringen.

Noch verband Ernst und Lilli das Interesse an Literatur, Musik und Philosophie. Aber jeder setzte die Akzente anders. Während sich Ernst vor allem um den rechten Glauben und die Erkenntnisse der Kunstgeschichte bemühte, spürte Lilli viel mehr den Wegen und Irrwegen der Liebe nach. Die nächsten 23 Seiten füllte sie mit Zitaten, die sich immer wieder um dieses eine große Lebensthema drehen. Auch wenn Lilli mit einem Bibelzitat (aus dem ersten Korinther-Brief) begann – sie blieb ihrer Existenzfrage treu:

Die Liebe ist langmütig und freundlich, die Liebe eifert nicht und suchet nicht das Ihre, sie läßt sich nicht erbittern, sie verträgt alles, sie glaubt alles, sie hoffet alles, sie duldet alles. Die Liebe höret nimmer auf.

Lilli notierte Gedanken und Sentenzen von Hegel, Hölderlin und Schopenhauer, von Albert Schweitzer, Werner Bergengruen und Rainer Maria Rilke. Nach einem Zitat von Ernst Jünger brach sie das literarische Tagebuch ab.

Im September 1941 beendete Lilli auch ihre Arbeit am Familienfotoalbum, das sie Ernst wohl erst kurz davor, vielleicht zu Dorotheas Geburt geschenkt hatte. »Für den Vati ein Bilderbuch von seinen fünf Kindern«, lautete ihre Widmung. Die letzten beiden Fotos zeigen die kleine Dorle am 25. September 1941, ihrem 1. Geburtstag.

Wahrscheinlich waren es Abzüge dieser Fotos, die sie am 23. November ihrer Freundin Hanne nach Mannheim schickte:

Meine liebe Hanne,
ich muß Dir wohl nicht immer wieder betonen, daß auch ohne äußere Zeichen unsere Gedanken in alter warmer Verbundenheit bei Dir, bei Leo und Euren vier prachtvollen Kindern sind. Die Bildchen, die Du mir im Sommer schicktest, haben uns arg gefreut und noch mehr begeistert. Solch eine entzückende, strahlende Kinderschar, da kannst Du stolz darauf sein, Hanne! Und inzwischen ist der kleine Michael gewiß schon ein strammer Bub geworden und lacht und erzählt. Und es wird nicht anders sein als bei uns, daß das Nesthäkchen der Liebling der großen Geschwister ist.

Wie unser Dorle nun geworden ist, sollst Du aus beiliegenden Bildchen ersehen, sie ist ein kleines Dickerchen, aber läuft wie ein Wiesel, sie ist ungeheuer lebhaft. Es ist jetzt eine schlimme Zeit mit ihr, da man arg auf sie aufpassen muß, weil nichts mehr vor ihren kleinen Patschhändchen sicher ist. Und nun muß sie doch allmählich sauber werden, das ist jedesmal eine Aufgabe.

Und doch empfindet man jeden Tag von neuem das Glück über solch ein warmes liebes, kleines Geschöpfchen.

Die vier Großen wachsen tüchtig heran. Gerhard lernt eifrig Latein, Griechisch und Englisch und fühlt sich nach wie vor sehr wohl in seiner Schule. Ilse lernt schwerer, allerdings fleißig und gewissenhaft, aber mit weniger Glück und Freude. Dafür ist sie ein gutes Hausmütterchen, die viele Besorgungen selbständig erledigt, was mir bei meiner großen Gebundenheit eine fühlbare Erleichterung ist. Sie, wie auch Gerhard und Hannele haben recht aufgeschlossene, empfängliche Sinne und lassen deutlich den Einfluß ihres Vatis mit seinen kunstgeschichtlichen und geistigen Interessen erkennen.

Hannele ist gesundheitlich leider immer noch das Sorgenkind mit ihrem Asthma. Sie war vom 1. September bis Mitte November in einem Kindersanatorium bei Kassel, hat sich allgemein auch ganz gut erholt, aber ihre Asthma-Anfälle sind nach wie vor geblieben. Und unsere Eva ist wirklich ein halber Junge, immer ist sie draußen und hilft, bald da, bald dort, am liebsten auf dem nahegelegenen Zimmerei-Platz, wo sie nach Herzenslust mit Hammer und Nägeln umgehen darf. Sie hat gar kein Sitzfleisch, und die Sonntage, an denen die anderen mit Hingabe lesen, sind ihr eine Qual.

Heute ist Amadé mit dem Gerhard nach Kassel ins Theater gefahren in den »Troubadour«, ich bin gespannt, was sie nachher berichten werden. Amadé ist immer sehr stark mit Arbeit überlastet. Mit großer Mühe ergatterten wir im Juli für 14 Tage einen Vertreter, und Amadé war auf dem Ruhestein bei Baden-Baden. Nur hätte die Erholungszeit doppelt so lang sein müssen.

Rita Schmidt ist ... sehr viel bei uns, es geht ihr recht

gut, sie läßt Dich vielmals grüßen und schickt Dir in-
liegendes Fahrscheinheft.

Von mir selbst ist nicht viel zu sagen. Das traurige
Lied über die Hausangestellten erspare ich mir, Du
kennst es – und außerhalb unseres Hauses führe ich ja
kein Leben mehr. Was soll ich viele Worte darüber ver-
lieren, es trägt sich manchmal schwerer, als Du glauben
magst.

Nach diesem langen Bericht über uns darf ich Dich wohl
bitten, uns recht bald wieder einmal von Dir und Euch
allen zu erzählen, besonders von den Kindern, wie sie sich
entwickeln und was sie treiben …

Laß es Dir recht gut gehen, Hanne, und sei Du mit all
den Deinen aufs innigste gegrüßt

von Deiner Lilli

Warum zog sich Lilli so zurück? Im Prinzip durfte sie sich damals auch außerhalb des Hauses noch frei bewegen. Dank
ihrer Ehe mit Ernst mußte sie auch den gelben Stern nicht
tragen, der seit dem 19. September 1941 allen Juden vorge-
schrieben war.

Aber dieses Privileg war alles andere als zuverlässig. Im
Grunde hatte Lilli ständig mit Übergriffen nationalsozialistischer Schläger oder Bürokraten zu rechnen, die sicher nie
geahndet worden wären. Und vor allem: Überall im Reich
begannen nun die großen Deportationen. Wer konnte ihr ga-
rantieren, daß sie nicht doch zufällig aufgegriffen und in einen Zug nach Osten verfrachtet werden würde?

Der erste Kasseler Sammeltransport verließ den Hauptbahnhof am 9. Dezember 1941. In den Tagen zuvor hatte der
Leiter des »Judenreferats« der Kasseler Gestapo, August Hoppach, dafür gesorgt, daß auch aus dem Umland möglichst
viele Juden in die Stadt geholt wurden, um die von der Reichs-

bahn bereitgestellte Kapazität von 1000 Personen voll auszu-
nutzen. Dieser erste Transport ging ins Ghetto nach Riga, der
nächste, am 1. Juli 1942, in das Konzentrationslager Lublin /
Majdanek und der dritte, am 7. September 1942, nach Theresienstadt. Das alles geschah unter den Augen der Kasseler
Bürger, ihre jüdischen Nachbarn zogen in langen Kolonnen
durch die Innenstadt zum Bahnhof, die zurückgelassenen
Habseligkeiten wurden öffentlich versteigert.

Daß Lilli diesem Schicksal entgehen sollte, wollte den
Immenhäuser Nazis nicht in den Sinn. Am 20. Januar 1942
schrieb der amtierende Bürgermeister und stellvertretende
Ortsgruppenleiter der NSDAP, Karl Groß, an seinen Vorgesetzten in Hofgeismar:

An den Kreisleiter der NSDAP
in Hofgeismar.
Zu Ihrem Schreiben vom 17. Jan. 1942 Nr. 138 / 42 über
privilegierte Mischehen teile ich mit, daß sich die Bevölke-
rung sehr darüber erregt hat, daß die hiesige Arztfrau
(Volljüdin) keinen Judenstern zu tragen braucht. Die
Jüdin nutzt dieses sehr aus, indem sie oft mit der Bahn
2. Klasse nach Kassel fährt und ohne den Stern ungestört
reisen kann. Wenn in dieser Angelegenheit eine Abhilfe
geschaffen werden könnte, würde dies von der ganzen
Bevölkerung sehr begrüßt.

Gleichzeitig teile ich mit, daß bei der hiesigen Jüdin eine
Abschiebung in Erwägung gezogen werden könnte, da der
Mann der Jüdin (Arzt) mit einer Arierärztin ein Verhältnis
führt und von derselben in den nächsten Wochen ein Kind
erwartet. Bei einer Abschiebung der Jüdin könnte die
Arierärztin den Haushalt des Arztes Jahn weiterführen.
Vielleicht ist eine persönliche Aussprache über die angege-
benen Verhältnisse richtig. Und es könnte dadurch erzielt

werden, daß die noch hier einzig wohnende Jüdin von hier
verschwindet.
  Heil Hitler!

  Groß
  stellv. Ortsgruppenleiter

Ob die Bürger von Immenhausen wirklich an Lillis Bahnfahr-
ten Anstoß nahmen, sei dahingestellt. Wahrscheinlich hatte
die Bevölkerung der Kleinstadt damals, im nun schon dritten
Kriegswinter, ganz andere Sorgen. Es war wohl vor allem der
Parteiapparat der Nazis, der nach weiteren Opfern verlangte.

Im übrigen mußte Lilli ihre Fahrten nach Kassel zwei Monate später ohnehin einstellen. Eine Anordnung der Sicher-
heitspolizei von Ende März 1942 verbot den deutschen Juden
schlicht die Benutzung öffentlicher Verkehrsmittel – nur
wenn sie eine besondere polizeiliche Genehmigung vorweisen
konnten, durften sie noch die Bahn benutzen.

Unklar bleibt auch, ob und wie die Parteifunktionäre eine
persönliche Aussprache mit Ernst Jahn über seine Ehe mit
Lilli geführt haben. Wahrscheinlich aber wurde ihm zumindest nahegelegt, sich scheiden zu lassen.

Lilli und Ernst lebten in einer sogenannten privilegierten
Mischehe. Die Nazis hatten diesen Status bereits im Dezember 1938 jenen »halbjüdischen« Ehepaaren zuerkannt, die
ihre Kinder nicht im jüdischen Glauben erzogen. Der soziale
und politische Druck auf diese Ehen nahm im Laufe des Krieges zu. Eine Trennung war erwünscht, wurde aber nur selten
erzwungen. Dabei galt die Verbindung von Lilli und Ernst unter den möglichen Varianten noch als die günstigste: Die Ehe
eines jüdischen Mannes mit einer Nichtjüdin hatte zumeist
härtere Sanktionen zu erdulden.

1942 gab es im Reich noch etwa 28 000 Mischehen. Hielt
nun einer der Partner dem politischen Druck nicht mehr

stand und verlangte die Scheidung, so beschleunigten die NS-Richter stets das Verfahren. Das Sorgerecht für minderjährige Kinder wurde dabei fast ausschließlich den Frauen zugesprochen, und das galt auch für Jüdinnen in Mischehen. Die jüdischen Mütter waren nach einer solchen Scheidung vor Zugriffen und Deportationen in der Regel geschützt – eine Sicherheit, die allerdings gegen Kriegsende ausgehöhlt wurde.*

Ernst fuhr mit Rita im Laufe des Jahres 1942 nach Bochum, um mit seinem Studienfreund Leo Diekamp die Modalitäten einer Scheidung und einer neuen Ehe zu erörtern. Der Rechtsanwalt warnte seinen Freund eindringlich vor einer Auflösung der bestehenden Bindung. Denn niemand konnte wissen, wie lange der Lilli zu dem damaligen Zeitpunkt gewährte Schutz noch bestehen würde, zumal die NS-Justiz fortwährend und für jeden erkennbar die Rechte der Juden im Lande einschränkte. Doch Ernst vertraute darauf, daß die Nazis auf seine fünf Kinder Rücksicht nehmen und deswegen Lilli nichts anhaben würden. Angeblich, so erklärte er später immer wieder, hätten ihm das die zuständigen Stellen versichert.

Tatsächlich aber blieb Lilli ununterbrochen im Visier der NS-Bürokratie. Am 22. Mai 1942 berichtete Bürgermeister Groß erneut über den aktuellen Stand im Hause Jahn:

*An die Kreisleitung der NSDAP
in Hofgeismar.
Betrifft: Den prakt. Arzt Ernst Jahn in Immenhausen.
In vorstehender Sache teile ich mit, daß die Ärztin Dr. Rita Schmidt ... in der Wohnung des praktischen Arztes Jahn hier ein Mädchen geboren hat. Der Erzeuger des Kindes ist*

---

* Diese Darstellung folgt der Dissertation von Beate Meyer, »Jüdische Mischlinge«. Rassenpolitik und Verfolgungserfahrung 1933–1945, Hamburg, 1999, S. 92.

Jahn. Nach den eigenen Angaben der Ehefrau Jahn ist die
Geburt des Kindes von Jahn selbst getätigt worden, wäh-
rend die Frau Jahn zur Hilfeleistung zugegen war. Die hie-
sige Hebamme ist am nächsten Nachmittag hinzugezogen
worden, die die Wöchnerin eine Woche täglich zweimal
besucht hat. Nach dieser Zeit ist die Wöchnerin von einer
geprüften Wochenpflegerin aus Göttingen im Hause Jahn
gepflegt worden.

Die Ärztin Schmidt hat Jahn in seiner Praxis wiederholt
vertreten. Vor der Niederkunft war sie längere Zeit im
Haushalt der Familie Jahn aufhältlich. Jahn selbst hat mit
seiner Ehefrau, die Volljüdin ist, auch fünf Kinder.

i. V. Groß

Was mag Lilli wohl empfunden haben, als sie Rita bei der Geburt des von Ernst gezeugten Kindes half? Auch die Ärzte-
kammer nahm an dem Vorgang Anstoß, allerdings mit einer
grotesken Begründung: Rita wurden Vorhaltungen gemacht,
weil sie ihr Kind mit Hilfe einer jüdischen Kollegin zur Welt
gebracht hatte.

Einige Wochen nach der Geburt zog Rita mit ihrer kleinen
Tochter nach Kassel in eine Wohnung. Ernst besuchte sie dort
regelmäßig, ein für Lilli kaum erträglicher Zustand. Und natürlich litten auch die Kinder unter der unübersehbaren Zerrüttung der Ehe ihrer Eltern.

Lilli hatte seit Kriegsbeginn nur noch wenig Kontakt zu
Mutter und Schwester in Birmingham, ein direkter Briefwechsel war praktisch ausgeschlossen. Zunächst schienen die
beiden deutschen Emigrantinnen den Briten sogar verdäch-
tig, Elsa verlor ihre Anstellung als Chemikerin. Wenn Lilli
Nachrichten übermitteln wollte, bediente sie sich dazu einer
in Genf, also in der neutralen Schweiz lebenden »Tante
Paula«, die Briefe und Botschaften dann weiter nach England

vermittelte. Am 27. September 1942 schrieb Lilli wieder an diese – heute nicht mehr identifizierbare – Dame. Der Brief wurde von der Zensur offensichtlich kontrolliert, sämtliche Ortsangaben sind unkenntlich gemacht geworden – eine wohl obligatorische, aber völlig unsinnige Maßnahme, denn Lilli berichtete nur vom Schicksal ihrer Familie in Immenhausen, von den persönlichen Interessen und Fähigkeiten ihrer heranwachsenden Kinder. Immerhin gelang es Lilli, ihrer Mutter und ihrer Schwester auf diesem Umweg einen verschlüsselten Gruß ausrichten zu lassen. Gegen Ende ihres Berichtes notierte sie:

Von meiner Familie höre ich auch nichts mehr, nachdem alle meine Tanten ihren Wohnsitz gewechselt haben. Mit größtem, allergrößtem Interesse las ich den letzten Bericht über Deine Namens-Schwester, Du weißt, wie sehr ich sie immer lieb hatte, und ihre Tochter. Es tut mir fürchterlich leid, daß die tüchtige Doktorin wieder krank ist. Solltest Du einmal schreiben, so grüße beide von ganzem Herzen mit tausend guten Wünschen.

Mit Paulas Namensschwester war niemand anderes als Lillis Mutter gemeint, und bei der tüchtigen Doktorin handelte es sich um die an Tuberkulose erkrankte Schwester Elsa.

Lillis Tanten hatten im übrigen nicht einfach nur den Wohnsitz gewechselt. Neben der schon genannten Marie wurden auch die Tanten Eva und Margarete Schloß sowie Helene Nördlinger und Ottilie (»Tilly«) Schlüchterer nach Theresienstadt deportiert; keine von ihnen kehrte je zurück. Lillis Mutter Paula zählte nach dem Krieg in ihrer Verwandtschaft nicht weniger als 23 Opfer des Holocaust.

Die Zahl war auch deswegen so hoch, weil in diesen bürgerlichen Kreisen eine Emigration nach Palästina nur im Ausnahmefall erwogen wurde. Die meisten Verwandten teilten Josef Schlüchterers Antizionismus; das nationale Empfinden dieser assimilierten deutschen Juden verbot im Grunde ein Aufgeben der eigenen Heimat. Zudem ließen die Nachrichten aus Palästina auf eher abenteuerliche Lebensbedingungen schließen. Wer also wie Lillis Tanten zu alt oder immobil war, blieb im Lande und fiel den Nazis in die Hände. Und wer wie Lillis Cousine Olga und deren Mann Max Mayer nach New York flüchten konnte, tat dies mit der festen Absicht, eines Tages nach Deutschland zurückzukehren.

Auch Lilli war in diesem Sinne immobil, wenn auch aus anderen Gründen. Im Laufe des Jahres 1942 mußte sie ihr gesamtes Bankguthaben, etwa 10000 Reichsmark, sowie den auf ihren Namen eingetragenen Anteil am Immenhäuser Wohnhaus auf Ernst überschreiben. Am 8. Oktober willigte sie offiziell in die Scheidung ein. Ein paar Wochen später, am 14. November 1942, heirateten Ernst und Rita.

»Grenzenlos einsam und verlassen«
Unter einem Dach und doch getrennt

An der Konstellation im Ärztehaus änderte die Scheidung zunächst nichts. Ernst fuhr an fast jedem Abend und an den Wochenenden nach Kassel zu seiner neuen Frau, Lilli wohnte vorerst weiter mit den Kindern in Immenhausen.

Und neue Sorgen belasteten Lilli. In Essen lebte Ernsts Schwester Lore mit ihrer Familie. Das Ruhrgebiet war in diesen Wochen schweren Bombenangriffen ausgesetzt. Lore hatte in den Kriegsjahren und vor allem über die Scheidung hinweg zu Lilli gehalten. Am 19. Januar 1943 bot Lilli nun ihrer Schwägerin und ihrem Mann, dem Arzt Dr. Wilhelm Sasse, sowie den Kindern der beiden, Marilis und Wilhelm, eine Übersiedlung nach Immenhausen an:

Meine liebe liebe Lore,
es erschien aussichtslos, Dich telefonisch zu erreichen,
sonst hätten wir Dich sofort nach Erhalt Deines Briefes
angerufen. Du und die Deinen, Ihr sollt nun wissen, daß
wir voller Anteilnahme an Euch denken. Hoffentlich habt
ihr in den letzten Tagen ein wenig mehr Ruhe gehabt und
ein bißchen aufatmen können. Es ist ja fürchterlich, was
Ihr durchmachen müßt.
Deine Aufstellung und alle Angaben und Wünsche
werde ich sorgsamst aufbewahren, und Du kannst ganz
beruhigt sein, Lore, Du kannst Dich jederzeit voll und ganz
auf uns verlassen. Euren lieben Kindern werden wir

immer zur Seite stehen. Du weißt doch, ich hab sie so lieb,
als wären sie meine eigenen. Marilis wird in mir immer
nicht nur eine hilfsbereite Tante, sondern auch eine ver-
stehende echte Freundin finden. Geb's Gott, daß all Deine
Sorge und Vorsorge umsonst ist. Von Ernst soll ich Euch
extra grüßen. Er meint, ob Ihr nicht auch Essen verlassen
sollt. Für Willy sollte es doch leicht sein, genügend amts-
ärztliche Bescheinigungen zu erhalten, daß er nicht mehr
in der Lage ist, seine Praxis auszuüben, und das Leben in
Essen für seine Gesundheit nur schädlich ist: Kommt zu
uns, wir werden Euch schon unterbringen. Wilhelm geht
noch ein paar Monate in Kassel zur Schule. Auf die Dauer
könnt Ihr das doch nicht aushalten! Oder kommt wenig-
stens einmal für längere Wochen, Ihr seid jederzeit herz-
lich willkommen. Wir möchten Euch so gerne helfen!

Wenigstens schreib' recht bald einmal wieder, und wenn
es auch nur ein paar kurze Zeilen sind. Hast Du das Paket
mit den Erbsen und dem Mondamin auch erhalten?

Ilschen läßt einstweilen herzlich danken für Deine
Glückwünsche und für das sehr, sehr feine Kunstbuch.

Überlegt Euch mal unseren sehr ernst gemeinten Vor-
schlag. Für heute lebt wohl. Alles, alles Gute!

Innige Grüße Euch allen von uns allen, Lilli.

Und noch ein Nachtrag:

Möchtest Du mir nicht wenigstens ein paar Koffer mit
Wäsche, Silber etc. schicken? Soll ich Dir einen großen,
neuen Mädlerkoffer zu diesem Zweck senden? Wirklich,
seht zu, daß auch Ihr aus dieser Hölle herauskommt.

Sei fest und herzlich umarmt, liebe Lore!

Deine Lilli

Trotz der Scheidung regelte Lilli viele Fragen des Alltags noch gemeinsam mit Ernst, sei es die Hilfe für Lores Familie, seien es Entscheidungen über die Zukunft der Kinder.

Der Krieg rückte unterdessen auch in Immenhausen immer näher. Im August 1942 war Kassel erstmals zum Ziel eines Großangriffs alliierter Bombenflugzeuge geworden. Lillis inzwischen 15jähriger Sohn Gerhard wurde zusammen mit seinen Klassenkameraden zur Fliegerabwehr nach Obervellmar bei Kassel eingezogen. Am 15. Februar 1943 mußten die jungen Luftwaffenhelfer einrücken, sie bekamen eine erste militärische Ausbildung und nebenher auch noch ein paar Schulstunden. Wenige Wochen später begannen ihre Einsätze bei der Flak, also an den Flugabwehrkanonen, für Gerhard eine willkommene Anerkennung. Zwar hatte er im humanistischen Friedrichsgymnasium in Kassel bis dahin kaum Diskriminierungen erfahren – anders als seine Schwestern Ilse und Johanna, denen schon damals, nach manchen Schikanen, vom Direktor der Rausschmiß aus ihrer Oberschule angedroht wurde –, aber auch er empfand die Einbeziehung in die Kriegsmaschinerie als eine Art von Rehabilitation: Hitlerjunge durfte er nicht werden, aber jetzt, in der Not des Krieges, brauchte man ihn offenbar doch. Plötzlich schien er kein Außenseiter mehr zu sein, sondern gehörte endlich dazu.

Ob sich auch Lilli darüber freute? Wenn sie es nicht tat, so hat sie es doch ihren Sohn nie spüren lassen, sondern immer großes Interesse an seinem nun völlig veränderten Alltag gezeigt. Nur am Wochenende durfte Gerhard, wenn überhaupt, noch nach Immenhausen kommen. Dann wurde er gründlich umsorgt und bekocht, seine Wäsche wurde gewaschen und geflickt.

Lilli selbst bemühte sich, ihren Kummer vor den Kindern zu verbergen. Lange verschwieg sie ihre Scheidung gegenüber den wenigen Freunden, die ihr noch geblieben waren.

Am 11. März 1943 jedoch informierte sie endlich Hanne Barth in Mannheim:

Meine liebe liebe gute treue Hanne,
laß Dir zuerst einmal von ganzem Herzen danken für Deine lieben Grüße alle, die ja schändlicherweise immer noch unbeantwortet sind. Und dabei sind sie uns, vor allem mir, stets eine solche Freude als Zeichen Deiner unveränderten Gesinnung und Freundschaft. Und arg gefreut hab ich mich mit dem entzückenden Notizbuch zu Weihnachten, das war so arg lieb von Dir. Hab' dafür extra herzlichen Dank.

Glaub mir, mit allergrößtem Interesse lese ich alles, was Dich und die Kinder betrifft und was Du von Leo berichten kannst. Ich freue mich jedesmal mit Dir, wenn Du von glücklichen Urlaubstagen erzählen kannst, und versuche Dir nachzufühlen, was es heißt, den geliebten Mann wieder fortgehen lassen zu müssen. Du bist eine tapfere Frau, Hanne, und aus ganzer Seele wünsche ich Dir, daß Euch Euer Vater erhalten bleibt und Ihr alle in nicht gar zu ferner Zeit wieder vereint sein könnt. Und was hast Du nicht alles durchgemacht an Krankheiten und Sorgen mit Dir selbst und den Kindern. Drum war ich auch besonders froh, als Du auf Deiner heutigen Karte nur Gutes berichten konntest.

Aber glaube doch bitte nicht, es hätte bei mir an Anteilnahme gefehlt, meine Gedanken waren oft und oft an Dich geschrieben, aber lange Zeit konnte ich diesen Brief nicht zu Papier bringen, und auch heute fällt es mir arg schwer; eingedenk unserer alten Freundschaft fühle ich mich verpflichtet und gedrängt, Dir sehr Ernstes und Schweres von uns zu berichten, das sich doch kaum in einem Brief sagen läßt.

Ich habe in den letzten 2¹/₂ Jahren sehr viel Hartes und Bitteres durchgemacht und hab's auch jetzt noch nicht überwunden. Hanne, am 8. Oktober 1942 sind Amadé und ich geschieden worden, und am 14. November 1942 hat er wieder geheiratet, die Rita Schmidt, die Du ja kennst, nachdem ... hier bei uns ein Kind der beiden, ein kleines Mädchen, Magda, geboren wurde.

Wie soll ich das nun alles erklären, vor allem Dir Amadés Verhalten verständlich machen, damit Du ihn begreifst und nicht verurteilst?!!

Hanne, ich möchte jetzt bei Dir sitzen, Deine Hand nehmen und Dir ganz leise etwas sagen: Hanne, erinnerst Du Dich daran, als ich im Sommer 1925 das erste Mal bei Euch in Mannheim war? Erinnerst Du Dich an jenen Sonntagnachmittag, als Amadé, um dessentwillen ich allein nach dort gekommen war, mich unter dem Vorwand, er habe Dienst in der Klinik, allein ließ und zu Dir geflüchtet war? Weißt Du noch, wie erschrocken und getroffen ich war, als ich es dann am anderen Morgen von Dir erfuhr?

Siehst Du, das hätte mir eine Warnung sein sollen, und daß ich diese Warnung nicht erkannte, das muß ich nun nach langen Jahren, in denen ich mich und uns beide glücklich wähnte, für mein ganzes übriges Leben büßen. Denn in dieser schicksalhaften Begegnung mit jener anderen Frau, mit der Rita Schmidt, mußte Amadé erkennen, daß er mit seiner Verbindung mit mir seinem eigensten innersten Wesen untreu geworden war.

Und nun fand er plötzlich diesen weiblichen Mitmenschen, der ein unsagbares, bis dahin nie empfundenes Glück schenkte, der ihm Heimat wurde, der ihn zu sich selbst und ihn, den ja auch Du als Gottsucher kennst, zu Gott zurückführte. Ein ganz tiefes religiöses Moment ist bei Amadé die Wurzel dieser Liebe, zu der er sich beken-

nen mußte, weil er sonst nicht mehr im tiefsten Sinne
leben konnte. Und Du kennst ja auch den Amadé mit all
seiner weichen, zarten Empfindsamkeit, die es ihm
unmöglich gemacht hätte, an einer Entsagung und Über-
windung innerlich zu wachsen und zu reifen. Sein Bestes
und Wertvollstes wäre zugrunde gegangen.

Ich brauche Dir ja wohl nicht zu betonen, daß dieses
Erleben und diese Entwicklung auch ihn schwere Kämpfe
gekostet hat und er immer und immer wieder versucht hat,
sich vor sich selber Rechenschaft abzulegen, um dann
doch diese Liebe mit allen Fasern des Herzens und der Seele
bejahen zu müssen.

Siehst Du Hanne, sie gehen zusammen zur Kirche, der
Amadé und die Rita. Und es ist wohl nur eine Frage der
Zeit, daß er konvertiert. Und sie ist eine Frau deutschen
Blutes und verwandterer Art für ihn. Und daß die
unglückliche, fast unerträgliche Situation, in der er mit
mir leben mußte, wenn auch nicht ausschlaggebend, aber
doch sehr erschwerend ins Gewicht fiel, wirst Du erst voll
ermessen können, wenn ich sie Dir einmal in Worten und
Erzählungen vor Augen führen kann.

Wirst Du wohl einmal versuchen, den Amadé zu verstehen, wirst Du ihn nicht gar zu schwarz beurteilen?

Er verdient es nicht, denn weder Leichtsinn noch Herz-
losigkeit noch Schlechtigkeit kann man ihm vorwerfen.
Auch Lise und Leo Diekamp, die von allem unterrichtet
sind und seit über einem Jahr alles miterlebten, haben sich
in persönlichen Aussprachen mit Amadé und durch seine
Briefe überzeugen lassen müssen. Ich selbst habe in
äußerster Zerrissenheit und Not ... Lise eingeweiht –
zu Dir konnte und wollte ich nicht kommen mit meinem
Leid, da Du selbst genug zu tragen hast, gute Hanne.

Aber für mich ist Lise eine Enttäuschung gewesen, in

dieser ganzen Zeit erhielt ich <u>einen</u> direkt an mich gerich-
teten Brief, und der war sehr kühl und verstandesmäßig, so
daß er mich schmerzte. Und der regere Briefwechsel zwi-
schen ihr und Amadé wird mir schon lange vorenthalten.

Was soll ich von mir selber sagen, Hanne? Ich fühle
mich im Innersten grenzenlos einsam und verlassen, ich
kämpfe einen schweren Kampf gegen Bitterkeit, Enttäu-
schung und um den Glauben an die Menschen, seit weni-
gen Wochen erst finde ich ganz langsam einen Weg zu mir
zurück und zu dem Vertrauen in Gottes Fügung. Wie
krank vor Kummer … ich war und wie groß das Leid ist,
das ich für meine Kinder – die drei Großen haben auch
schon viel mitgemacht – und für mich trage, das wirst Du,
liebe Hanne, einfühlend und mitfühlend begreifen.

Schau, Hanne, von Anfang an hab' ich begriffen und
verstanden, was da geschah in und mit meinem Amadé,
von Anfang an hab ich ihn, wenn auch nicht immer leicht
und einfach, seinen Weg gehen lassen, aber immer im
Vertrauen darauf, daß unsere Gemeinsamkeit trotz allem
bestehen bleiben würde. Und als ich dann sah, daß ich
mich getäuscht hatte und seine Ehe mit mir ihm nur eine
Last war und er dieses doppelt gebundene Leben nicht
ertragen konnte, hab' ich ihm seine Freiheit zurückge-
geben.

Von der Rita kann ich nichts sagen, ich fürchte, ich bin
nicht objektiv genug, und ich kann mich von dem Vorwurf
gegen sie nicht freimachen, daß es in ihrer Hand gelegen
hätte, es nicht zum Äußersten kommen zu lassen. Ich
habe sie in allen Dingen, in großen und kleinen, in Dingen
des Herzens und des geringen Alltags, als einen rück-
sichtslosen und sehr egozentrischen Menschen kennenge-
lernt, vor allem in den drei Monaten, die sie vor und wäh-
rend und nach der Geburt des Kindes hier im Hause war.

Und alle Bemühungen, um Amadés willen, in ein freundschaftliches Verhältnis mit ihr zu kommen, schlagen immer wieder fehl, gewiß auch durch meine große Empfindsamkeit ihr gegenüber, aber nicht nur allein dadurch. Es bleibt immer nur alles an der Oberfläche bei ihr, und auch mit den Kindern versteht sie es in keiner Weise.

Unser äußeres Leben ist nun so, daß die leibliche Fürsorge für die Kinder mir vom Jugendamt zugesprochen ist.

Wir bleiben hier im Haus, Amadé führt seine Praxis hier weiter, die Rita ist Assistentin in einem Kinderkrankenhaus in Kassel, hat eine entzückende kleine Wohnung, und Amadé ist seine ganze freie Zeit, viele Abende in der Woche, alle Wochenenden und Feiertage bei seiner Frau.

Daß er in großzügigster Weise für die Kinder und mich sorgt und weit über seine gesetzliche Verpflichtung um uns alle bemüht ist, versteht sich von selbst. Aber nichts, gar nichts kann uns seinen Verlust ersetzen.

Ich habe mir oft gewünscht, ich könnte einmal zu Dir kommen, liebste Hanne, um auch mit Leo einmal reden zu dürfen. Aber das geht ja nicht. Amadés Schwester hält in großer Liebe zu den Kindern und mir, aber von meiner Familie und allen mir nahestehenden Freunden ist ja niemand mehr da. –

Gerhard ist seit vier Wochen als Luftwaffenhelfer eingezogen worden und liegt in einer Flakstellung bei Kassel. Er hat nur ganz selten Urlaub. Die vier Mädels sind gesund und vergnügt, Dorle wirklich eine Gottesgabe, mein ganzes Glück am langen Tag, wenn die andern alle fort sind. Ich lebe ja nur in meinen vier Wänden.

Liebe gute Hanne, nun verstehst Du wohl mein langes Schweigen. Grüße Leo viel-vielmals mit tausend guten Wünschen, erzähle ihm alles, damit auch er die scheinbare

Untreue an ihm begreift. Wenn Du magst und es für rich-
tig hältst, so schicke ihm diesen Brief. Und nun wirst Du
auch noch besser begreifen, wie sehr mich Deine gute neue
Anhänglichkeit beglückt, für die ich Dir so sehr danke.

Für heute leb' wohl. Alles Gute Dir und den Kindern
und einen festen herzlichen Kuß,

Deine Lilli

In der Zwischenzeit hatte Lore Lillis Angebot angenommen
und ihre Kinder für ein paar Wochen aus Essen in das sichere
Immenhausen geschickt. Am 30. April bedankte sich Lilli für
diesen Besuch:

Nicht wahr, Du bist nicht böse mit Marilis und Wilhelm,
daß sie so lange hiergeblieben sind! Wenn Du wüßtest,
welch seltene und große Freude mir das Zusammensein
mit Deinen Kindern ist, ich bin Dir von ganzem Herzen
dankbar, daß Du sie mir geschickt hast. Wilhelm haben wir
mit großem Jubel empfangen ... Und die Kinder schickst
Du mir, so oft es geht, so oft sie Lust haben und Du sie ent-
behren magst.

Lores Sohn Wilhelm, ein charmanter junger Mann von 18
Jahren, wurde von seinen Cousinen ein wenig angehimmelt.
Einige Wochen nach dem Besuch in Immenhausen kam er am
28. Mai 1943 zusammen mit seinem Vater bei einem Bombenangriff auf Essen ums Leben.

»Der Abschied ist doch bitter schwer«

Lilli wird mit ihren Kindern aus Immenhausen vertrieben

Die Nationalsozialisten wollten das Zusammenleben des seit einem dreiviertel Jahr geschiedenen Paares im Immenhäuser Ärztehaus nicht länger hinnehmen. Mit einem Doppelschlag zerstörten sie die merkwürdige Wohngemeinschaft. Anfang Juli 1943 wurde zunächst Ernst zur Wehrmacht eingezogen, und zwar zum medizinischen Dienst in einem Lazarett bei Kassel. Er war als »k. v. Heimat«, also kriegsverwendungsfähig in der Heimat, gemustert worden; ein anderer Arzt, Dr. Karl-Werner Schupmann, übernahm seine Aufgaben in Immenhausen. Ernst selbst begriff die Einberufung als Schikane, zumal man ihn in der militärischen Hierarchie ziemlich weit unten einstufte, als Unterarzt. Jedenfalls sollte er wohl für seine mangelnde Konsequenz – seine neue Ehefrau lebte mit dem gemeinsamen Kind allein in Kassel, Lilli dagegen mit ihm unter einem Dach – bestraft werden. Dann aber mußte auch Lilli auf Anordnung des amtierenden Bürgermeisters Groß Immenhausen verlassen und mit ihren Kindern nach Kassel ziehen. In der Großstadt gab es genügend freien Wohnraum; wegen der häufigen Bombenangriffe hatten viele Bürger ihre Wohnungen aufgegeben.

Am 21. Juli 1943 zog Lilli mit den fünf Kindern in ein Mehrfamilienhaus in der Motzstraße 3. Im Kasseler Hausstandsbuch Nr. 431, Blatt 14, findet sich ein entsprechender Eintrag. Als Religion wurde bei Lilli »Jüdin« angegeben, bei ihren fünf Kindern »evangelisch«.

Das Haus stand zum Zeitpunkt des Einzugs überwiegend leer, das Erdgeschoß war überhaupt nicht vermietet. Die Jahns bezogen eine Wohnung im zweiten Stock. Große Teile des Mobiliars wurden aus Immenhausen herbeigeschafft, darunter auch der schöne Blüthner-Flügel, den Lilli zur Hochzeit von ihrer Großmutter geschenkt bekommen hatte.

Mit der Familie wechselte noch eine weitere Person in die neue Wohnung, die »Hausangestellte« Julia Maguestiaux, eine damals 37jährige Fremdarbeiterin aus Belgien. Laut Hausstandsbuch war sie katholisch und verheiratet. Das heißt: Julia, die Familie nannte sie Julie, war sicher nicht freiwillig in Kassel, sondern von den Nazis nach Deutschland geholt worden.

Seit Oktober 1942 galt in den besetzten Ländern Westeuropas eine Arbeitspflicht, die, wenn die Behörden so entschieden, auch in Deutschland abzuleisten war. Und da Lilli als Jüdin seit Ende Februar 1943 keine deutschen Hausmädchen mehr beschäftigen durfte, wurde ihr die junge Frau aus Belgien zugeteilt. Lillis Töcher erinnern sich noch heute daran, daß Julie immer so »mürrisch« und »unwillig« gewesen sei – verständlicherweise.

Für Ilse und Johanna hatte der Umzug immerhin einen Vorteil: Sie mußten jetzt nicht mehr jeden Tag mit dem Zug zur Oberschule nach Kassel fahren. Ihre Schwester Eva allerdings durfte nur auf eine einfache Kasseler Hauptschule gehen. Als Eva im Frühjahr 1943 auf die Oberschule nach Kassel geschickt werden sollte, war das bereits mit dem Hinweis auf ihre jüdische Mutter abgelehnt worden.

Lilli berichtete am 12. August 1943 in einem Brief an ihre Mannheimer Freundin Hanne Barth über die Umstände des Umzugs von Immenhausen nach Kassel:

Meine liebe gute Hanne,
nicht nur Dank und Freude will ich Dir sagen über Deine
lieben Zeilen, sondern in erster Linie meinen Wünschen
Ausdruck geben, daß Euch allen bei dem Angriff auf
Mannheim nichts passiert ist. Du sollst jedenfalls wissen,
daß ich herzlich an Euch denke.

Deine Nachrichten haben mich außerordentlich erfreut.
Die Urlaubszeit für Leo ist wohl wieder abgelaufen, aber
diesmal ist der Abschied wohl nicht gar so hart. Und ich
kann Dir versichern, ich bin wirklich glücklich mit Euch
über seine Versetzung nach Berlin. Nun wirst Du ihn
sicher auch hin und wieder einmal besuchen können. Wie
unsagbar erleichtert mag Dir ums Herz sein, ihn nicht
mehr im Osten zu wissen. Und doch – möchte doch der
Krieg bald ein Ende nehmen!!

Denke Dir, seit drei Wochen wohne ich mit den Kindern
in Kassel. Es kam alles so plötzlich und ganz ohne mein
Dazutun, geschweige denn meinen Willen. Es ist alles so
kompliziert – und so viele Dinge spielen dabei eine Rolle,
daß ich es Dir brieflich gar nicht auseinandersetzen kann.
Wir haben eine schöne, helle, geräumige und bequeme
Wohnung. Und für die Schulkinder ist es ja in mancher
Hinsicht eine große Erleichterung, aber der Abschied vom
Haus, in das nun die Rita gezogen ist, ist mir doch bitter,
bitter schwer geworden. Und die innere und äußere
Umstellung macht mir doch schwer zu schaffen, zumal
auch meine ganze Situation jetzt sehr beschwert ist.

Und zu allem Unglück bekam Amadé ein paar Tage vor
dem Umzug einen unerwarteten, ganz kurzfristigen Stel-
lungsbefehl. Er macht jetzt hier in Kassel einen vierwöchi-
gen Unterarztkursus mit, und wird zum Teil arg geschlif-
fen, was ihm bei seinem Alter sehr schwer fällt. Ende näch-
ster Woche ist die Unterarztprüfung – was dann aus ihm

wird, ist noch nicht abzusehen. Er ist zwar nur »k. v. Hei-
mat« geschrieben, aber deswegen kann er doch Gott weiß
wohin kommen. In Immenhausen hat man einen mehr als
zehn Jahre jüngeren Arzt eingesetzt.

Inzwischen hatten wir nun auch zwei Tagesangriffe auf
Kassel und öfters Alarm. Und man lebt hier in einer dau-
ernden Unruhe. Weißt Du, liebe Hanne, manchmal ver-
schlägt es mir doch das innere Atemholen, weil die Schick-
salsschläge gegen mich gar nicht abreißen wollen, und oft
kann ich mich einer ganz großen Traurigkeit kaum
erwehren. Es ist nur gut, daß die Kinder mit all ihren äuße-
ren und inneren Ansprüchen unbewußt immer wieder
von neuem meine ganze Energie hochreißen.

Sei nicht böse, wenn ich heute nicht ausführlicher
schreibe, ich kann mich zu keinem langen Brief aufraffen,
bin innerlich viel zu nervös und gespannt – und mit mir
selbst nicht im Reinen, ich muß sehr gegen mich ankämp-
fen, um nicht bitter und hart zu werden.

Und Du liebe Hanne, urteile nicht falsch und ungerecht
über Amadé, darum muß ich Dich immer wieder bitten.
Wenn Du Zeit hast, schreib mir ein gutes Wort, aber die
Adresse laß' vielleicht von Ursula an Ilse schreiben …

Voll Dank für Deine treue Freundschaft und mit den
allerbesten Wünschen für Dich und die Deinen,

Lilli

Lilli wußte nur zu genau, daß sie unter Beobachtung stand.
Ihre Briefe wurden zensiert; und sie mußte sogar damit rechnen, daß ihre Grüße den Adressaten schaden konnten. Wer
mit ihr, einer Jüdin, korrespondierte, konnte womöglich
selbst unter irgendeinem Vorwand belangt werden. Ob allerdings ihr Vorschlag, daß in Zukunft nur noch Hannes Tochter
Ursula das Briefcouvert beschriften möge, die Zensoren über-

listen konnte, scheint fraglich. Jedenfalls brach der Briefwechsel mit Hanne und Leo nun offenbar ab, weitere Briefe sind
nicht überliefert.

»*In einem neuen Hexenkessel*«
Die Verhaftung durch die Gestapo

L illi Jahn hatte nach ihrem Umzug eine Visitenkarte als provisorisches Namensschild an die Türklingel gesteckt. Der knappe Text, »Dr. med. Lilli Jahn«, verstieß gegen die von den Nazis bereits am 17. August 1938 erlassene Verordnung, wonach jüdische Frauen den Namen »Sara« ihrem Vornamen hinzufügen mußten. Außerdem hatte Lilli noch versäumt, ihren Doktortitel zu streichen. Der war allen Juden pauschal aberkannt worden.

Die kleine Nachlässigkeit – oder war es ein bewußtes Nichtbeachten dieser Diskriminierungen? – stieß vermutlich irgendeinem Mitbewohner oder Besucher des Hauses in der Motzstraße auf. Lilli wurde bei der Gestapo denunziert – und die zitierte Lilli in ihr Hauptquartier an der Wilhelmshöher Allee. Sie wurde vernommen, durfte dann aber nach Hause zurückkehren. Ein paar Tage später kamen einige Gestapo-Leute in die Motzstraße. Ängstlich beobachteten Lillis Kinder, wie die Männer mit den langen schwarzen Ledermänteln ihre Wohnung heimsuchten und die Schränke durchwühlten – ohne erkennbares Ergebnis. In dieser angespannten Lage berichtete Lilli ihrer inzwischen in Leipzig lebenden Freundin Lotte von der Vorladung bei der Gestapo. Lotte antwortete ihr am 29. August 1943:

Meine liebe Lilli,

*umgehend hätte ich Dir auf Deinen lieben und so
schwerwiegenden Brief geantwortet, wenn ich nicht schon
wieder mal krank gewesen wäre. Ich hatte eine scheußliche
Grippe ...*

*Und Du, Arme, bist mitten in neuen Schwierigkeiten
drin. Und wie haben wir Dir doch gewünscht, daß Du nun,
trotz des schweren Alleinseins, langsam einer neuen Ruhe
entgegengingest.*

*Und nun bist Du in einen neuen Hexenkessel geraten.
Wir haben überlegt, ob es nicht richtig gewesen wäre oder
wäre, wenn Ernst selbst einmal zur Gestapo ginge und die
Sache dort darlegte. Aber man kann das aus der Ferne
nicht beurteilen. Es müßte doch zu erreichen sein, daß die
Sache wenigstens für die Dauer des Krieges einmal auf
sich beruhen bleibt.*

*Nun steht man wieder da und kann nichts und nichts
für Dich tun. Es ist einfach zuviel, was Dir aufgebürdet
wird, es müßte jetzt genug sein. Es vergeht kein Tag, ohne
daß ich an Dich denke ...*

*Bitte, bitte schreib mir doch gleich, wie sich Deine letzte
Unterredung mit der Gestapo gestaltet hat und wie jetzt
alles steht. Tu mir den Gefallen und schreib gleich in ein
paar Zeilen, wie jetzt alles ist; ich mache mir solche*

*Sorgen und habe nun, durch mein eigenes längeres
Schweigen, zu lang nichts von Dir gehört. Nicht wahr, Du
schreibst bitte gleich!*

*Ich kann mir das so gut denken, wie Du die Natur jetzt
in der Stadt vermissest. Als ich jetzt von Freiburg aus
noch ein paarmal in den Bergen war, fühlte ich auch wieder, wie unendlich leichter doch eigentlich das Leben ist,
wenn man es in der Nähe der Natur leben kann. Man
besitzt dann etwas, was einen auch im ärgsten Wirbel*

nicht im Stich läßt. Mir ist auch der Abschied von dem allen sehr schwer gefallen, und ein Heidekrautstrauß ist alles, was ich nun noch davon behalten habe!

Wenn Du einmal ein wenig Lust dazu hättest – ich wüßte so gerne, wie Du Deine Wohnung eingerichtet hast. Nur so ungefähr möchte ich es mir so gerne vorstellen können …

Daß für die Kinder das Leben in der Stadt manches für sich hat, könnte ich mir denken. Wenn nur sonst ihre Situation sich nicht verschlechtert.

Wie mag sich nun Deine Schwägerin entschlossen haben? Ob das helfen mag, wenn sie zu Dir kommt? Mir wäre es eine große Beruhigung.

Hier ist alles nervös wegen der Fliegergefahr, und es wird davon gesprochen, daß die Schulen evakuiert werden sollen. Jedenfalls ist es in Vorbereitung. Wie schrecklich es mir wäre, wenn wir Peter nun schon wieder weggeben müßten, wirst Du Dir denken können. – Einige Pakete und eine Kiste sind wir im Begriff wegzuschicken. Ich selber bin zwar ein großer Fatalist und nicht so arg für solche Sachen. Aber ich fühle mich doch verpflichtet dazu.

Ich will nun machen, daß dieser Brief heute wenigstens noch wegkommt, damit Du mir möglichst bald schreibst, wie Deine Situation jetzt ist.

Ich bitte Dich, Liebe, halte noch eine Weile durch, wie Du es durch so viel Schweres nun schon getan hast. Es wird wieder hell, ganz bestimmt!

Und wisse, daß wir hier jeden Tag Deiner gedenken, mit Sorge und mit heißen Wünschen und in Liebe. Ich küsse Dich und umarme Dich – Deine Lotte

Wahrscheinlich schon am nächsten Tag, also am 30. August, mußte Lilli erneut bei der Gestapo erscheinen. »Bis gleich, Kinder«, rief sie ihren Töchtern noch zu, dann machte sie sich auf den Weg in die Wilhelmshöher Allee.

Nach einer Weile wurden Ilse, Johanna und Eva unruhig. Die Mädchen gingen auf den kleinen Balkon der Wohnung und lehnten sich über die Brüstung, um ihre Mutter möglichst früh zu erkennen, sobald sie in die Motzstraße einbiegen würde. Lilli trug an diesem Tag ein blaues Kleid. Und bei jeder Frau in einem blauen Kleid schöpften die Kinder zunächst Hoffnung.

Lilli kam nicht. Statt dessen klingelte irgendwann das Telefon. Die Gestapo, so hieß es, habe ihre Mutter festgenommen. Nichts weiter, keine Begründung, keine Erklärung. Tatsächlich wurde Lilli nach ihrer Festnahme zunächst ins Polizeipräsidium am Königstor gebracht und dort in eine Zelle eingesperrt.

Die Kinder blieben vorerst sich selbst überlassen. Anfangs hofften sie noch auf ein Mißverständnis und rasche Aufklärung. Weil ihr Schwager bei der Gestapo war, erfuhr allerdings Maria Lieberknecht, eine Kasseler Bekannte der Familie Jahn, von der Verhaftung Lillis. Marias Mann, ein der »Bekennenden Kirche« angehörender Pfarrer, beschrieb später in einem Brief an Ernst Jahn den Ablauf der Ereignisse. Paul Lieberknechts Brief, verfaßt im Januar 1947, dokumentiert die Verbitterung über das Verhalten Ernst Jahns und seiner neuen Frau:

Einen Tag nach dieser Verhaftung kam meine Frau in die Bibliothek gerannt und erklärte, daß ihr Schwager ... dringend gebeten hätte, daß wir Sie veranlassen sollten, die fünf Kinder nach Immenhausen in Ihr Haus zu holen, da sonst die Gestapo die verwaisten Kinder in ein Lager verfrachten könne. Meine Frau telefonierte lange Zeit im Beisein der Beamten seiner Abteilung ... herum, bis sie Sie endlich erreichte. Sie lehnten damals ab mit den Worten: »Ich kann es nicht, ich weiß nicht, wie sich meine Frau in Immenhausen dazu stellt, versuchen Sie es doch bei ihr zu erreichen, daß die Kinder wieder nach Immenhausen kommen.«

Meine Frau rief anschließend dort an und bekam die Antwort: »Das ist ganz ausgeschlossen, die Kinder können nicht hierher. Ich werde der Tante Lore schreiben, daß sie kommen soll, die weiß ja doch nicht, wo sie bleiben kann. Sie kann den Haushalt in Kassel für die Kinder dann führen.«

Meine Frau antwortete, bis dahin könne es für die Kinder zu spät sein, sie wolle es sich überlegen, ... was für die Kinder getan werden könne, damit man sie nicht auch noch hole. Meine Frau ging dann zur Gestapo und bat Hoppach, die Frau um der Kinder willen freizulassen. Was meine Frau damals von diesem zu hören bekam, brauche ich wohl nicht alles wiederzugeben. Jedenfalls wurde ihr gesagt, daß ich als Judenknecht ihnen bekannt sei und die Kinder wie Juden behandelt würden, also auch einen Stern zu tragen hätten. Meine Frau erklärte, daß die Kinder halbarisch seien und sie aus Dankbarkeit täglich für die Kinder sorgen würde, bis eine Verwandte käme.

Die Drohungen des Kasseler Gestapo-Referatsleiters August Hoppach blieben ohne Folgen. Lillis Kinder mußten keinen Judenstern tragen, ihre Mutter wurde aber weiterhin festgehalten.

Ernst und Rita sorgten immerhin dafür, daß zumindest eine erwachsene Person von jetzt an bei den Kindern in Kassel übernachtete. Zuerst kam Ernst selbst, dann kehrte seine

Schwester Lore, die in Essen ausgebombt worden war und auf deren Hilfe Rita vor allem hoffte, nach Kassel zurück; sie übernahm vorläufig die Mutterrolle. Ilse war zu diesem Zeitpunkt 14 Jahre alt, Johanna 13, Eva 10 und Dorothea 2. Der fast 16jährige Gerhard kam als Luftwaffenhelfer allenfalls am Wochenende nach Hause.

Schon bald freilich war Lore mit der Suche nach einer neuen Wohnung so beschäftigt, daß sie für die Betreuung von Lillis Töchtern immer häufiger ausfiel. Wenn Lore also nach Essen und später nach Süddeutschland fuhr, mußte meistens Rita in der Motzstraße übernachten. Und wenn Rita nicht konnte oder wollte, übernahm Lores 18jährige Tochter Marilis diese Aufgabe.

Man arrangierte sich mit der neuen Situation. Nur die Kinder konnten nicht begreifen, daß ihnen die Mutter genommen worden war. Ilse ging in den Tagen nach der Verhaftung zweimal zur Gestapo und fragte, wann die Mutter denn zurückkehren dürfe, ohne jeden Erfolg. Beim zweiten Mal sagte einer der uniformierten Männer zu ihr: »Wenn du noch mal kommst, behalten wir dich auch hier.«

»Etwas Brot, ein bißchen Salz«
Hunger und Kälte in der »Anstalt«

Wenige Tage nach ihrer Inhaftierung im Kasseler Polizeipräsidium wurde Lilli in das von der Gestapo eingerichtete Arbeitserziehungslager Breitenau gebracht. Im Aufnahmebuch des Lagers findet sich zwischen den Namen der Arbeiterin Valentina Iwaschkewiteck und der Lehrerin Luba Jutschenko unter der Häftlingsnummer 1764 die »Hausfrau Lilli-Sara Jahn«. Aufnahmedatum: 3. September 1943.

Die Familie wurde vorerst nicht informiert. Nach einer Woche, am 10. September, ließ die Gestapo die Kinder in Kassel dann wissen, wo ihre Mutter eingesperrt war. Ilse, die Älteste, schrieb noch am selben Tag an Lilli:

Liebes Muttchen!
Heute haben wir erfahren, wo Du bist. Schreib uns doch bitte bald, wann Du wiederkommst. Wir erwarten Dich sehnsüchtig. Kriegst Du satt zu essen? Darf man Dir was zu essen schicken? Wäsche werden wir Dir schicken.
Heute war Gerhards Geburtstag. Es war sehr schön, aber auch wieder nicht schön. Es hat Apfelkuchen aus Hefe und Rührkuchen gegeben ...
Hast Du ein Zimmer für Dich? Hast Du ein erträgliches Bett? Ich denke nur an Dich, herzliebstes Muttilein.
Heute kam Marilis. Marilis schläft bei uns und nicht in Immenhausen. Ich lerne jetzt viel Latein und Französisch.

Es ist alles noch beim Alten sonst. In allen Zimmern sind jetzt Gardinen.

Hoffentlich geht es Dir gut. Schreib doch bald wieder… Schreib doch bitte genau, was man Dir schicken kann. Vati ist jede Nacht bei uns und tagsüber Tante Lore. Dorle und Eva und Hannele sind alle recht vergnügt. Gerhard hat sich sehr mit den Büchern gefreut. Es gab für die Kinder bis 14 Jahre Bonbons. Davon haben wir dem Gerhard welche gegeben. Hoffentlich kommst Du bald wieder! Also viele, viele liebe Grüße und Küßchen von Deiner Ilse!

Und einmal feste Umarmung.

Lillis Kinder hatten, wie wohl viele Zeitgenossen, keinerlei Vorstellung, wie es in einem Arbeitserziehungslager zuging. Dabei hatte die Gestapo schon 1940 mit der Einrichtung solcher Lager im ganzen Reich begonnen. Schließlich waren es mehr als 200 Arbeitserziehungslager, und sie hatten vor allem eine Funktion: Wer nach den Vorstellungen der Nazis seinen Arbeitspflichten nicht nachkam, wurde hier bestraft und diszipliniert. Die meisten Häftlinge waren ausländische Zwangsarbeiter, die sich dem Arbeitszwang – angeblich oder tatsächlich – widersetzt hatten.

Schon im 19. Jahrhundert war in dem ehemaligen Benediktinerkloster Breitenau in Guxhagen südlich von Kassel ein Arbeitshaus für Bettler und Landstreicher eingerichtet worden, von 1933 bis 1934 diente die Anstalt kurzzeitig als Konzentrationslager. Im Mai 1940 schließlich wurde das Arbeitserziehungslager eingerichtet; die Kasseler Gestapo überwies nun laufend Schutzhäftlinge nach Breitenau. Das zum Gefängnis umgebaute Kloster galt jetzt offiziell als »Vorstufe eines Konzentrationslagers«.

In Breitenau war Platz für etwa 350 Häftlinge, in der Regel blieben sie nur drei bis vier Wochen, danach wurden sie wieder an ihre Arbeitsplätze zurückgebracht. Neben den zumeist aus Osteuropa stammenden Zwangsarbeitern waren allerdings auch deutsche Männer und Frauen inhaftiert, sei es, weil sie politisch gegen die Nazis rebelliert hatten, sei es, weil sie »gegen das gesunde NS-Volksempfinden« verstoßen und Liebesbeziehungen zu Fremdarbeitern oder Juden unterhalten hatten – oder weil sie, wie Lilli, Juden waren. Im Aufnahmebuch von Breitenau finden sich die Namen von mindestens 145 jüdischen Schutzhäftlingen, etwa jeder zweite wurde später in ein Konzentrationslager deportiert und dort getötet.

Lilli hatte natürlich weder ein Zimmer für sich noch genügend zu essen.

Sie wurde im Frauenhaus untergebracht, in dem sich Schlafsäle und Zellen befanden. Die Frauen schliefen auf Holzbrettern, Strohsäcken oder einfachen Strohlagern. Wie alle übrigen Gefangenen mußte Lilli täglich zwölf Stunden arbeiten. Die Verpflegung war mehr als dürftig und die Behandlung fast immer grob. Als Wachleute fungierten gewöhnlich die Aufseher der Landesarbeitsanstalt, manche waren wegen ihrer Brutalität und Rücksichtslosigkeit gefürchtet. Prügelstrafen und Isolationshaft gehörten zum Repertoire der Disziplinierung. »Schlagen und Treten« seien »an der Tagesordnung« gewesen, erzählten ehemalige Häftlinge später. Einige Gefangene wurden angeblich von Wachleuten ermordet. Im Sommer 1943 bestätigte der Fuldaer Landrat der Lagerleitung in Breitenau, er habe schon mehrmals von ehemaligen Inhaftierten gehört, »daß sie lieber tot sein wollten, als noch einmal nach Breitenau« zu gehen – der Landrat wollte das als Kompliment an die Lagerleitung verstanden wissen.

Am 12. September 1943, noch bevor Lilli Ilses Nachricht erhielt, durfte sie erstmals einen Brief an ihre Familie schreiben. Auf der Vorderseite finden sich zwei Vermerke einer zur Zensur eingesetzten Aufseherin namens Steinmetz: »durch

die Anstalt« und »Jahn, 13. 9. 43 / St.«. Lillis Absenderadresse
lautete: Breitenau bei Kassel, Post Guxhagen, Adolf-Hitler-
str. 6:

*Meine lieben geliebten Kinder, <u>alle</u>, einschließlich Marilis
und meine gute liebste Lore,*

*morgen bin ich nun schon 14 Tage fort – und seit 10
Tagen bin ich hier, und ich bin froh um jeden Tag, der vorüber ist. Aber die Tage, bis ich wieder bei Euch sein kann, zu
zählen, das wage ich noch nicht. Macht Euch keine Sorge
um mich, es geht mir ganz bestimmt gut, ich bin gesund,
und Ihr wißt ja, Eure Mutti kann schon immer gut früh
aufstehen, und das Arbeiten ist eine Wohltat. Es bleibt
immer noch viel zu viel Zeit zum Denken und Grübeln,
und dann kommt natürlich die Sehnsucht nach Euch und
das Heimweh.*

*Aber nun könnt Ihr mir ja schreiben, Kinder, so oft Ihr
wollt, und Ihr schreibt mir nun <u>bitte</u> ganz bald und ganz
viel, und erzählt mir von allem, vom Guten und vom
Schlechten, von Euren Freuden und Eurem Kummer. Antworten darf ich vorläufig nicht, aber deswegen schreibt Ihr
mir doch bitte. Auch Du, Lore, kannst mir schreiben, und
wenn Post von Lotte oder Onkel Georg da ist, dann schickt
sie bitte.*

*Was macht denn mein Dorlekind?? Ist es lieb? An sei-
nem Geburtstag werde ich ja noch nicht zu Hause sein,
seine große Geburtstagskerze und 3 Taschentüchlein findet
Ihr im vorderen Flurschrank im untersten Fach und ein
paar Bonbons im Buffet (Mitte).*

*Bist Du wieder gesund, mein Evalein? Hast Du viel
versäumt in der Schule, und hast Du nun Deine Bücher?
Gefällt es Dir in der Schule, und fährst Du noch nach
Immenhausen?*

Und Hannelekind, was macht Heidi, was die Geige? Wie ist's im Konfirmanden-Unterricht? Bekommst Du bald Dein Vögelchen?

Und Du meine gute große Illemaus, Du bist sicher Tante Lore eine große Stütze! Wie geht's Dir denn und Ulla und Gisela? Kommen sie noch zu Dir? Was macht das Latein?

Dir, meine Marilis, innige Wünsche und Grüße zum Namenstag. Gehst Du nach Göttingen? Werden wir uns wohl endlich bald mal sehen?

Und was macht mein Gerhard, kommt er regelmäßig, wie war sein Geburtstag?

Lore, Du Gute, wie geht's Dir denn? Wird Dir die Arbeit auch nicht zuviel? Kommst Du zurecht? Wie benimmt sich Julie? Wenn sie's verdient, grüßt sie.

Und wie geht es dem Vati? Wo ist er? Was tut er? Grüßt ihn sehr lieb und herzlich, ach, wie wohl täte mir ein gutes und tröstliches Wort von ihm, aber das wird wohl nicht gehen.

Und nun hab ich viele viele Wünsche, und ich danke Euch schon im voraus für alle Mühe. Vielleicht macht Ihr ein paar Päckchen, die gehen vielleicht schneller. Vor allem schickt mir bitte regelmäßig Zeitungen, dann ein Buch zum Lesen (Vati wird schon was aussuchen), vielleicht den »Nachsommer« von Stifter. Auf dem Bücherbrett im Flur findet Ihr sicher noch ein weniger wertvolles Buch für meine Saalkameradinnen. Dann bitte: meine Nagelfeile, meine Pinzette, den Spiegel aus meiner roten Handtasche, einen Beutel Vasenolpuder und die 2 Beutel Schlemm-kreide aus dem Schränkchen in der Kinderkommode, meine Pantoffeln und ein paar <u>alte</u> schwarze Schuhe, und dann, wenn es Euch möglich ist, hin und wieder etwas Brot, ein bißchen Salz, vielleicht habt Ihr ein wenig Käse übrig oder Marmelade, und legt mir eines von den alten

silbernen Messern (rechte Schublade) bei. Und hättet Ihr
vielleicht ein paar Äpfel, wir bekommen hier <u>nur</u> Suppe
oder Pellkartoffeln. Aber nur, wenn Ihr's entbehren
könnt, auch 4–5 Beutel einfaches Puddingpulver. Und nun
lebt wohl für heute, seid alle, alle umarmt und geküßt,
meine Gedanken, meine Wünsche und all mein Sehnen
sind Tag und Nacht bei Euch. In Liebe!

Mutti.

Einige Begriffe in Lillis Brief, etwa die Worte »Nagelfeile«,
»Pinzette«, »Spiegel«, »Schlemmkreide«, »Pantoffel«, »Brot«,
»Salz« oder »Puddingpulver«, wurden offensichtlich im nachhinein mit Bleistift unterstrichen – entweder von einer Aufseherin oder von den Briefempfängern. Möglicherweise kenn-
zeichneten die Kinder damit all das, was sie für die Päckchen
an Lilli zu beschaffen hatten.

Der Appell, von nun an regelmäßig zu schreiben, löste eine
Flut von Briefen aus. Die Kinder begriffen sofort, daß die
ohnehin schon praktisch vaterlose Familie nur noch auf diese
Weise zusammengehalten werden konnte. Ilse und Johanna
schrieben jetzt sechs Monate lang etwa jeden zweiten Tag
an ihre Mutter in Breitenau, Eva ungefähr zwei mal in der
Woche und Gerhard jeweils am Wochenende. Zunächst beschränkten sich die Briefe auf kurze Fragen und Mitteilungen
an die Mutter, doch schon bald nahmen sie mehr und mehr
den Charakter von Tagebuchnotizen an, aus denen sich Lilli
ein recht genaues Bild vom Alltag, von den Sorgen und kleinen Freuden ihrer Kinder machen konnte.

Lillis erster Brief aus Breitenau wurde von Ilse offenbar
postwendend erwidert. Ilses Antwort traf, so hat es eine Aufseherin notiert, am 17. September 1943 in Breitenau ein:

Liebstes, gutes Muttilein!

Wie froh war ich, als ich von Dir Nachricht bekam. Muttilein, schreib doch mal, was Du arbeiten mußt. Wirst Du denn satt? Darfst Du rauchen? Wir haben alles gut übrig, was wir Dir schicken. Ich habe Tante Lotte 4 Pfund Brot geschickt und 1,5 Pfund Nährmittel. Kannst Du auch was an Nährmitteln gebrauchen? Wir schicken Dir die alten Pantoffeln, denn die anderen sind doch wohl zu schade. Hoffentlich sind die Schuhe recht. Wir schicken Dir alles nach und nach ... Das Puddingpulver ist schon fix und fertig, das braucht man nur in Milch aufzulösen.

Also liebes Muttilein, Gute Nacht. Tausend liebe Küßchen von Deiner Dich nie vergessenden Ilse.

Auch Johanna schrieb nun regelmäßig nach Breitenau. Am 17. September schickte sie Lilli eine Kunstpostkarte, auf der eine Madonna abgebildet ist. Die 13jährige wußte, wie wichtig der Mutter dieses Motiv war.

Mein liebes Muttileinchen!
Hoffentlich bekommst Du diese Karte noch zum Sonntag, es würde mich sehr freuen ... Die Karte ist hübsch, nicht wahr. Gestern konnte ich leider nicht schreiben. Unsere Klasse einzig und alleine mußte einen Aufsatz von gestern auf heute machen über den weiblichen R.A.D. auf Zettel, denn er wird weitergegeben an den Obersten des Reichsarbeitsdienstes, der wissen will, wie die Meinung im Volk über den weiblichen R.A.D. ist. Ernste oder heitere Erlebnisse mußten wir schildern. Marilis hat mir ordentlich geholfen. Die drei besten werden in der Zeitung veröffentlicht, meiner aber nicht.

Evchen hat bei Röschen Äpfel geholt und bei Wittichs Zwiebeln ... Vertrau nur auf den lieben Gott!

Viele liebe Grüße und Küßchen, Dein Hannele-Kind.
Alles Gute

Anders als ihre beiden großen Schwestern war Eva ein Natur-
kind. Auch von Kassel aus besuchte sie mehrmals in der Woche zwei Bauernfamilien in Immenhausen. Die 10jährige half
auf dem Hof, versorgte die Tiere und wurde dafür mit Lebensmitteln beschenkt, die sie dann mit nach Kassel brachte.
Einer ihrer ersten Briefe aus dem September '43:

Liebes, gutes Muttilein,
Wie geht es Dir? Uns geht es allen gut. Hoffentlich geht es
Dir auch gut. Ich soll Dir von vielen Leuten viele Grüße
bestellen. Von Bäckers, Hirdes, Neuman, Minna und von
so vielen Leuten, daß ich gar nicht mehr alle weiß. In der
Schule nähen wir eine Dirndlschürze. Am letzten Sonn-
abend habe ich bei Röschen zwei Stunden Äpfel gepflückt,
und ich habe schon viel Obst geschenkt bekommen. Viele,
viele tausend Grüße und Küsse von Deiner Eva

Eva war mit ihren zehn Jahren noch zu jung, um diese Herzlichkeit zu durchschauen. Aber auch heute läßt es sich nicht
eindeutig erklären, warum ihr die Immenhäuser damals
Grüße an die Mutter auftrugen – so, als sei Lilli nur mal eben
ein paar Tage verreist. War es schon fast ein Akt des Wider-
stands, daß man die inhaftierte Jüdin grüßen ließ? Oder war
es nicht vielmehr ein Ausdruck von Gedankenlosigkeit? Tatsächlich gab es nicht einmal in all den Monaten ein heimliches
oder gar offenes Wort des Mitleids für die vier Mädchen. Jeder
Bürger der Kleinstadt wußte doch, was Lilli angetan wurde,
jeder wußte, daß die einst so angesehene Ärztin ohne triftigen
Grund aus dem Kreis ihrer Kinder gerissen und eingesperrt
worden war.

Während Eva für ihre Hilfe auf den Bauernhöfen stets mit frischem Gemüse und Obst, Fleisch und Wurstwaren belohnt wurde, kaufte Ilse mit den der Familie zustehenden Lebensmittelmarken in Kassel ein. Ihr Vater versorgte sie mit dem nötigen Kleingeld, sie selbst organisierte zusammen mit ihrer Tante Lore den Haushalt.

Inzwischen war ein weiterer – nicht überlieferter – Brief ihrer Mutter eingetroffen, in dem Lilli offenbar erneut über den Hunger im Lager geklagt hatte. Ilse antwortete am 19. September:

Mein allerliebstes, gutes Muttchen!
Oh, Mutti hat geschrieben, unbeschreiblich war unsere Freude. Wir haben uns über fast alles arg gefreut. Aber darüber, daß Du noch nicht weißt, wann Du wieder bei uns bist, darüber nicht, und daß Du nicht so gutes Essen hast. Wir werden Dir alles schicken, was wir übrig haben, und nicht nur das, sondern auch, das, wovon wir wissen, daß Du es gerne ißt. Hoffentlich schmeckt Dir alles gut, was wir für Dich haben. Möchtest Du wohl einige Nährmittel haben, um sie in die Suppe zu tun? Wir hätten Dir schon gerne eher etwas Marmelade geschickt. Aber wir dachten, ein Glas ginge entzwei. Und deshalb haben wir erst mal eine Büchse gesucht.
Wir haben viel eingeweckt. Mehrere Gläser Apfelbrei, Apfelkompott, Birnen, Weintrauben, Tomatenmark, Spinat und Kürbis. Wir haben in den ersten Tagen, als Du weg warst, einen Kürbis gekauft. Und mit Kunzes zusammen noch einen. Als Kunzes ihre eine Hälfte vom Kürbis einweckten, mußten wir die andere Hälfte einmachen. Ich habe mir das Rezept geben lassen und habe ihn eingeweckt. Mutti, das schmeckt!! Die Kleinen wollten es gleich essen, und ich sollte ihn nicht in Gläser tun, so gut

hat es ihnen geschmeckt, als ich sie probieren ließ. Man braucht nur furchtbar viel Zucker …

Alle Kinder von 3 bis 18 Jahren haben 200 Gramm Nüsse bekommen. Käse und Brot haben wir genug. Julie ist furchtbar ungezogen. Tante Lore kocht und flickt, und ich kaufe alles ein, und ich habe das Haushaltungsgeld. Das macht alles viel Arbeit.

Aber zuerst wurde es mir immer arg schwer, wenn ich ohne Dich ins Bett gehen muß und ohne Dich wieder aufstehen muß. Aber jetzt habe ich mir den Wahlspruch genommen: »*Was helfen uns die schweren Sorgen, was hilft uns unser Weh und Ach, was hilft es, daß wir alle Morgen beseufzen unser Ungemach, wir machen unser Kreuz und Leid nur größer durch die Traurigkeit.*«

Ach, Muttilein, es ist so schwer ohne Dich. Komm doch bald wieder.

Tante Lotte hat mir arg lieb geschrieben. Ich hab ihr schon wieder geschrieben und warte auf Antwort. Frau Zschiegner ist bald ohnmächtig geworden, sie wurde kreidebleich.

Zur Erklärung: Die Ohnmacht von Frau Zschiegner, der Ehefrau des Klavierlehrers von Ilse und Gerhard in Kassel, wurde von Ilse mit Bedacht nicht näher interpretiert. Tatsächlich war die Dame vor Schreck blaß geworden, als sie von Lillis Verhaftung erfuhr. Das aber schrieb Ilse nicht, diese Information konnte bei der Zensur in Breitenau beanstandet werden und damit der Mutter schaden. Ohne daß darüber wohl je geredet wurde, wußten die Kinder ganz genau, was sie Lilli schreiben durften und was besser nicht.

Weiter in Ilses Brief vom 19. September:

Tante Rita hat mir eine rote Halskette geschenkt. Sie ist ganz nett. Aber Tante Rita! Ich vertrage mich mit ihr nicht gerade sehr gut. Sie macht immer Annäherungsversuche, und was will man machen, man muß mittun, um Vatis willen …

Dorle freut sich sehr auf seinen Geburtstag. Vati hat ihr noch ein süßes Bilderbuch gekauft. Dann kriegt sie noch eine Puppe, von denen aus Immenhausen. Ich hoffe, es ist Dir recht.

Gerhard kommt morgen auf Urlaub. Ich habe ihm heute durch Marilis 4 Äpfel, 1 Tomate, Weintrauben und 5 Nüsse und Kuchen geschickt. Wir hatten Apfelkuchen und an einer Ecke etwas Käse. Abends gab es Fischbrote und Wurst. Wir sind augenblicklich sehr reich an Fischen. Im Fischgeschäft haben wir uns auch eintragen lassen. Wir haben einmal Sardellen bekommen. Bei uns ist es sehr gut mit dem Essen.

Hoffentlich kommst Du bald!!!!! wieder. Vati ist ab heute nicht mehr in der Standortambulanz. Er ist ab heute in dem Lindenberg-Lazarett. Das liegt noch hinter Bettenhausen. Das ist ganz hinterm Mond. Deswegen kann er nicht mehr so oft nach uns sehen. Vati hat eine Offiziersuniform und sieht erträglicher aus. Er hat ein Zimmer für sich und ißt mit im Kasino.

Hast Du noch Bücherwünsche? Sollen wir Dir noch etwas schicken? Schreib mir. Aber bestimmt!!! … Wir sitzen alle in unserem Zimmer und schreiben an Dich. Nachher wird noch was gepackt für Dich. Hoffentlich gefällt es Dir. Ich hab nur einen kleinen Beutel Puder für Dich gekriegt. Es gibt sehr wenig …

Entschuldige doch bitte, daß ich so selten schreibe, aber ich habe gar so wenig Zeit. Du sollst nicht denken, ich dächte am allerwenigsten an Dich. Gleich werden noch die

Schul- und Frühstücksbrote für Hannele und Eva
gemacht, denn dann brauch' ich nicht schon um $^1/_2$ 7 auf-
zustehen.
Also mein herzensgutes Muttileinchen, Aufwieder-
sehen und tausend Grüßchen und Küßchen von Deiner
Dich nie vergessenden Ilse.

Nach diesem Brief legte Ilse, krankheitsbedingt, eine kleine
Schreibpause ein. Nun mußte Johanna die Mutter auf dem
Laufenden halten. Ihr Brief vom 22. September:

Mein allerliebstes Muttileinchen!
Wie geht es Dir? Du wirst Dich wundern, daß nur immer
ich schreibe. Das ist so: Ille liegt im Bett mit einer leichten
Grippe, es ist nicht so schlimm. Morgen steht sie vielleicht
schon wieder auf. Evchen ist so ein bißchen faul. Und da
schreibe ich Dir.
Ich muß Dir erst mal beichten: Ich habe an meinem
Ranzen die Riemen abgetrennt. Nun hat Heidi den Ran-
zen mit nach Hümme genommen, da macht mir der Sattler
einen Griff daran. Außerdem war ich an Deiner Flicken-
schublade und hab ... mir ein Stück weißen Stoff (kein
Leinen) für die Dirndlschürze genommen. Ist es schlimm?
Eben ist Tante Rita wiedergekommen. Sie sitzt bei Ilschen,
und sie erzählen sich. Evchen schläft schon, und Dorle
babbelt. Heute abend haben wir Nudeln und Apfelbrei
gegessen.
Für heute viele liebe Grüße und Küsse, Deine Hannele

Schon damals gehörte es zu den kleinen Ritualen des Erwach-
senwerdens, daß man den Schulranzen nicht mehr auf dem
Rücken trug, sondern wie eine Aktentasche. Für Ilse, die ein
Jahr ältere, ergab sich dieser Abschied aus der Kindheit von

selbst: Lillis Abwesenheit zwang sie in die Rolle der Ersatzmutter, sie hatte nun für ihre jüngeren Schwestern zu sorgen
und war somit plötzlich in die Welt der Erwachsenen aufge-
rückt.

Am 25. September richtete sie Dorles dritten Geburtstag
aus und berichtete wenige Tage später an Lilli:

Mein allerliebstes Muttileinchen!
Ach, ich konnte Dir nicht eher schreiben, ich war ja krank.
Es war nicht so schlimm, aber wenn Du bei mir gewesen
wärest, wäre ich viel schneller gesund geworden. Heute bin
ich zum ersten Male wieder auf. Wir haben heute unsere
Wintersachen anprobiert. Wir wissen nicht gerade allzu
gut Bescheid. Mutti, hör einmal: Du frierst doch jetzt
ganz bestimmt. Sollen wir Dir nicht ein Kleid oder ein Paar
Handschuhe schicken? Muttiherzchen, schläfst Du denn
auch wirklich?
Am vorigen Samstag sollte ich zur Gisela nach Nien-
hagen kommen. Aber ich konnte nicht, weil ich im Bett
lag. Am Abend kommt das Mädchen von Dr. Stephan an
und fragt, ob ich mit dem Omnibus um 3/4 2 gefahren sei,
denn dieser Omnibus hat seinen Anhänger verloren, und
daher hatten Stephans so wahnsinnige Angst. Am Sonn-
tagmorgen hat Tante Lore nach Nienhagen telegraphiert,
daß ich noch lebe. Am nächsten Sonntag fahre ich mal
rauf. Hoffentlich kommt nichts dazwischen.
Wir bekommen drei Zentner Kartoffeln vom
21. November bis zum 21. Juli 1944. Das wird schon rei-
chen. Äpfel haben wir jetzt pro Mann und Nase neun
Pfund gekriegt. Also es steigert sich in einer Tour. Heißes
Badewasser haben wir jetzt jeden Samstag und Sonntag,
oder Freitag und Samstag.
An Dorles Geburtstag gab es viel Radau. Dorle hat sich

mit seinen Sachen viel gefreut ... Nun einen festen Kuß
und tausend Grüßlein von Deiner immer an Dich
denkenden Ilse.

In den ersten Wochen der Abwesenheit Lillis waren Ilses
Briefe noch ein wenig von dem Stolz beherrscht, daß es ihr offenbar gelang, den Haushalt der Kinder-Familie weitgehend
selbständig zu organisieren. So erklärt sich auch ihr Bericht
vom 1. Oktober, in dem sie von einer besonders reichhaltigen
Mahlzeit schwärmte:

Mein herzallerliebstes Muttileinchen!
Eben stehe ich von einem phantastischen Abendbrot auf.
Wir hatten erst einen Rest gebackener Nudeln, dann
Bechamelkartoffel mit Mixpickel und dann geräucherten
Aal. Das war ein Götterfraß. Muttilein, das hat uns
geschmeckt, und Marilis und ich waren froh, daß wir
gerade heute so etwas Gutes hatten, denn Gerhard war
ja da.

Er kam um ¹/₂2 und hat noch einen Apfel mit uns als
Nachtisch gegessen. Dann ist er zum Vati auf den Linden-
berg gefahren und hat sich dort lange mit dem Vati unter-
halten. Vati hat ihm alles gezeigt, und Gerhard ist sehr
überrascht von all dem Ordentlichen und Schönen da oben
in dem Lazarett.

Mutti, ehe ich es vergesse: Wo ist Gerhards hochge-
schlossener, blauer Pullover? Und wo ist der Schlüssel für
den Schrank, wo unsere Wintermäntel drin sind? Schreib
uns das doch bitte. Wenn Du nicht viel Platz zum Schrei-
ben hast, dann schreib nur: der Schlüs. ist da und da, der
Pull. ist da und da. Nicht wahr, so machst Du es.

Jetzt sitzt Gerhard mit Marilis zusammen und unter-
hält sich mit ihr.

Hoffentlich frierst Du nicht so viel!! Gestern, oh Wunder, ging die Heizung doch noch an. Aber die Heizkörper sind 20 cm heiß, und alles andere an ihnen ist kalt. Heute morgen bis heute abend um 6 Uhr waren sie wieder ganz kalt. Nun sind wieder die oberen 20–30 cm heiß. Witzig! Was!!! Morgen bekommst Du wieder ein Päckchen.
Hoffentlich schmeckt Dir auch alles.

Ilses Brief ist nicht vollständig erhalten, an dieser Stelle bricht er ab.

Mit ihm endete zugleich die Zeit der fast unbekümmerten Hoffnung, daß Lilli bald aus Breitenau zurückkehren würde. Immer wieder findet sich nun die eine, schlichte Formel der Verzweiflung in den Briefen: »Wann kommst Du wieder?«, fragte etwa Eva am 3. Oktober 1943 und setzte dann noch ängstlich hinzu: »Hoffentlich bald.«

»Um so stärker wird die Sehnsucht«
Lillis heimliche Briefe an die Kinder

Weil Lilli in der Regel nur einmal pro Monat einen Brief nach Hause schreiben durfte, suchte sie nach Mitteln und Wegen, um ihren Kindern heimlich weitere Botschaften zu übermitteln. Und da sie in Breitenau über kein eigenes Briefpapier verfügen durfte, mußte sie improvisieren. Am Sonntag, dem 3. Oktober 1943, verwendete sie für ihren Brief die Rückseiten von fünf Banderolen für das Medikament Sanatogen, ein »Kräftigungsmittel bei allgemeiner Körperschwäche« und »Erschöpfungszuständen«. Der Brief ist mit Bleistift geschrieben und nicht nur an die fünf Kinder, sondern auch an ihre damals ebenfalls in der Kasseler Wohnung lebende Nichte Marilis gerichtet, die dort die letzten Wochen bis zum Beginn ihres Studiums in Marburg verbringen wollte:

> *Meine innigstgeliebten Kinder, alle 6,*
> *erst heute in 8 Tagen darf ich wieder an Euch schreiben,*
> *aber ein <u>guter</u> Mensch hat mir Freimarken und Umschlag*
> *geschenkt und wird mir auch morgen diese Zeilen besorgen. Ich hoffe also, daß Ihr Dienstag oder Mittwoch diese*
> *Zettel erhaltet. Ihr dürft in Eurer Antwort nur <u>nicht</u> verraten, daß Ihr von mir einen Brief hattet, unter <u>keinen</u>*
> *Umständen, das würde mir sehr schlecht bekommen. Vor*
> *8 Tagen hab' ich Euch schon mal geschrieben, hatte aber*
> *erst Freitag Gelegenheit den Brief fort zu bekommen, auch*

ohne Marken. _Hoffentlich habt Ihr ihn dennoch erhalten._
Ihr, meine lieben guten Kinder, ich denke so viel an Euch
Tag und Nacht, und je länger ich von Euch fort bin, um so
stärker und schmerzlicher wird die Sehnsucht nach Euch!
Wenn ich doch nur wüßte, wann ich wieder nach Hause
darf! Ach, wenn es doch nur bald _wäre!_

Meine größte und meine einzige Freude hier sind Eure
Briefe und Grüße, und ich kann Euch gar nicht genug
danken dafür! Ob's nun die lieben ausführlichen Briefe
von Gerhard oder Marilis sind, oder die fast regelmäßigen
Zeilen von Hannelekind mit den Grüßen und Berichten
von Dorle, oder ob's Evalein's Karten sind, immer bin ich
glücklich und traurig zugleich und doch wieder froh.

Und auf den Brief von Illemaus hab ich diese Woche
besonders gewartet, weil ich mir Sorge gemacht habe,
wegen ihrer Grippe. Und darum war ich doppelt froh. Seid
alle miteinander von Herzen bedankt!

Nur dürft Ihr mir nicht alle Eure schönen Kärtchen
schicken, die sollt Ihr bitte, bitte _für Euch behalten. Ach,_
und gestern Abend kam als richtiger Gruß zum Sonntag
Evaleins Päckchen mit den Apfelschnitzen und den Plätz-
chen. Du liebes Kind, ich hab mich so gefreut. Zweimal Zei-
tungen hab ich bekommen und drei Päckchen diese Woche
(im Ganzen jetzt elf Stück), eins mit Brot, eins mit Äpfeln
und zwei Nüßchen, eins mit Äpfeln und Käse. Tausend
Dank. Könnt Ihr denn den Käse wirklich entbehren?
Und das Brot? Ich bin jedenfalls sehr dankbar für all das,
was Ihr schickt, denn wir bekommen nur wenig zu essen,
nie Butter, nie Fleisch, alle 14 Tage ein kleines Stückchen
Wurst, immer nur Suppen, und sonntags ist es ganz
schlimm. Da gibt es $^1\!/_2$ 7 Uhr morgens ein Stück trocke-
nes Brot und diese elende Kaffeebrühe, um 11 Uhr entwe-
der eine dünne Suppe oder Pellkartoffel, Sauce und Gurke

und um 4 Uhr wieder ein Stück trockenes Brot abwechselnd mit etwas Wurst oder einem Löffel Quark und dazu
Kaffee und dann nichts mehr bis zum anderen Morgen. Da
bin ich dann sehr dankbar, daß ich am Abend noch Brot
und Käse habe und zwischendurch immer von Euren ganz
köstlichen Äpfeln. Aber um Gottes willen erwähnt ja
<u>nichts</u> davon in Euren Briefen.

Schickt mir nun bitte nochmal etwas Salz, wenn's möglich ist, ein bißchen Marmelade, <u>keine</u> Nährmittel und
sobald wie möglich Camelia.

Ob es nicht praktischer ist, wenn Ihr doch Pakete
schickt? Vielleicht gleich montags, dann ist's wohl auch
Ende der Woche hier und Ihr braucht nicht so oft zur Post
und spart auch Porto. Aber ganz wie Ihr wollt.

Ist denn Tante Lore nach Essen? Ich dachte mir schon,
daß sie diesen Monat fahren würde, glaubte aber erst
Ende des Monats an Wilhelms Geburtstag. Ich denke viel
an sie und vergesse nie ihr Leid und ihren Kummer.

Schreibt auch Tante Lotte <u>viele liebe</u> Grüße! Ich hab
mich so sehr gefreut mit ihren Zeilen, sie kann ohne
Bedenken öfter mal schreiben. Die Briefe gehen alle durch,
nur antworten kann ich nicht. Und ich wüßte gerne, wie
es ihr und Peter geht.

Schade, daß Vati nicht mehr so oft zu Euch kommen
kann; sieht er jetzt etwas besser aus? Bestellt ihm extra
liebe Grüße, und ich hätte auch eine Bitte an ihn: Er
möchte mir doch ein Buch besorgen von meinem so verehrten Karl H. Ruppel: »Berliner Theater – Dramaturgi-
sche Betrachtungen«, im Verlag Paul Neff (Berlin–Wien).
Es war eine gute Besprechung darüber in der Kölnischen
Zeitung, in der ich immer wieder etwas Erfreuliches und
Schönes finde. Sonst komme ich leider nicht zum Lesen,
es ist doch zu unruhig hier.

Ob meine Ille heute in Nienhagen war? Das Wetter ist ja ganz herrlich. Und ans Hannele hab ich auch heute sehr gedacht um 10 Uhr während des Gottesdienstes. Ist es gut gegangen mit dem Gedicht? Wann fährst Du mal zur Heidi? Wann bekommt Ihr wohl Herbstferien? Marilis war sicher beim Gerhard. Ach, ich wage gar nicht dran zu denken, daß er nächstes Wochenende zu Hause ist – <u>wie</u> gerne wäre ich dann auch bei Euch. Aber ich bin froh, daß Marilis bei Euch ist. Hast Du Dich schon entschieden für Marburg? Es ist bestimmt auch dort schön.

Evchen, machst Du auch fleißig Kartoffeln aus? Und Dorle zeigt mir sein neues Bilderbuch, wenn ich wieder bei Euch bin, ja, mein bester Schatz? Ach wenn ich Dich doch einmal wieder ganz fest lieb halten könnte, Dich und Euch alle miteinander.

Warme Sachen braucht Ihr mir nicht zu schicken, wir tragen ja Anstalts-Kleidung. Daß Ihr mit den Winter-sachen nicht zurecht kommt, kann ich mir denken. Im Kampferschrank in Immenhausen liegt noch ein altes ro-tes Wollkleid von mir, und bei meinen Flickresten liegt auch noch Stoff dazu; davon soll eine von Euch ein Kleid bekommen. Vielleicht kann Tante Lore auch Stoff kaufen, auf meiner Kleiderkarte, ich hab genug für den Winter. Es sind auch noch alte Faltenröcke im Schrank bei Euch, vielleicht kann man für Dorle was davon verwenden.

Nun hab ich kein Papier mehr und muß aufhören. Grüßt auch Tante Maria herzlich, kann sie mir nicht hel-fen??

Euch, meine geliebten Kinder, behüte Gott! Ich grüße Euch aus ganzem Herzen und küsse Euch in inniger Liebe und voll Dankbarkeit.

Eure Mutti.

Anders als in ihren offiziell übermittelten und von der Zensur geprüften Briefen konnte Lilli in den herausgeschmuggelten die elenden Zustände in Breitenau ungeschönt darstellen. Und doch blieb sie in ihren Beschreibungen stets zurückhaltend, um ihre Kinder nicht allzu sehr zu schockieren.

Lillis Frage am Ende des Briefes, ob Maria Lieberknecht ihr nicht helfen könne, wurde in den kommenden Monaten immer wieder von den Kindern aufgegriffen. Marias Schwager war ja bei der Gestapo und hatte sie Ende August schon über Lillis Inhaftierung informiert. Nun ruhten alle Hoffnungen Lillis und ihrer Kinder auf diesem Kontakt: Ob Maria mit Hilfe ihres Schwagers bei der Gestapo die Freilassung erwirken konnte?

Vielleicht war es dem Schwager zu verdanken, daß Lilli immerhin die meisten Päckchen und Pakete ihrer Kinder ausgehändigt bekam. Denn eigentlich durften seit 1941 jüdische und polnische Häftlinge in Breitenau keine Pakete mehr empfangen. Für Lilli galt das offenbar nicht.

Am Abend dieses 3. Oktober wurde die Stadt Kassel zum Ziel eines großen britischen Luftangriffs. Wohl deshalb notierte Lilli am Rand ihres Briefes noch nachträglich: »Wir haben auch immer Alarm, wenn Ihr Alarm habt, und dann denke ich ganz fest an Euch.« Die meisten Bomben schlugen allerdings in den Vororten ein, so daß die Stadt selbst fast unbeschädigt blieb.

Ilse hatte die Bombennacht im Nienhagener Wochenendhaus der Eltern ihrer Kasseler Freundin Gisela Stephan verbracht und schilderte die Ereignisse dann am 6. Oktober:

Mein herzallerliebstes Muttilein!
Hoffentlich hast Du bei dem Angriff nichts abbekommen.
Ich war gerade in der Nacht bei Gisela in Nienhagen, von
dort aus konnten wir alles gut sehen. Es ist ja nur gut, daß

uns nichts geschehen ist. In der Nacht, als ich in Nienhagen war, hatte ich doch große Sorge um alle – erstens um Dich, zweitens um die in Kassel, drittens um Gerhard. Aber es geht uns allen, samt Gerhard, ja Gott sei Dank gut, und dasselbe wünsche ich ja so sehr von Dir. Nun, in der Annahme, daß es Dir gut geht, schreibe ich alles an Dich.

Am Montagmorgen bin ich mit der Kutsche von Nienhagen nach Kassel gefahren. Die Fahrt war sehr schön. Schule hatten wir ja nicht, denn die Schule ist Obdachlosensammelstelle. Am Morgen nach dem Angriff kam Tante Rita und sah nach uns. Vati hat heute Urlaub bekommen, von heute mittag bis morgen abend. Tante Lore kommt Donnerstag oder Freitag wieder.

Wir haben den großen Kürbis jetzt auch eingeweckt. Es hat vier Zweiliter-Gläser und ein Halbliter-Glas gegeben. Und einmal haben wir so gegessen. Die Kinder essen den Kürbis furchtbar gern. Aber wir haben sehr viel Zucker dazu gebraucht. Wir wollten sparen für nächstes Jahr, sind aber nicht sehr weit damit gekommen. Von Frau Stephan habe ich einen großen Spankorb voller Äpfel geschenkt bekommen, die beim Pflücken beschädigt wurden. Davon werden wir wahrscheinlich Apfelgelee kochen, wenn es den neuen Zucker gibt. Sonst geht es uns mit dem Essen wirklich gut. Es gibt ja jetzt soviel auf die Karten. Hoffentlich wirst Du auch satt?!

Heute haben wir wieder ein Päckchen geschickt. Die Ölsardinen, die darin sind, hat es hier auf die Karte für Jugendliche über 14 Jahre gegeben. Und da ich ein solcher Kartenbesitzer bin, habe ich eine Dose bekommen. Wir hatten ja nun neulich den Aal, und da dachte ich, Du würdest das sicher auch gerne essen. Hoffentlich geht es nicht auf der Post trotz Einschreiben verloren. Der Puder ist zwar Fissanpuder, doch glaube ich, daß Du ihn trotzdem

gebrauchen kannst. Den anderen Kleinkram kannst Du
doch sicherlich auch gebrauchen. Schreib uns doch mal:
Wo liegen Julies Papiere? Wir müssen es doch wissen, im
Falle, daß wir sie mal nötig haben, Du kannst es wieder
abkürzen: J. Papiere sind ….. Kriegst Du wohl die Büchse
von den Ölsardinen auf? Ich hoffe doch!!! …

Ich schreibe alles so bunt durcheinander, denn ich habe
Dir ja so viel zu erzählen. Dorle ist recht artig. Gestern
abend war Vati gerade da, und da hat er sie ins Bett
gebracht und gewaschen. Da hat Dorle sich arg gefreut.
Mein gutes Muttilein! Frierst Du mir nicht? Schläfst Du
auch nachts? Sorg Dich nicht soviel! Hast Du verstanden?
Ich mache alles so gut ich kann, und es wird allmählich
Deiner Arbeit ähnlich. Natürlich, so wie Du kann ich es
nicht. Mein Muttchen, Du wirst immer und immer von
mir in meinem Herzen gehütet, damit Du Dich nicht
soviel sorgst. Gute Nacht. Tausend liebe Grüßchen, einen
lieben Kuß von Deiner Ilse.

Am selben Abend schrieb auch Johanna nach Breitenau. Für
sie war in diesen Tagen ein kleiner Traum wahr geworden: Sie
bekam ihren heißersehnten Wellensittich. Das Projekt war
schon beschlossene Sache gewesen, bevor Lilli verhaftet
wurde. Nun mußte Ernst bei der Beschaffung des Vogels helfen.

Meine liebes, gutes Muttileinchen!
Wie geht es Dir? Rate mal, weißt Du, was ich bekomme?
Einen Wellensittich, einen hellgelben. Also paß mal ganz
gut auf: Motzstr. 6 wohnt ein Oberregierungsrat Weber,
dessen Sohn ist Famulus in Vatis Lazarett. Der studiert im
8. Semester Medizin und macht während seiner Semester-
ferien seinen Famulusdienst hier in Kassel. Dieser ist sehr

nett. Er erzählte einmal dem Vati, daß er einen jungen
Wellensittich bekommen hätte. Vati, der Gute, wußte
doch, daß ich einen suchte, und da fragte er gleich den
Mann aus, wie und was und wo! Da sagte der Famulus,
ich sollte doch am soundsovielten abends um sieben Uhr
mal zu ihm kommen. Also bin ich dann hingegangen. Er
war sehr nett und gab mir die Adresse von so Leuten in
Wilhelmshöhe. Er versprach mir, daß er mir einen Bauer
besorgen wollte von seiner Braut. Er wollte es dem Vati
sagen, wenn er den Bauer hat. Also bin ich am nächsten
Morgen nach Wilhelmshöhe gefahren, Kunoldstraße war
die Haltestelle. Da muß man eine Straße rechts runter
gehen, dann stößt man auf die Lange Straße. Ein bißchen
weiter nach links, dann kommt Nr. 76. Das ist so ein
Eilbotengeschäft. Der Mann hat aber wahnsinnig viele
Vögelchen. Ich hatte das Dorle mitgenommen. An der Tür
war ein Zettel, ich komme gleich wieder. Da standen wir
nun und warteten. Überall kam ein lautes Gezwitscher
her. Da konnte ich zu einem Fenster reinschauen. Da war
ein riesiger Käfig mit einem großen bunten herrlichen
Papagei. Ein herrliches Tier! Dann kam der Mann. Er
zeigte uns drei Wellensittiche. Einen grünen zu 15 RM.
Dieser konnte nicht recht fliegen, weil seine Flügel zu lang
gewachsen waren. Den wollte ich aber nicht nehmen.
Dann war in demselben Käfig ein hellgelber Wellensittich
zu 25 RM. Der gefiel mir einfach am besten. Dann war
noch einer da zu 30 RM, der war aber auch grün. Ich weiß
nicht, der liebe gelbe war doch noch schöner und billiger.
Auch war er gesund. Alle drei waren erst fünf Wochen alt.
Da bat ich den Mann, er möge mir doch bitte den gelben
zurückhalten, in drei bis vier Tagen würde ich ihn holen.
Das habe ich alles dem Vati gesagt, und er war damit ein-
verstanden. Also morgen abend bekomme ich den Bauer

von der Braut des Herrn Doktor Weber. Bei Frau Paack
habe ich mich über das Futter erkundigt. Die Tierchen
bekommen jeden Tag, das heißt, wenn sie sprechen sollen,
unter ihr Futter ein paar Körnchen Sprechsamen. Alles
eine ganze Menge zu lernen. Ich freue mich! Wenn ich
den gelben bekomme, so wird er Hänschen getauft ... Ich
glaube, das paßt so ... Nun Schluß! Schreibst Du bald?
Alles Liebe und Gute. Viele liebe Grüßchen und Küßchen
von Deinem Hänschen.

Hans oder Hänschen war nicht nur der Name des Wellensittichs, sondern auch Johannas Spitzname – insofern »paßte« er tatsächlich.

Ilse machte sich in diesen Tagen besondere Sorgen um Lilli. Die Mutter war gegen den frühen Kälteeinbruch im Herbst 1943 nicht gewappnet. Ilse wußte, daß Lilli nur die dünne Häftlingskleidung tragen durfte: Hemd und Hose aus graubraunem Sackleinen, und das bei Frosttemperaturen. Ilses Brief vom 7. Oktober:

Mein allerliebstes Muttilein!
Wie mag es Dir wohl gehn! Ich möchte so gerne, daß es Dir
gut ginge. Frier mir nur nicht. Zieh Dir doch warme
Wäsche an, die Du doch noch hast. Gell, tu das, damit Du
nicht krank wirst. Werd mir nur satt. Laß Dir gut schmek-
ken, was wir Dir schicken. Hoffentlich wirst Du mir auch
satt. Sei nicht so arg traurig. Für uns sorgt nun wieder
Tante Lore. Heute kam sie wieder ...
Vati und Tante Rita sind heute zu uns gekommen. Und
Vati ist mit allen 4 Kindern zu Paulus gegangen. Dort
haben wir jeder 2 Stück Kuchen und Eis gegessen – das Eis
und ein Stück Kuchen haben sehr gut geschmeckt. Aber
das andere Stück hat grauenhaft geschmeckt. Sonst war es

sehr schön da. Marilis ist mit Tante Lore hiergeblieben
und nicht mitgegangen. Marilis schläft ab morgen auch in
Immenhausen, denn Tante Lore hat zu große Angst.
Dann kommt Tante Rita wieder jeden Abend zu uns.
   Gerhard hat Samstag, Sonntag Urlaub …
   Gute Nacht, schlaf gut, laß Dich fest umarmen und
einen lieben Gruß von Ilse.

Vom Besuch im Café Paulus berichtete auch Johanna noch am
selben Abend. Außerdem erzählte sie amüsiert, daß Nachbarn
gefragt hätten, »ob wir keine Eltern hätten, toll was?« Und so
ganz falsch schien die Frage ja auch nicht, zumindest tagsüber
waren die vier Mädchen in diesen Wochen trotz der eskalierenden Bombenangriffe immer wieder sich selbst überlassen.
   Johannas größte Aufmerksamkeit galt nach wie vor dem
Wellensittich. Am 10. Oktober sorgte der Vogel für erhebliche
Aufregung:

Mein allerliebstes, gutes Muttilein!
Es ist Sonntagabend, und ich bin furchtbar fertig, ganz alle.
Stell Dir mal vor! Marilis und ich sind heute Nachmittag
zum Gerhard gefahren. Als wir nach Hause kamen, ist
mein Hänschen fort. Der Käfig zu und das Vögelchen weg.
»Marilis«, schreie ich, »komm mal schnell.« Als Marilis
das hört, sagt sie: »Erst mal schnell Tür zu.« Dann gucken
wir uns im Zimmer um. Nirgends ist er. Da plötzlich haben
wir ihn gesehen, oben auf der Gardinenstange hockte er.
»Hänschen, liebes gutes Kerlchen, komm doch bitte run-
ter.« Aber Pustekuchen, das Hänschen stört sich an nichts.
Na, Marilis holt eine Leiter, und los geht es. Marilis zieht
zur Vorsicht noch eine Mütze auf, denn man weiß nicht!
Als Marilis oben auf der Leiter steht und ihn fassen will,
jupp, fliegt er davon. Junge, Mutti, der sauste immer mit

einem Tempo über unsere Köpfe weg. Es gab richtig Wind. Er setzte sich über Illes Bett auf die Leiste. »Na, Vogelvieh, komm doch bitte runter, bitte, bitte.« Aber du kannst mich doch mal, denkt das Vögelchen. Na, wir werfen eine Tischdecke rauf, und hui ab saust er auf die Verdunklung. Wir wieder auf die Leiter und versuchen, ihn zu fassen. Aber das Hänschen hüpft immer weiter an das andere Ende. »Du Marilis«, sage ich, »mach mal dunkel.« Auch bei Dunkelheit ist das Tier nicht zu bewegen. Also haben wir es mit der Decke fortgejagt, damit es sich ein bißchen nach unten setzte. Aber, was denkste, wieder oben auf die Gardinenstange. Ich, einen Griff, und ich hab ihn, aber »Au, Au« schreie ich, der beißt. Richtig feste schnappte er mit seinem Schnäbelchen in meinen Daumen rein. Ich halte ihn fest und schnell in den Käfig rein. Hach, ich konnte nicht mehr, gelacht hatten wir wie noch nie. Jetzt würdest Du mich fragen, ja wie ist denn der da raus gekommen? Das will ich Dir sagen. An den Seiten sind so Türchen, die man hochschieben kann. Dieser Spitzbub hat mit seinem Kopf immer wieder versucht, das Türchen hochzuschieben, und es ist ihm gelungen, und schnell war er draußen. Jetzt ist aber das Türchen fest zugebunden, und der kleine Schelm pickt vergnügt seine Körnchen. Aber den Schrekken, den ich zuerst hatte, kannst Du Dir gar nicht vorstellen.

Der Gerhard war heute sehr müde. Sie hatten viel Alarm. Als wir hinkamen, hatten sie gerade Feuerbereitschaft gehabt. Mit seinem Wochenendurlaub ist es nichts geworden. Er bekommt jetzt seinen Wochenendurlaub in der Woche am Mittwoch. Gerhard sagte uns, daß er Mäuse im Spind hat. Die haben ihm seine Unterhose völlig zerlöchert. In der Nacht hatten sie einen Abschuß und zwei ganz junge Kanadier gefangengenommen ...

*Nun will ich mal wieder Schluß machen und ganz viel
an Dich denken und Dir ganz viel Gutes und Liebes wünschen, auf daß Du bald wieder bei uns bist. Es grüßt und
küßt Dich 1 000 000 mal Deine liebe Hannele.*

Gerhards militärische Leistungen beeindruckten seine
Schwestern. Auch er selbst berichtete an diesem Abend stolz
vom jüngsten Erfolg seiner Flakstellung in Obervellmar bei
Kassel – im Sonntagsbrief an die Mutter:

*Liebe, gute Mutti,
die besten Grüße schicke ich Dir vom Sonntag. Wie geht es
Dir?
    Mir geht es gut. Zu Hause ist ja auch alles in Ordnung.
    Hoffentlich hast Du Dich in der Nacht vom 3. zum 4.
nicht zuviel geängstigt. Auch ich habe die Nacht gut überstanden. Wir haben sogar einen viermotorigen Bomber
abgeschossen. Da kannst Du Dir sicher vorstellen, wie wir
uns gefreut haben.
    Sonst ist in der letzten Woche nicht allzuviel Besonderes
vorgefallen. Wir haben nur ganz furchtbar viel Alarm.
Zwei oder drei Nächte konnten wir einmal durchschlafen.
Dann ging es aber doppelt wieder los.
    In der Schule wird daher auch nicht allzuviel getan.
In Deutsch beschäftigen wir uns jetzt mit deutschen Bal-
laden. Wir lernen »Die Kraniche des Ibykus« …
    Eigentlich sollte ich ja heute im Wochenendurlaub zu
Hause sein. Aber ich habe halt einmal wieder Pech gehabt.
Das kam so: Beim Angriff auf Kassel sind 23 Luftwaffen-
helfer gefallen. Sie kamen alle aus Eschwege und Umge-
bung. Gestern war nun die Trauerfeier in Eschwege. Wir
mußten aus unserer Batterie die zwanzig Größten als
Ehrenzug dahin schicken. Da war ich nun auch dabei …*

*Das ging so vor sich: Um 9.30 Uhr am Freitagabend gehen
wir nach Alarm ins Bett. Um 0.30 standen wir wieder auf –
das zweite Mal Alarm, bis um 2.30 Uhr. Um 5 Uhr wurden wir geweckt, fuhren um 6 Uhr ab und sind, zusammen
80 Luftwaffenhelfer und zehn Leutnants, um 10 Uhr früh
in Eschwege. Mantel aus, Stahlhelm auf und ab zur Trauerfeier … Als wir zurückkamen, war Alarm, und so bin
ich erst um 10.30 Uhr ins Bett gekommen.*

*Eben war wieder Alarm, gerade als Hannele und
Marilis kamen. Nun soll der Brief schnell fertig werden.*

Alles, alles Gute und viele Grüße von

Deinem Gerhard.

Die Mädchen wurden in diesen Tagen ebenfalls in die Kriegsmaschinerie eingespannt. Für die Opfer des Bombenangriffs
vom 3. Oktober organisierte man eine große Hilfsaktion, an
der auch Schülerinnen teilnehmen mußten. So schrieb Ilse
am 12. Oktober:

*Morgen und übermorgen haben wir wieder Katastrophen-
einsatz. Wir machen den Einsatz gerne, denn wir helfen
ja so vielen armen Leuten, die nur noch etwas haben und
denen zum Teil Angehörige dabei umgekommen sind.
Diese armen Leute sind ja von den gemeinen Terrorbom-
bern so mitgenommen, daß sie dringend Hilfe brauchen.*

Lillis Kinder begriffen sowenig wie die meisten Deutschen,
was die Alliierten mit ihren Bombenangriffen auf zivile Ziele
eigentlich beabsichtigten. Von einer Demoralisierung der Bevölkerung konnte zunächst kaum die Rede sein, im Gegenteil:
Die Angriffe führten eher zu einer Solidarisierung.

Daß die Zerstörung der Kasseler Rüstungsindustrie den
Krieg abkürzen und damit womöglich der eigenen Mutter zu-

gute kommen konnte, ahnten Lillis Töchter ebenfalls nicht. Und Gerhard hatte sich ohnehin die militärische Logik der Wehrmacht zu eigen gemacht. Niemand, nicht einmal der eigene Vater, wies den 16jährigen darauf hin, daß jene britischen oder kanadischen Bomberpiloten, die er pflichteifrig beschoß, auch den nationalsozialistischen Völkermord aufhalten wollten.

Andererseits: Selbst wenn Gerhard den Wahnsinn durchschaut hätte, hatte er keine Alternative. Er mußte, ob er wollte oder nicht, als Luftwaffenhelfer Dienst tun.

Am 14. Oktober dann Ilses Bericht vom »Katastropheneinsatz«:

Liebe gute Mutti!
Ein schöner Tag ist verstrichen. Heut' morgen war ich
um 8 Uhr am Hallenbad, und von dort aus sind wir mit
dem Omnibus nach Sandershausen gefahren. Von 20 Mä-
dels waren nur acht da. Das war doch gemein, sich so
zu drücken vor dem Einsatz. Als wir im Dorf landeten, war
die Einsatzführerin noch nicht da. Wir haben kurz gewar-
tet, sind aber dann zu unseren alten Leuten gegangen.
Ich bin mit der Ellen zu ihrer Frau gegangen, denn meine
Leute hatten nicht wieder bestellt. Als wir zu der Frau
kamen, war noch alles verschlossen. Nur ein Mann, der
dort arbeitete, machte uns auf und sagte, wir sollten nur in
die Küche gehen. Dort war es sehr kalt, denn heute mor-
gen war es 2 Grad unter Null. Wir zündeten den Herd an
und warteten, bis die Frau kam. Ihr Mann ist Lehrer im
Dorf, und sie ist in unsere Schule gegangen. Sie hat ein
nettes Häuschen.
Wir hatten bloß einige Zimmer fertig, als die Einsatz-
führerin kam und uns zu anderen Leuten schickte. Als ich
zu den Leuten kam, war ein anderes nettes Mädel aus der

Klasse schon da. Die Friedgart, wenn Du sie kennst. Als ich hinkam, mußte ich gleich Nudelsuppe essen.

Dann gings los: Geschirr spülen, Wirtschaft schrubben. Der Holzfußboden in der Wirtschaft wird nur alle Vierteljahr einmal geschrubbt. Ich mußte alles alleine tun, denn Friedgart mußte im Haus helfen und Wasser schleppen. Die Wasserleitung ist entzwei. Und so muß das ganze Wasser aus einem Bach, nämlich der Nieste, geholt werden. Jedes Stückchen wurde erst naß gemacht, dann mit Seifenpulver geschrubbt und dann trocken gewischt. So Stück für Stück. Da hab ich, glaube ich, 3 bis 4 Stunden dran geschuftet.

Als ich das fertig hatte, gab es Brot, Butter, Kochkäse und Marmelade. Danach mußte das Nebenzimmer noch aufgewischt werden. Das machten Friedgart und ich alleine. Friedgart spielte einen Walzer auf dem verstimmten Klavier, und ich tanzte mit dem Besenstiel. Danach mußte ich die ganze Wirtsstube einölen. Das war eine Arbeit!!! Dann zwei Küchen aufwischen und im Garten Möhren ausziehen. Da war es 5 Uhr. Wir bekamen noch 2 Brote und eine Birne. Dann fuhren wir wieder heim.

Hoffentlich geht es Dir noch gut. Schlaf gut und laß Dich feste liebhalten von Deiner Ilsemaus.

Solche kleinen Abenteuer waren Ilse auch deswegen willkommen, weil sie dadurch von ihrem Kummer etwas abgelenkt wurde. Natürlich konnte den Mädchen kein anderer die Liebe und Geborgenheit der Mutter ersetzen – aber es bemühte sich auch niemand darum, allenfalls Tante Lotte in Leipzig zeigte ein wenig Anteilnahme, wie Ilse am 15. Oktober ihrer Mutter berichtete. Ein Auszug:

Tante Lotte hat heute furchtbar nett an mich geschrieben.
Sie schreibt oft, und ihre Briefe sind mir immer ein Trost.
Denn, oh, Mutti, es ist sooo schwer. Aber wir wollen unser
Los, so schwer es auch sein mag, gemeinsam tragen.
Frierst Du mir auch wirklich nicht? Morgens ist es doch
schon immer so gräßlich kalt.

Während Ilse ihre Angst und Verzweiflung von Mal zu Mal
deutlicher erkennen ließ, überspielte Johanna diese Gefühle durch einen lebensbejahenden, fröhlichen Ton. Johannas
Brief vom selben Abend:

Mein gutes, liebes Mutterlilein!
Ach, das war wieder eine Schreckenstunde, das Hänschen-
vieh beißt, stell Dir mal vor, einen Holzstab in der Dicke
eines Mikadostabes vollständig entzwei, schlüpft raus aus
dem Käfig und verschwindet auf der Gardinenstange. Als
ich nach Hause komme – da waren die anderen doch bei
Tante Maria, es war ungefähr 6 Uhr –, ist mal wieder der
Käfig leer. Ich habe mir die Julie und die Leiter geholt, und
dann ging es wieder los, das Jagen und Fangen von dem
armen Vögelchen, das selber so große Angst hat. Endlich
ist es wieder in seinem Bauer. Da liegt ein großes Kissen
jetzt auf dem Bauer. Nun müßte er erst mal das Kissen
wegschieben. Das wird ihm nun doch, glaube ich, nicht
gelingen.
Heute Morgen war es schön. Die Puppe, Muttilein, ein
ganz süßes Tierchen ist das. Ein hellblaues geblümtes Sei-
denkleidchen und Mützchen hat die Puppe an. Ganz große
Schlafaugen mit langen Wimpern. Der Kopf ist aus Por-
zellan. Das andere ist aus Stoff. Aber ganz reizend. Das ist
ein goldiges Weihnachtsgeschenk für unser Mäuschen.
Da fragte ich Tante Maria, ob sie nicht etwas zum Lesen

hätte für mich, weil Vati mir noch nichts gesagt hatte, was ich lesen könnte. Da gab sie mir ein Buch, das heißt »Jungfrau Else« von Ingeborg Maria Sick. Ich weiß nicht, ob Du es kennst. Dann habe ich sie gefragt, ob sie nicht noch so Jungmädchenbücher hätte. Da ging sie an den Bücherschrank in dem Wohnzimmer neben der Küche und suchte. Dabei fiel ihr ein altes Buch von Onkel Theo in die Hände, Erzählungen aus dem Weltkrieg. Da sagte ich: »Darf ich das mal lesen?« Auf einmal sprach Tante Maria: »Du, das schenke ich Dir. Das nimmst Du Dir mit als Andenken an Onkel Theo.« Was konnte ich da machen?

Da sagte sie: »Wir wollen mal die Andenken zählen, die hier stehen.« Es waren aber ganz wenige. Da war eine Bibel, die gefiel mir besonders. Ganz neu fast, gar nicht gebraucht. Ich sprach: »Die ist schön, wenn ich so eine mal hätte.« Das war aber durchaus kein Wink mit dem Zaunpfahl, ganz bestimmt nicht. Da sprach sie: »Die nimmst Du Dir mit und, warte mal, schau her, das Gesangbuch auch. Das brauchen wir doch nicht.« Mutterle, genauso ein Gesangbuch, weißt Du, wie das, was ich jetzt hatte, wo der Rücken aus dem Leim gegangen ist. Aber viel schöner. Funkelnagelneu. Ich war sprachlos, ich konnte das doch nicht, das darf und tue ich nicht, habe ich gesagt. Da ist sie kurzerhand zum Telephon gegangen und hat den Onkel Paul angerufen. Der hat mir durch das Telephon befohlen, daß ich das mitnehmen sollte. Aber denk doch mal, ich war fertig. Das ist doch zuviel, nicht wahr? Aber ich bin doch sooo froh. Junge, Mutterle, das ist schon bald gefährlich, zu denen zu gehen. Morgen fahre ich zur Heidi. In Hümme dauert es länger, bis die Briefe

Der Brief Johannas ist nicht vollständig erhalten, er bricht hier ab. Die Besuche Johannas und Ilses bei ihren Freundinnen waren für Lilli auch deswegen wichtig, weil sie so erkennen konnte, daß ihre Kinder trotz der jüdischen Mutter noch nicht isoliert wurden. Lilli hatte mit solchen Schikanen gerechnet.

Bei Ilse liefen in diesen Monaten alle Informationen über den aktuellen Stand der Dinge in Breitenau zusammen. Sie wertete Lillis Briefe aus und informierte den Vater, Gerhard, Lore, Rita und Tante Lotte. Und Lotte schrieb auch ihrerseits ein paar Mal an ihre inhaftierte Freundin, zum Beispiel am 17. Oktober:

Meine liebe Lilli!
Mit ganz großer Freude habe ich heute durch Ilse gehört, daß Du meinen Brief bekommen hast und daß er Dich gefreut hat. Ich würde Dir jeden Tag einen schreiben, wenn das ginge.

Wenn Gedanken und Wünsche einem anderen nur ein klein wenig helfen könnten, dann müßten es meine für Dich tun. So oft am Tag und oft auch in der Nacht denke ich an Dich und hoffe von ganzem Herzen, daß Du gut durchkommst. Ich glaube es bestimmt. Sei immer ruhig und hab' Geduld. Es ist halt, scheint's, so bestimmt gewesen, daß Du, nach den vielen gleichmäßig stillen Jahren in Immenhausen, in den Strudel sollst — und ich glaube bestimmt zu wissen: Er zieht Dich nicht hinunter!

Ich höre immer von Zeit zu Zeit von Ilschen, sie schreibt sehr lieb, da sie ja so nett impulsiv ist, weiß ich immer genau, wie ihr zumute ist. Es scheint mir alles gut zu gehen, und Du darfst Dir darum nicht viel Gedanken machen, gell? ...

Leb wohl meine liebe, liebe Lilli!
Den Kopf hoch und das Herz fest und ruhig!
Deine Lotte

Auch Lilli schrieb am 17. Oktober 1943. Und da ihr nach den in Breitenau geltenden Regeln vorerst kein weiterer Brief zustand, ließ sie das an ihre Kinder adressierte, eng beschriftete braune Packpapier wieder heimlich aus dem Lager bringen und nach Kassel schicken:

Meine lieben, lieben guten Kinder, alle miteinander,
ich will auch diese Woche wieder mal mein Glück ver-
suchen, ob Euch diese Zeilen erreichen. Ihr wißt ja, daß
Ihr nichts davon erwähnen dürft.

Es folgt eine nicht mehr lesbare Passage, die Bleistiftschrift ist hier verwischt. Und dann weiter:

Ihr dürft mir bestimmt glauben, es geht mir gut, auch
meine Galle ist artig, liebe Marilis, mir bekommt die
magere Kost und das lange Liegen, wir müssen ja schon um
$^1/_2$ 9 Uhr im Bett sein bis $^1/_2$ 6 Uhr früh.
  Ihr Lieben, diese Woche habt Ihr mich aber so sehr ver-
wöhnt, daß es mich recht bedrückt. Gewiß, ich bin jeden
Tag ordentlich satt gewesen, und heute am Sonntag fehlt
es mir an gar nichts durch Eure Güte, und manch eine
meiner Kameradinnen hier bekommt noch davon ab. Ich
danke Euch aus ganzem Herzen für das Päckchen mit den
Ölsardinen etc. und dem Zuckerzeug, das Ihr sicher selbst
gemacht habt. Dann für das Päckchen mit der Butter und
so weiter – Kinder, das dürft Ihr unter gar keinen Umstän-
den mehr tun, so gut, so sehr gut Ihr es meint! Ich ver-
biete es Euch, mir nochmal Butter zu schicken, Ihr dürft

Euch <u>nichts</u> absparen, auch Eure Süßigkeiten sollt Ihr
behalten. Ich bin doch so von Herzen froh, wenn Ihr alles
habt, und Euch <u>so</u> dankbar für alles andere, was Ihr mir
schickt. Euer Paket war ja fast wie ein Weihnachtspaket
mit all den köstlichen Sachen. Habt 1000 Dank! Das
Pflaumenmus schmeckt ja ganz vorzüglich! Und meinem
Gerhard herzlichen Dank für den süßen lieben Gruß! Und
so leckere Honigkuchen! Ich hab mich mit Allem so <u>sehr</u>
gefreut, aber, nicht wahr, Ihr dürft mir nicht mehr so vie-
les und so für Euch Notwendiges schicken!

An Tante Maria bestellt bitte viele liebe Grüße! Sie hat
mir mit der feinen guten Stolle eine ganz große Freude
gemacht. Es tut so gut, solche wirklichen Freundschafts-
beweise zu erhalten. Und die allergrößte Freude macht Ihr
mir mit Euren Briefen; es ist für mich wirklich ein großes
Geschenk, daß Ihr mich an all Euren Dingen teilnehmen
laßt und ich so mit Euch verbunden bleibe. Es tut mir nur
leid, daß ich nicht auf alles eingehen kann.

Vor allem mach Dir nicht so viel Sorgen um mich, meine
Ilsemaus. Ich bin vorsichtig und denke nur daran, gesund
und hoffentlich bald wieder bei Euch zu sein. Ist meine
Dorle denn auch erkältet? Warum soll es denn Einlagen
haben? Dann bekommt es wohl auch andere Schuhchen?
Wenn Dorle noch ein Kleidchen braucht, so ist noch bei
den Wintersachen ein altes hellblaues Strickkleidchen
ohne Ärmel, dahinein kann man ein paar Stoffärmel
nähen, dann tut es noch seine Dienste. Mit den Mänteln
für Magda und Dorle ist's recht so, passen dem Dorle auch
die Gamaschen-Hosen? Auch sonst bin ich mit allen Klei-
derfragen einverstanden.

Die große gute Molton-Decke liegt in der Schublade
vom Büffet. Sind denn die Fenster und Verdunkelung im
Eßzimmer wieder heil, und haben die Wohnungen und

Möbel auch nichts abbekommen? Bitte, antwortet! Hat
Armbrust das Bücherbrett noch nicht geliefert? Habt Ihr
im Wandschrank jetzt Bretter? Wenn Ihr noch Weckgläser
braucht, denkt an die Gläser im Keller und an die Einkoch-
krüge. Sehr froh bin ich, daß Ihr die Wäsche jetzt schrank-
fertig bekommt.

Und Du, mein Illekind, sorgst so tüchtig dafür, daß alles
wieder an seinen Platz kommt. Wie geht es Dir mit Dei-
nem Frost, mein Evalein? Tust Du etwas dagegen? Über
Deine Berichte, mein Hannelekind, freu ich mich stets
ganz besonders. <u>Alles, alles</u> interessiert mich, an <u>allem</u>
nehme ich Anteil. Und Gerhard und Marilis' Briefe sind
immer so lieb und gut. Hoffentlich klappt es mit dem Zim-
mer in Marburg. Hat Tante Paula aus Genf nicht mal
geschrieben? Und Onkel Georg? Schickt mir doch mal ein
paar Bildchen von Euch, wenn Ihr sie nicht alle eingeklebt
habt, neue Aufnahmen habt Ihr wohl nicht gemacht.
Ach, am liebsten täte ich Euch alle richtig wiedersehen.

Haarnadeln brauche ich auch sehr, wenn's nur 2–3
sind. Das andere Buch von Pearl Buck schickt bitte auch
gelegentlich, und vielleicht bekommt ihr mal ein Mikado?
Die Mädels langweilen sich sonntags so, ich ja nie, ich lese
Eure Briefe, Zeitungen und hab meine Gedanken für mich,
die <u>nur</u> zu Euch fliegen. Einen extra Gruß an Dein Häns-
chen, mein Hannelekind. Du liest aber jetzt feine Bücher!
Und Gerhard, <u>Lieber</u>, Du kommst wohl gar nicht zum
Lesen? Und Du, Marilis? Ille hat ja wohl gar keine Zeit.
Lebt wohl für heute! Ich küsse und umarme Euch viel-
tausendmal zärtlich und innig, Gerhard, Ilse, Hannele,
Eva, Dorle und Marilis!

Eure Mutti

Die »Mädels«, von denen Lilli schrieb, zumeist russische und polnische Zwangsarbeiterinnen, vertrauten sich ihr mehr und mehr an. Und Lilli sorgte sich nicht nur um den Zeitvertreib ihrer Mithäftlinge. Sie betreute die jungen Frauen auch medizinisch; bei einigen Geburten half sie als Hebamme.

Wahrscheinlich am selben Abend schrieb Lilli noch einen zweiten Brief, und zwar an ihre Schwägerin Lore. Erneut verwendete sie dunkelbraunes Packpapier; vielleicht hatten ihre Töchter zuvor ein Päckchen darin eingepackt.

Allerdings fehlt das Datum. In einem späteren Brief an Ernst heißt es, ein längerer Brief an Lore sei am 29. Oktober »in den Kasten« gekommen. Doch im Lore-Brief selbst notierte sie, daß sie »morgen schon sieben Wochen fort« sei. Demnach muß sie ihn am 17. Oktober geschrieben und vielleicht erst zwölf Tage später abgeschickt haben. Möglicherweise hatte sie bis dahin niemanden gefunden, der den Brief aus dem Lager herausschmuggeln konnte.

Meine allerbeste treue liebste Lore,
nie im Leben kann ich Dir genug danken für all das, was Du mir und den Kindern tust, ich kann es Dir nur vergelten durch meine innige Liebe zu Dir und Marilis. Dir danke ich es, daß ich keine Sorgen haben muß um das leibliche Wohl der Kinder, und wie viel leichter ist es mir dadurch.

Du machst Dir so viel Mühe und Arbeit mit dem Einkochen und nun mit der Wintergarderobe der Kinder, und ich weiß es schon im voraus, es ist alles gut und richtig, wie Du es machst. Es ist mir natürlich viel lieber, wenn Du den Mottenschrank beaufsichtigst, wie Du überhaupt alles in der Hand halten sollst. Ich danke Dir auch für Deine Mühe um Evas Musik- und Englisch-Unterricht. Wann fängt sie denn an damit? Um Ilse müßt Ihr Euch wohl ein wenig mehr kümmern als um die anderen Kinder, sie leidet so sehr unter meinem Fortsein, ihre Briefe sind oft erschütternd. Aber laß es Dir <u>bitte</u> nicht anmerken, daß ich es Dir schrieb.

Für Deinen lieben Brief aus Essen herzlichen Dank, ich habe sehr an Dich gedacht und Dir nachfühlen können, in wie großer Sorge Du warst. Es ging mir ja genauso, und ich bin dem Herrgott so dankbar, daß wir alle auch diesmal verschont blieben.

Und nun hätte Wilhelm diese Woche Geburtstag! Ach, gute liebe, liebe Lore, ich bin mit vielen warmen verstehenden Gedanken bei Dir. Bitte, nimm Dir doch in diesen Tagen ein kleines Buch von dem kleinen Bücherbrett neben meinem Nähtisch, »Der Traum des Gerontius«, laß es Dir von Marilis raussuchen und lies es, bestimmt wird es Dir wohltun.

Nun wollte ich Dich bitten, doch nochmal beim Arbeitsamt zu fragen, ob sie noch keinen Ersatz für Julie haben. Ich hab schon im August Antrag gestellt, der auch von Frau Meyer von der Arbeitsfront unterstützt wurde.

Im Dezember hat Julie wieder Recht auf Urlaub, und sie kommt bestimmt nicht wieder. Da ist es doch besser, wir sorgen vor.

Nun bin ich morgen schon sieben Wochen fort, ich bin oft ganz elend vor Heimweh. Könnt Ihr denn bei der Gestapo nicht erfahren, wie lange ich noch fortbleiben muß? Ernst soll sich doch mal bei Herrn Hoppach erkundigen. Wenn ich bald heim darf, dann schreib mir »Ihr hofftet, mich bald wiederzusehen«, wenn nicht, dann schreib »wir müßten noch etwas« oder schlimmstenfalls »noch lange Geduld haben«. Diese Ungewißheit und die quälenden Gedanken sind so aufreibend. Es ist natürlich viel schwerer, als ich den Kindern schreibe. Die mehr als unzureichende Ernährung, die mangelhafte Kleidung. Wir dürfen weder Mäntel noch Jacken noch Handschuhe tragen und müssen morgens oft 3/4 bis 1 Stunde in der Kälte am Bahnhof stehen, weil die Züge so viel Verspätung haben und abends wieder. Das Haus ist auch noch nicht geheizt. Und überhaupt dies Eingesperrtsein. Das weiß keiner, was das heißt.

Ob Ernst nicht mal ein Gesuch machen kann, falls ich nach zwei Monaten (am 30. X.) noch nicht entlassen bin? Er kann doch wohl noch einmal etwas für mich tun? Ich bin ohnehin so verlassen und zurückgestoßen! Verhaftet bin ich wegen Verstoß gegen die Polizei-Verordnung vom August 1938 (?), und darauf stehen vier Wochen.

Die sind doch längst herum.

Er kann doch auch anführen, daß Marilis wieder fort ist zum Studium, daß die Rita doch auch nicht immer in Kassel schlafen kann, die Kinder nachts also alleine sind. Du, liebe Lore, mußt doch auch immer mal wieder nach Essen. Wer soll denn dann für die Kinder sorgen? Und gesundheitlich wird Dir die Arbeit doch wohl auch zu viel? Man könnte es doch jedenfalls anführen. Und der Junge ist Luftwaffenhelfer und der Vater beim Militär, kann er da nicht verlangen, daß seine Kinder wieder ihre Mutter zurückbekommen? Vielleicht kann das Gesuch durch die vorgesetzten Militärbehörden unterstützt und dringlich gemacht werden?

Oder ob man versucht, durch das Jugendamt etwas zu erreichen? Ach, _bitte_ helft mir doch, wieder frei zu kommen. Überlegt, was Ihr tun könnt, sprecht auch mit Tante Maria! Hoffentlich erreicht Euch dieser Brief. An Ernst viele Grüße. Dir, meine Lore, Dank und alles Liebe und Gute und eine innige Umarmung!

Deine Lilli

Lilli baute ganz auf Lores Hilfe und glaubte, daß sich ihre Schwägerin nun der Kinder angenommen hätte. Tatsächlich aber war Lore über den Tod ihres Mannes und ihres Sohnes beim Bombenangriff auf Essen immer noch völlig verzweifelt. Ihr fehlte jede Kraft für die ihr von Lilli angetragene Verantwortung; ruhelos reiste sie in diesen Wochen durch das Land, um eine neue Bleibe zu finden. Erst Monate später erkannte Lilli, daß Lore ihr und ihren Kindern kaum helfen konnte.

»Hänschen hat Angst«
Der Luftkrieg rückt näher

Im Herbst 1943 eskalierte der Luftkrieg über Deutschland erneut. Alliierte Bombergeschwader flogen Angriffe auf die Industriezentren im gesamten Reichsgebiet. Viele Maschinen durchquerten dabei den Luftraum über Kassel, fast täglich kam Gerhards Luftabwehrbatterie in Obervellmar zum Einsatz. Und in Kassel heulten ständig die Sirenen.

Lilli selbst hatte noch einen Luftschutzkoffer mit den wichtigsten Habseligkeiten gepackt. Den mußten die Kinder nun an manchen Tagen gleich mehrmals in den Keller schleppen. Johannas Brief vom 18. Oktober:

Mein goldiges Muttilein!
Es ist halb 10 Uhr. Eigentlich wollte ich eher schreiben, aber gegen die höheren Mächte komme ich nicht an. Um halb 9 Uhr hatten wir wieder mal Alarm. Mal wieder, denn um 4 Uhr schon einmal. Aber beide Male ist man gnädig an uns vorübergegangen. Weißt Du, Mutterle, wenn es Alarm gibt, wir haben schon solch eine Übung darin. Es geht ruckzuck, und wir sind die ersten fast immer im Keller. Heute abend bin ich nochmal raufgegangen zu Kunzes. Die vier, mit denen dauert das immer etwas länger. Da hab ich der Pipa Schuheanziehen geholfen, noch Bettzeug runterzutragen. Weißt Du, Mamale, ich habe mich entschlossen, die Geige mit runterzunehmen und mein liebes Zwitscherlein Hänschen oben zu lassen. Ich

kann nur eins tragen, weil ich doch noch eine Luftschutz-
tasche nehmen muß.

Mein Hänschen nehme ich von der Wand, dann ist er
doch auf dem Fußboden jedenfalls vor dem ärgsten Luftdruck geschützt. Wenn Du mal schreibst ... äußere Dich
bitte mal darüber, wie Du das findest. Ich bin mir selbst
nicht recht klar. Das Tierchen lebt doch, spürt und hat
Angst. Die Geige ist aber auch so eine Sache. Sie ist mir
auch sehr lieb. Na, ich will noch mal Vati fragen.

Morgen haben wir Vertretung, für Musik haben wir
Turnen. Das läßt man sich gefallen. Tante Lore strickt mir
jetzt den blauen Pullover fertig. Da bin ich froh.

Für Ille ribbeln wir den roten Pullover – ich glaube er ist
noch von Tante Hansel – auf. Das macht mir viel Spaß.

Ich habe einen schönen Schnupfen, also darauf auch
einen schönen Durst. Es ist gräßlich, ewig muß man Wasser trinken.

Aber was anderes ist viel schöner. Wir haben die Jahns
nicht mehr in Erdkunde und Geschichte, nur noch in
Mathematik und Biologie. Wir haben geschlossen auf dem
Schulhof einen Freudentanz vollführt. Die Kleinen haben
uns ganz doof angeguckt. Die meinten, wir wären irre.
Aber unsere Freude war unsagbar. Na ja, einmal mußte
das ja aufhören, nämlich in 4 Fächern die Doofe. Wir
haben am Samstag einen neuen Stundenplan bekommen.

Ich habe etwas Speck geschenkt bekommen. Das schik-
ken wir Dir heute. Schreib uns dann bitte, ob Du ihn
bekommen hast und ob es Dir recht ist. Ille backt gerade
noch einen Kuchen. Deswegen schreibt sie heute abend
nicht lang. Nun, mein allerbestes und geliebtes Mutterlein,
Schluß!

Es grüßt und küßt Dich 100000000000000 mal Dein
Dich liebendes Hannelekind

Und noch ein Nachtrag von Ilse:

Liebes gutes Muttiherzchen!
Eben bin ich mit meinem Kuchen fertig. Hoffentlich
schmeckt Dir auch meine Bäckerei. Dann kam auch noch
Alarm dazwischen. Wir haben jetzt darin Übung. In zwei
Minuten sind wir unten, wenn wir angezogen sind. In
fünf Minuten sind wir unten, wenn wir schlafen. Einen
lieben Gruß von Deiner fortwährend an Dich denkenden
Ilsemaus.

Auch zwei Monate nach dem Umzug hatte Eva in der Großstadt Kassel noch nicht Fuß gefaßt. Inzwischen fuhr sie wieder täglich nach Immenhausen, entweder vor oder nach der
Schule. Am 19. Oktober schickte die Zehnjährige ihrer Mutter
einen ausführlichen Bericht:

Liebes, gutes feines Muttilein,
wie geht es Dir? Hoffentlich gut. Jetzt, die ganze Woche bin
ich nach Immenhausen gefahren. Am Sonntag hat mir die
Frau Rösch Kuchen mit nach Kassel gegeben. Ich hab' an
einem Nachmittag bei Röschen geholfen. Die Kühe habe
ich getränkt, Runkelblätter abgeladen, Kühe gefüttert und
die Kannen von der Verkaufmilch gespült und rausgetra-
gen und auf den Milchwagen geladen.
Mutti, stell' Dir mal vor, wir haben jetzt auch nach-
mittags Schule. Diese Woche habe ich die erste Woche
Nachmittagschule.
Heute bin ich um 9 Uhr 17 nach Immenhausen gefah-
ren. Erst bin ich zu der Tante Rita gegangen und habe sie
besucht. Dann bin ich die Hohenkircherstraße rauf gegan-
gen und habe Friedchen Rösch mit dem Milchwagen ab-
geholt. Bei Kersting haben wir halten müssen, denn wir

mußten Milchkannen abladen. Als wir bei Röschen
waren, haben wir die Kannen mit der Verkaufsmilch rein-
getragen. Dann haben wir die Pferde gefüttert und das
ganz kleine Fohlen. Jetzt kann das kleine Fohlen wieder
richtig laufen. Dann haben wir Runkeln aus dem Keller
geholt, sie gemahlen und dann im Korb in den Pferdestall
getragen. Holz haben wir dann auch noch geholt. Die
Hedwig und ich haben Kartoffeln aus dem Keller geholt
und sie geschält für die Erbsensuppe.

Der Herr Rösch pumpte Jauche in das Jauchefaß, und
das Friedchen war im Pferdestall und putzte ihre lieben
Pferde ...

Dann hat die Frau Rösch mich gerufen, ich sollte mit
ihnen Mittagessen, und das habe ich auch getan. Dann
bin ich noch zu Hirdes gegangen und habe guten Tag
gesagt.

Viele, liebe, tausend, Millionen Grüße und Küsse, von
Eva

Auch Ilse und Dorle waren an diesem Tag in Immenhausen.
Immer noch standen einige mit Kinderkleidern gefüllte
Schränke im alten Wohnhaus. Ilse wollte einige Wintersa-
chen nach Kassel holen. Ihr Brief vom selben Abend:

Mein liebes, gutes Muttilein!
Jetzt sind es schon sieben lange, schwere Wochen für uns
beide. Oh, hoffentlich darfst Du uns bald wiedersehen. Ich
halte es oft vor Kummer nicht aus. Dann liegt es wie ein
Zentnerstein auf mir, und ich kann einfach an nichts
anderes denken. Oh, wenn es doch bald ein Ende nähme!!!

Gestern Vormittag waren Dorle und ich bei Brandau.
Die Einlagen waren natürlich nicht fertig zum Anprobie-
ren. Dann haben wir bei Dietrichs Dorles Kleid abgeholt.

Es ist aus roter Wolle (Kübler). Vorne ist es mit weiß gezogen, und es ist mit blau gestickt. Auch ist eine kleine weiße Schleife dran. Dann habe ich noch $16^1/_2$ Pfund Mehl auf unsere Karten gekauft, denn in der 55. Zuteilungsperiode, in der wir gerade sind, gibt es sehr, sehr viel Weißbrot, für jeden 1400 Gramm zusätzlich.

Wir waren heute alle Mann wieder – außer Hannele, aber mit Dorle – in Immenhausen. Dorle hat sich furchtbar im Zug gefreut. Dann haben wir in Immenhausen aus dem Kampferschrank unsere Wintermäntel, Marilis ihren Pelzmantel, Tante Lores schwarzen Mantel, Hanneles Muff, meine Pelzkappe und das alte rote Kleid geholt ...

Als wir dann heute Mittag schwer bepackt heimkamen, hab ich Dorle ins Bett gebracht, dann noch schnell meine Franz-Sätze eingeschrieben und bin dann auf die letzte Minute in die Penne gesaust ... In Biologie haben wir gestern mit der Zellenlehre begonnen. Das ist rasend interessant. Wie schön wäre es, wenn wir beide uns jetzt ein bißchen darüber unterhalten könnten und wenn Du mir etwas erzählen würdest. In Deutsch müssen wir eine Unmenge tun. 1. »Räuber« lesen. 2. »Morgengedicht« lernen. 3. Aufsatz: Die deutsche Treu in Lessings Minna von Barnhelm, und 4. »Die Abstammung der deutschen Wortfamilie«. Das ist doch allerhand.

Gestern abend, als ich fort wollte zur Klavierstunde, hat die Dorle so furchtbar geschrien, sie hat sich an mein Kleid gehängt, ich sollte nicht fort. Die Dorle hängt, seitdem Du fort bist, so sehr an mir. Jedesmal, wenn ich fortgehe, gibt es Geschrei ...

Herr Zschiegner will, daß ich keinen Unterricht mehr bei ihm habe. Denn abends um 7 Uhr, wenn es so dunkel ist, daß man kaum die Hand vor Augen sieht, das geht

doch nicht. Und auch er meint, so ein »kleines Mädchen«
könne doch auch unterwegs angehalten werden. Es ist aber
wirklich so. Als ich bei Herrn Zschiegner zur Haustür raus
bin, sehe ich nichts. Ich habe bestimmt fünf Minuten
gebraucht, um von der Haustür bis zur Gartentür zu
kommen. Ich habe mit Händen und Füßen getastet nach
den zwei Stufen vor der Gartentür. Und ich bin zwanzig
Minuten getastet, bis ich heimkam. Ich soll auch zu der
Lehrerin, bei der Eva Klavierstunde bekommen soll. Ganz
abgeneigt bin ich nicht. Denn es ist ja nicht gerade an-
genehm, immer durch die Dunkelheit abends zu gehen.
Schreib doch bitte, was Du dazu meinst. Solange bis ich
Antwort habe, gehe ich hin.

Unsere Wohnzimmer-Uhr hängt jetzt im Gang, und es
sind immer vertraute Töne, wenn sie schlägt. Sie geht sehr
genau. Nun, mein gutes Muttileinle, strengt es Dich denn
nicht zuviel an? Bist Du schön vorsichtig? Schläfst Du
auch? Bekommst Du auch alle unsere Päckchen? Ist noch
keines abhanden gekommen? Nun sei Du recht, recht
innig gegrüßt und geküßt und fest liebgehalten von Deiner

Ilsemaus.

Wegen der fortwährenden Luftangriffe mußten nachts sämtliche Fenster und Lichtquellen abgedunkelt werden. Deswegen also konnte Ilse schon am frühen Abend vor der Haustür
des Klavierlehrers so gut wie nichts mehr sehen.

Nun, da die Tage kürzer wurden, verdüsterte sich die Stimmung der Mädchen noch mehr. Dazu ein Erlebnis von Johanna, aus einem Brief an Lilli vom 21. Oktober:

Wie geht es Dir? Ich muß soviel an Dich denken. Heute, als
es schellte und ich durch die Haustür sah, dachte ich,
Mutti, Du ständest vor der Tür. Mir war ein so seltsames

*Gefühl wie noch nie. Aber die Enttäuschung, als Du es
nicht warst! Es war Frau Kunz.*

An diesem Donnerstag, dem 21. Oktober 1943, setzte sich
auch Ilse ein letztes Mal in der Kasseler Wohnung an ihren
Schreibtisch, um der Mutter in Breitenau zu schreiben. In den
vergangenen Wochen hatte ein Alarm den nächsten gejagt.
Bei einem Bombenangriff, wahrscheinlich schon am 3. Oktober, hatte die Druckwelle ein kleines Fenster zerstört. Auch in
den kommenden Stunden sollten noch mehrmals die Sirenen
heulen:

Mein allerbestes, gutes Muttilein!
*Diese Woche habe ich besonders viel an Dich gedacht. Oh,
ich bin freudig und traurig zugleich. Oh, es drückt wieder
so furchtbar heute früh auf mir. Als wenn etwas furchtbar
Schweres mein Herz abdrücken wollte. Alle schlafen noch,
ich kann nicht mehr schlafen. Nur Julie steht gerade auf
und fängt an, Zimmer zu putzen.*
*Du machst Dir vielleicht Sorgen um die Eßzimmer-
möbel, denen ist gar nichts passiert. Das Oberlicht ist doch
nur durch den Luftdruck entzweigegangen. Kein Splitter.
Bald bekommen wir es gemacht ...*
*Am Mittwoch früh war ich mit Dorle wieder bei Bran-
dau, wegen der Einlagen für ihre Senkfüßchen. Dorles
Zöpfe sind schon gewachsen, und Dorle fragt auch oft:
»Wann kommt Mutti?« Gerhard kommt heute nachmittag bis morgen früh.*
*Oh, wenn doch Du nur dabei sein könntest. Muttilein,
tröste Dich mit mir. Du bist wahrscheinlich auch ganz
elend vor Heimweh nach uns. Und ich bin ganz elend vor
Heimweh nach Dir. So wollen wir beide uns doch mit dem
Gedanken trösten, daß alles, alles bald wieder gut werden*

muß. Oh Muttiherz, ich versuche auf die verschiedensten Arten uns zu trösten, aber ich kann es ja doch nicht.

Nachher gehe ich zu Tante Maria. Die arbeitet nicht, denn sie ist nicht ganz gesund. Sie sorgt sehr für uns alle. Nachher muß ich die Wäsche noch forträumen. Dann muß für Gerhard das Bett noch gemacht werden. Schulaufgaben muß ich auch noch einige machen. Nun sei Du recht lieb gehalten und unzählige Mal gegrüßt von Deiner fortwährend an Dich denkenden Ilsemaus.

»Ein Lauf fürs Leben«
Der Bombenangriff vom 22. Oktober 1943

Am Abend des 22. Oktober, einem Freitag, flogen mehr als 500 britische Bombenflugzeuge auf Kassel zu. Die Stadt, so hatte Luftmarschall Arthur Harris entschieden, sollte endgültig zerstört werden. Die angreifenden Flugzeuge waren frühzeitig geortet worden, die deutschen Luftabwehrbatterien alarmiert. Nach dem Ausklingen der Sirenen herrschte in der Stadt gespenstische Ruhe.

Im Keller des Hauses in der Motzstraße 3 saßen seit etwa 20.30 Uhr sämtliche Bewohner, darunter Ilse, Johanna, Eva und Dorothea, außerdem Gerhard, der noch einen Tag Urlaub hatte, sowie Rita, die bei den Kindern übernachten sollte.

Dann erschienen die britischen Flugzeuge. Weder Abfangjäger noch Flak-Kanonen hatten der gewaltigen Luftstreitmacht den Weg versperren können. Zwischen 20.55 Uhr und 21.11 Uhr wurde Kassel in vier Angriffswellen bombardiert. Insgesamt wurden mehr als 400 000 Brand- und Sprengbomben abgeworfen. Zwischen 22 und 24 Uhr erreichte der Feuersturm in der Innenstadt seinen Höhepunkt. Ganze Straßenzüge verwandelten sich in eine Flammenhölle. Etwa 10 000 Menschen verbrannten, erstickten oder wurden durch zusammenfallende Gebäude erschlagen.

Auch in den Dachstuhl des Hauses in der Motzstraße 3 fielen Brandbomben. Die Bewohner versuchten noch, das Feuer zu bekämpfen, doch vergeblich, das Haus brannte vollkommen aus. Der Luftschutzkeller mußte geräumt werden.

In Breitenau war der Feuerschein über Kassel beobachtet worden. Tagelang wußte Lilli nicht, ob ihre Kinder den Angriff überlebt hatten. Erst am 24. Oktober meldete sich Ilse wieder, und zwar aus Immenhausen:

Mein herzallerliebstes gutes Muttilein!
Hoffentlich hast Du den Angriff auch gut überstanden!
Unser Häuslein ist durch Phosphor leider, leider von A–Z
ausgebrannt. Gerhard war gerade auf Urlaub, und er und
einige Leute aus dem Hause haben versucht, noch zu
löschen, aber es war unmöglich. Unser Keller hat Stand
gehalten, aber wir mußten bald raus, denn die Luft wurde
zu rauchig. Unser Haus brannte lichterloh. Die Häuser
rechts und links neben uns waren schon eingestürzt. Die
einfachen, schwach gebauten Häuser, die gegenüber von
uns standen, brannten bis zum Himmel. Die ganze Kron-
prinzenstraße stand hellauf in Flammen. Ein wahnsinni-
ger Funkenregen umgab uns. Hannele und Eva trugen die
Decken und Koffer. Tante Rita Dorles Kissen, und ich unser
teuerstes Gut, unser Dorle. Dieser Lauf durch Feuer und
Hitze war ein Lauf fürs Leben durch den Tod.
Dann kamen wir in den Museums-Bunker, Ecke Kron-
prinzenstraße / Kölnische Straße. Dort waren wir bis mor-
gens 11.00 Uhr. Dann mußte der Bunker geräumt werden,
denn die Luft war alle. Da sind wir zur Stadthalle. Dort
gab es dicke Butterbrote, von dort sollten Autobusse nach
Immenhausen fahren. Nein, wir mußten zur Wittich-
kaserne mit Sack und Pack tippeln. Dort gab es Suppe, und
wir haben geschlafen. Von da fuhr auch kein Autobus. Da
sind wir zum Wilhelmshöher Bahnhof. Da gab es Äpfel,
und von dort hat uns ein Auto mit bis nach Kassel reinge-
nommen. Dann bekamen wir nach unendlicher Müh und
Not ein Auto, und kommen endlich in Dunkelheit hier an.

*Liebe Mutti, Du kannst ja leider nur alle 4 Wochen
schreiben, aber wir freuen uns wirklich sehr, auch wenn es
nicht öfter sein kann. Nun, morgen wollen wir uns um
Bezugsscheine schlagen ... Mach es gut, laß Dich recht
herzlich grüßen. Vati ist gesund. Schlaf gut. Und einen
festen Kuß. Sei nicht so traurig wegen unserer Sachen,
Deine Dich nie vergessende Ilsemaus.*

Auch Johanna erzählte ihrer Mutter am 24. Oktober von der
Bombennacht:

*Mein liebes, gutes Muttilein,
Jetzt sind wir hier in Immenhausen. Ach, Muttilein, es ist
gut, daß es so abgegangen ist. Ich kann mir nicht vorstellen, daß alle unseren schönen Sachen weg sein sollen. Aber
wir müssen uns fügen.
    Tante Lore und Marilis haben mir schon ein Nachthemd
und ein Blüschen, das Marilis zu klein war, geschenkt.
Einen hellblauen Pulli hab ich von Tante Rita bekommen.
    Ich hatte das Röckchen mit der weißen Bluse an, weißt
Du, den Dirndlrock. Eva hatte ihr grünkariertes Wollkleid
an, Ille hatte ihr blaues Strickkleid an. Das Dorle hatte nur
Unterwäsche an. Das Kleidchen hat sie gleich von Tante
Rita bekommen. Also die ist auch versorgt. Alle hatten
ihre warmen Wintermäntel an.
    Hier in Immenhausen geht es ganz gut. Es ist zwar ein
bißchen voll hier, aber um so schöner. Ich werde morgen,
also Montag, nach Hümme fahren, weil ich mich hier doch
so langweile. Die Schule ist vollständig futsch, beide
Gebäude. Evas Schule auch. Die ganze Kaserne in der
Westendstraße ist ein Trümmerhaufen. Ich hoffe, daß ich
in Hümme noch ein paar alte Sachen von Heidi bekomme.
    Mutterle, reg Dich bitte nicht auf. Es ist eben so gekom-*

men, und schlimm ist es auch nicht. Vati geht es gut, Tante
Rita ist heute zu ihm gefahren. Herrn Dr. Schupmanns
Eltern sind auch beschädigt. Sie konnten ihre Sachen
retten ...

Es ist ein gräßlicher Anblick. Aber die Organisation war
gut. In der Stadthalle bekamen wir dicke Butterbrote und
rohe Milch und Bonbons. Der Gerhard war soo tüchtig.
Mit der Inge Gaugler aus dem 1. Stock hat er versucht,
unsere Wohnung zu löschen. Nachher, als wir aus dem
Keller raus sind, wegen etwas Qualm und Rauch, in den
Bunker, kam Gerhard und war ganz schwarz und schmut-
zig. Er half überall löschen. So mein liebes gutes Mutti-
lein, mach Dir keine Sorge.

Es grüßt und küßt Dich 100000000mal Deine liebe
Hannele

Da Lillis Kinder beim Angriff auf Kassel nahezu alles verloren
hatten, mußte nun Ersatz her. Die Mangelwirtschaft des Krieges komplizierte die Beschaffung von Kleidung, Mobiliar oder
Nahrungsmitteln jedoch erheblich. Bei jedem Kauf mußten
Lebensmittelkarten oder Bezugsscheine für die gewünschten
Waren vorgelegt werden. Diese Bescheinigungen wollte Ilse
besorgen. In einem langen Brief, verfaßt am 26. und 27. Oktober, berichtete sie ihrer Mutter von den ersten Tagen nach
dem Angriff:

Mein herzallerliebstes Muttilein!
Oh, nun hab ich Dir so furchtbar viel zu erzählen. Aber da
das nun nicht geht, schreibe ich Dir.

Am Montag, gestern, sind Marilis und ich nach Kassel,
um eventuell Bezugsscheine zu erlangen. Der Zug fuhr
nur bis Obervellmar, da sind wir über Obervellmar,
Niedervellmar nach Kassel reingelaufen. Vom Anfang

*der Holländischen Straße bis rauf zum Hindenburgplatz
habe ich kein ganzes Haus gesehen. Wir sind so gelaufen:
Holländische Straße, Königstraße, Hedwigstraße, Mauerstraße, Postamt, Königsplatz. Von dort mußten wir
schnellstens zurück zur Mauerstraße. Denn ein Blind-
gänger, der mitten auf dem Königsplatz lag, mußte jeden
Augenblick in die Luft fliegen.*

*Da sind wir so weitergegangen: Bahnhofstraße, Kur-
fürstenstraße, Ständeplatz, Hohenzollernstraße, Kronprinzenstraße, Motzstraße, Mietskaserne, Luisenstraße,
Hindenburgplatz, Stadthalle, Harleshäuserbahnhof und
heim. Kein ganzes Geschäft existiert mehr. Kassel ist nicht
mehr da. Wirklich, ohne zu übertreiben. An allen Straßen,
die ich aufgezählt habe, sind ebenfalls die Nebenstraßen
Trümmerhaufen. Du kannst vom Königsplatz nach Bettenhausen sehen. Die ganze Altstadt ist verbrannt. Menschen sind leider, leider Zehntausende verlorengegangen.
Mutti, Du weißt oft vor Trümmern nicht, wo Du dich
befindest. An Giselas Haus, was natürlich auch bis unten
hin ausgebrannt ist, steht angeschrieben, daß Stephans
nach Nienhagen wären. Von Toten, die mit uns bekannt
sind, habe ich noch nichts gehört.*

*In Kassel kann man nichts mehr kaufen. Die Randbe-
zirke, die Vororte stehen noch. Aber die ganze Innenstadt
und Altstadt ist ein großer Schutthaufen.*

*Von unserer Ortsgruppe, die auch in einen Bunker
verlegt ist, habe ich eine Bescheinigung, daß wir »total«
bombengeschädigt sind. Von dort aus mußten wir in die
Bürgerschule in der Herkulesstraße, um dort eventuell
Bezugsscheine zu erlangen. Vor dem Eingang standen
einige hundert Menschen. Wir haben uns vorgeschmug-
gelt, und als nach langer, langer Zeit die Stunde geschlagen
hatte, daß wir drankommen sollten, ging es los. Zuerst*

bekam ich eine rote Bombenkarte. In einem Zimmer. Im nächsten Raum gab es einen Ausweis, daß wir aus Kassel rauszögen. Im letzten Zimmer gab es neue Milchkarten, weil die alten verbrannt waren. Reisemarken für die Karten, wo Bestellscheine abgeschnitten waren, und zu guter Letzt eine Bescheinigung, daß wir mit den Lebensmitteln abgemeldet seien. Bezugsscheine gäbe es an dem Ort, wo man hinzöge.

Anschließend sind wir zu Tante Maria gegangen. Dort oben an der Stadthalle steht noch alles. Aber Tante Maria ist nicht dagewesen. Von dort aus sind wir in die Stadthalle, um etwas zu essen. Da gab es eine gute Erbsensuppe mit viel, viel Fleisch drin. Dann sind wir nach Harleshausen gelaufen und von da aus mit dem Zug nach Obervellmar gefahren. Dort sind wir zum Gerhard gegangen, um nach ihm zu gucken, wie es mit seinen Augen stände. Ihm geht es wieder gut, und er kann auch wieder ordentlich sehen. Als wir zur Bahn kommen, sind die Züge so voll, daß wir nicht mehr mitkommen.

Da liefen wir bis Mönchehof. Dort konnten wir nicht mehr. Da haben wir Tante Rita angerufen, und die hat uns mit dem Auto abgeholt. Als ich nach Immenhausen kam, bin ich nur so ins Bett gefallen.

Am nächsten Morgen bin ich um 8 Uhr aufgestanden, hab mein teuerstes Gut angezogen. Hab Kaffee getrunken. Bin mit allen meinen Kindern zu Armbrust und Vati. Da haben wir alle ein Paar Schuhe bekommen. Eva ein Paar gute schwarze Halbschuhe mit Ledersohle. Hannele ein Paar braune Bindeschuhe, recht nett verziert. Ilse ein Paar sehr, sehr hübsche braune Schnürschuhe, ganz einfach, aber doch hübsch.

Von da ging es weiter, um Bezugsscheine zu erlangen. Auf dem Rathaus kriegten wir den freundlichen Bescheid,

die Bezugsscheine müßten in Hofgeismar auf dem Wirt-
schaftsamt geholt werden ...

Heute früh mußte ich ganz früh die Eva wecken, denn
die Eva wollte mit dem Milchwagen fahren. Nach dem
Kaffee, der leider immer erst sehr spät stattfindet, habe
ich ... mit Dorle und Tante Lore ein Kleid für Dorle zuge-
schnitten. Das Kleid wird mit einer bunten Passe genäht,
und der eigentliche Stoff ist blau. Danach bin ich noch
einmal in die Küche und habe dort geholfen. Zu Mittag gab
es Nudelsuppe, Kartoffeln, Gemüse und Leberwurst aus
einer Büchse ...

Eine Ordnung herrscht hier im Haus, das ist einfach
großartig. Wo Du hinguckst, fliegt was rum. Magda heult
und quärrt den ganzen Tag. Rita hat ein recht nettes Haus-
mädchen, die Gerda, die ist fürchterlich nett. Vor allem ist
das Mädel sehr, sehr ordentlich. Tante Rita kümmert sich
nicht im geringsten um ihren Haushalt, und Ahnung hat
sie vom Kochen gar nicht. Von 2 Tomaten sollten wir
Tomatensuppe kochen!!!

Der Schluß des Briefes ist nicht erhalten.

Das von Ilse beklagte Chaos in Immenhausen war freilich
nicht nur Ritas Schuld. Nach der Flucht der Kinder aus Kassel
fehlte es schlicht an Platz. Nun wohnten bis zu zwölf Personen
in dem nicht eben großen Siedlungshaus in der Gartenstraße:
Ilse und ihre drei Schwestern in zwei winzigen Zimmern und
einer fensterlosen Kammer unter dem Dach; daneben, in Gerhards Zimmer, logierte Dr. Schupmann, Ernsts Vertreter. Rita
und Magda wohnten im ersten Stock. Tante Lore und Cousine
Marilis schliefen auf den Sofas im Wohn- und Bücherzimmer
im Erdgeschoß. Auch das Hausmädchen Gerda mußte noch
irgendwo untergebracht werden. Und richtig eng wurde es,
wenn Ernst und Gerhard auf Urlaub nach Hause kamen.

An eine Rückkehr der Kinder nach Kassel war nicht zu denken. Das aus Beton errichtete Haus in der Motzstraße stand zwar noch, war aber völlig ausgebrannt. Lillis Konzertflügel war nur noch ein großer Klumpen aus geschmolzenem Metall und verschmortem Holz.

Nachdem sich Rauch und Qualm in der Innenstadt gelegt hatten, machten sich die Überlebenden auf die Suche nach brauchbaren Resten in den Trümmern ihrer Häuser. Auch aus Immenhausen wurden mehrere kleine Expeditionen nach Kassel gestartet, um die wenigen nicht verbrannten Gegenstände aus der Motzstraße zu bergen. Johanna notierte am 27. Oktober:

Tante Rita war heute in unserer alten Wohnung. Gerhard war vorher schon da gewesen und hat in der Küche aus dem Schutt ein paar Töpfe rausgebuddelt und eine Tasse und ein Schüsselchen. Das hat Tante Rita nachher mitgenommen und die Brotmaschine auch, aber die muß man erst in Stand setzen. Eine Pfanne hat sie auch mitgenommen, und über Dorles Bettchen hing noch das kleine ausgeschnitzte Zwerglein, das war noch da. Das hat Gerhard dem Dorlekind mitgenommen. In unserem Zimmer standen noch die Bettgestelle, aber leer natürlich, ganz verbogen und verkrümmt, sonst nur Schutthäufchen. Von meinem lieben Hänschen ist keine Spur mehr zu sehen.

Zwei Tage später meldete Johanna ihrer Mutter eine weitere Suchaktion: »Mit Hacke und Spaten« seien in der Motzstraße ein großer Wasserkessel und mehrere Kochtöpfe ausgegraben worden. Zuletzt habe man in Evas Zimmer sogar noch zwei kleine Bilder gefunden, darunter ein Rubensköpfchen.

Seit dem verheerenden Angriff hatten die Mädchen nun schon diverse Briefe geschrieben, doch Lilli reagierte nicht.

Die Kinder fürchteten erneut um ihre Mutter: War Breitenau ebenfalls von Bomben getroffen worden? Oder waren nur die Postverbindungen unterbrochen? Johanna schrieb unverdrossen weiter, so auch am 4. November 1943:

Mein über alles geliebtes Goldmuttileinchen!
Was hab ich eine solche Sehnsucht nach Dir. Ob Du wohl unsere Briefe von nach dem Angriff erhalten hast? In der ersten Zeit sicher nicht. Da will ich Dir mal richtig erzählen. Jetzt hab ich Zeit und Ruhe, denn das Dorle und Magda schlafen.
    Du wirst sicher gehört haben, daß es um 8.20 Uhr Alarm gab. Das Radio war schon zehn Minuten vorher ausgegangen. Da hatten wir alle unsere Sachen fertig. Marilis flitzte in den Bunker, und wir trabten runter. Ich las, Ille und Dorle legten sich auf das Sofa, und Gerhard und Eva standen vor der Haustür und besahen sich die Scheinwerfer! Fünf Minuten nach dem Alarm kam Tante Rita an von dem Zug in den Keller. Fünf Minuten später schoß die Flak. Hui, da hättest Du mal unsere zwei sehen sollen. Wie der Blitz waren sie unten. Als man die Bomben einschlagen hörte, wurde es lebendig im Keller. Mund und Nasenschützer naß gemacht, die Durchbrüche wurden geprüft, und dann war es wieder still innen, aber außen immer laute, dumpfe Einschläge. Jedesmal ein Luftdruck, der ein ganz beklemmendes Gefühl aufkommen ließ.
    Plötzlich wurde es ernst. Ein gräßlich lauter Schlag. Die Tür flog auf, große Staubwolken wälzten sich heran, das Licht ging aus, und ungefähr so paar Sekunden keine Luft durch den Druck. Nach sekundenlanger Stille riefen die Leute, es solle doch mal jemand nachsehen, ob wir verschüttet wären. Gerhard und ein junges Mädchen von

18 Jahren gingen rauf, kamen gleich wieder runter, weil sie wegen des Qualms nicht atmen konnten. Sie haben gesagt, verschüttet sind wir nicht, aber in 9 ist eine Sprengbombe rein. Draußen brennt es lichterloh. Da machten sich die Leute fertig, um rauf auf unser Dach zu gehen.

Nach einer Weile kam Gerhard und sagte: »Schnell, schnell wir brauchen Leute, auf unserem Dach brennt es.« Nun bekamen wir aber doch einen großen Schrecken. Nach einer Weile hörte es auf zu schießen. Gott sei Dank!, dachten alle. Aber da kam Gerhard zu uns und sprach: »Wir brauchen Leute. In jedem Stockwerk zwei Mann, die müssen aufpassen, daß keine Funken Feuer fassen.«

Der Angriff schien vorüber zu sein. Aber wenn man aus den Luftlöchern raussah, sah man nur eine glutrote Farbe ganz gleichmäßig. Ein unerträglicher Qualm drang durch alle Ritzen, wenn man die Augen öffnete, biß der Qualm gräßlich. Das Dorle war ganz still und lieb. Dann kam ein Mann und sagte: »Kommen Sie alle mit in den Bunker der Kronprinzenstraße.« Kann man denn durch?, fragten alle. »Ja, ja, es geht.«

Nun ging es raus, Ille die Dorle, Eva und ich den schweren Luftschutzkoffer, Tante Rita zwei Taschen. Auf der Treppe war es unerträglich mit dem Qualm. Draußen flogen in hellen Scharen die Funken herum. Aus den Fenstern schlugen himmelhoch die Flammen. Es war sehr heiß und taghell, obwohl es erst 11 Uhr war. Nur vorwärts. Unter Achen und Krachen kamen wir dann alle völlig erschöpft in dem Bunker an. Auf einem Museumssofa ließen wir uns dann ohne weiteres nieder. Ab und zu schliefen wir. Und dann kam ein paarmal Gerhard und sagte: »Bei uns kann man schöne Bratäpfel essen.« Da wußten wir, daß es brannte. Am Morgen um 7 Uhr ist Tante Rita nochmal in den Keller und hat meine Geige geholt und

Kunzes einen Koffer. Also unter sehr großen Umständen
sind wir dann in Immenhausen um 7 Uhr abends gewesen.

Mein liebes armes Hänschen ist sicher verbrannt oder
von der Hitze gestorben. Die Schule ist futsch, Evas und
unsere, Gerhards, der Kaufhof, das Rathaus, das Theater,
die Murhard-Bibliothek, das Waizsche Haus am Opern-
platz ...

Nach Hofgeismar in die Schule gehen wir, vorgemerkt
hat man uns. Also abwarten. Die ist schon wahnsinnig
überfüllt. 60 Kinder in einer Klasse, drei Parallelen, abwar-
ten ... Ich will schließen. Es wünscht Dir alles Liebe und
Gute mit vielen, lieben und innigen Grüßchen und Küß-
chen

> *Dein Hannelekind.*
> *Mut und Hoffnung!*

Anfang November schrieb schließlich auch Lilli wieder an
ihre Kinder; bis dahin hatte sie keine Möglichkeit gefunden,
einen Brief aus dem Lager hinauszuschleusen. Nach all dem,
was in Kassel geschehen war, wollte sie keinen Tag länger in
Breitenau bleiben: Sie mußte einfach raus aus dem Lager, sie
mußte bei ihren Kindern sein.

Der Brief an die Kinder – er traf wahrscheinlich erst Mitte
November in Immenhausen ein – ist nicht mehr erhalten,
wohl aber eine beigelegte, nicht datierte Nachricht an Ernst.
Geschrieben hatte Lilli wieder auf braunem Packpapier; auf
der nicht beschrifteten halben Seite notierte sie »Vati«. Um
den Brief zu verschließen, benutzte sie Klebestreifen, die als
Verpackungsmaterial für Eu-Med-Schachteln dienen sollten.

Diese Streifen wiederum belegen nun auch, wo Lilli während ihrer Haft in Breitenau arbeiten mußte. Das Kopf-
schmerzmittel Eu-Med wurde ursprünglich von der Berliner
Firma Pflüger hergestellt. Nach der Zerstörung der Produk-

tionsanlagen im Bombenkrieg übernahm die Pharmafabrik Braun in Melsungen die Eu-med-Herstellung, und zwar im Zweigwerk Spangenberg. Möglicherweise wurde dort auch das Medikament Sanatogen mit solchen Banderolen verpackt, wie sie Lilli für den Brief vom 3. Oktober 1943 verwendete. Im Archiv der Firma Braun findet sich heute allerdings kein Beleg mehr für eine Produktion von Sanatogen.

Braun beschäftigte über Jahre hinweg Zwangsarbeiterinnen aus Breitenau. Fast alle Dokumente darüber sind nach dem Krieg vernichtet worden, Namenslisten existieren nicht mehr. Nur ein Schreiben des Landratsamtes in Melsungen vom November 1942, das dem Arbeitserziehungslager Breitenau die Bereitstellung von »ca. 30 Arbeitskräften« für die »chem. Fabrik B. Braun in Melsungen« bescheinigte, ist noch vorhanden.

Die Zwangsarbeiterinnen wurden jeweils morgens mit der Bahn herbeigeschafft und abends, nach zwölf langen Stunden, wieder zurückgebracht. Lilli verlor nur wenige Worte über die näheren Umstände ihrer Zwangsarbeit und nannte nie den Namen Braun. Sie erwähnte jedoch mehrfach, daß sie und ihre Leidensgenossinnen auf dem Weg zur Arbeit in Malsfeld den Zug verließen. Von dort waren es tatsächlich nur noch wenige Kilometer per Bahn oder Bus zur Braunschen Dependance in Spangenberg.

»Deine Arbeit ist ja sauber und nicht sehr schwer, das ist viel wert«, schrieb ihr die Nichte Marilis Mitte Oktober '43 – soviel jedenfalls konnte man aus Lillis Andeutungen entnehmen.

Einige illegale Briefe Lillis gelangten wahrscheinlich mit Hilfe der Braun-Mitarbeiter zur Post, vielleicht auch Lillis Hilferuf an Ernst:

Lieber Amadé,

ich möchte Dich selbst nochmals bitten, doch nichts unversucht zu lassen, um mich frei zu bekommen. Einen längeren Brief hab ich an Lore geschrieben, er ist Freitag abend (29. X.) in den Kasten gekommen, hoffentlich habt Ihr ihn erhalten, ich hab darin alle Momente geschrieben, die Du anführen kannst. Wenn Du ein Gesuch machen willst, so geht es an die Gestapo Berlin SW, Prinz Albrechtstr. 9. Wahrscheinlich wirst Du Dir beglaubigen lassen müssen, daß die Kinder und ich alles verloren haben, und wenn das Gesuch noch irgendwie befürwortet werden könnte – vielleicht von militärischer Seite – wäre es noch besser. Bitte hilf mir doch noch einmal!! Ihr ahnt nicht, was ich seelisch und sonst auch aushalte und durchmache, und doch ist es nichts gegen diese quälende Angst und Sorge, ob ich überhaupt wieder rauskomme.

Schreib Du mir doch auch einmal, was vorläufig mit den Kindern werden soll. Es kann Dir niemand verübeln, und die Post wird hier nur im Büro kontrolliert, nicht bei der Stapo. Aber bitte, erwähnt nie etwas von meinen Briefen. Ich hoffe, es geht Dir gut und Du fühlst Dich einigermaßen wohl. Grüße die Rita. An Dich denke ich oft, Amadé.

                                                                    Lilli

An Lore viele, viele liebe Grüße und auch an Marilis, die sicher schon fort ist.

»Muttilein, oft ist es schwer«
Die Kinder-Familie gründet einen eigenen Haushalt

Um Lillis Kinder wieder mit den nötigsten Kleidern zu versorgen, fuhr Rita zusammen mit Ilse Anfang November 1943 nach Frankenstein bei Breslau; Ritas Mutter unterhielt dort ein Haushaltswarengeschäft. Ilse schilderte die Ergebnisse dieser Reise am 7. November:

Mein allerbestes, liebstes Mutterle!
Heute sollst Du endlich einen Brief haben von Deiner Ilse.
Mußt nicht denken, ich würde Dich vergessen, aber aus
Frankenstein konnte ich Dir nicht schreiben. Und als ich
am Donnerstagabend endlich um 8 Uhr hier eintraf,
mußten wir auspacken. Und Freitag und Samstag gab es
eine solche Unmenge Arbeit, daß ich sie kaum bewältigen
konnte und noch kann.

Freitagnachmittag um 2 Uhr kam erst Tante Lore aus
Essen wieder. Sie war dort zu Allerheiligen, um zu ver-
suchen, für uns eine Wohnung zu organisieren. In ihrem
eigenen Haus ist eine Wohnung freigeworden, und so will
sie diese Wohnung als Tauschobjekt nehmen. Wir alle hof-
fen, daß wir bald eine Wohnung für uns alle bekommen.
Denn hier bei unserer lieben Tante Rita hat es auf die
Dauer keinen Zweck.

Sie war zwar sehr nett mit mir zusammen in Franken-
stein, aber jetzt hier in Immenhausen merkt man erst
wieder ihren gemeinen Charakter und Sinn. Zwischen uns

beiden kommt es sehr oft zu Reibereien, denn ich sage, was mir nicht paßt. Wenn ich alles sagen würde, was ich ungerecht finde, käme ich aus dem Schimpfen nicht mehr raus. Ich muß schon den ganzen Tag immer an mich halten, um nicht alle fünf Minuten eine Explosion loszulassen. Ich könnte Dir tausenderlei anführen, worüber es zu Explosionen kommt, aber das ist ja nicht der Mühe wert.

Mutterle, brauchst keine Sorge um mich haben in der Beziehung, denn meine Pflicht ist jetzt, die drei Kleinen zu versorgen und zu beschützen. Wenn den Kleinen etwas nicht paßt, kommen sie zu mir, und ich sage es dann der gnädigen Frau, und manchmal erreiche ich etwas, aber es kommt auch vor, daß sie ihren Dickkopf durchsetzt. In der Beziehung bin ich nicht mehr so still wie früher, oh, Du wirst Dich noch wundern, wenn Du wieder bei uns bist, wie kühn ich der Trine alles glatt ins Gesicht sage, was ich nicht recht finde, wenn sie so ungerecht ist. Ha, was meinste, was die schon alles von mir hat hören müssen, immer hab ich das letzte Wort behalten. Mein Grundsatz heißt: Du mußt die Kleinen hüten, wie vorher es Muttilein getan hat, und mußt acht geben, daß sie innerlich und äußerlich keine Sorgen haben, sondern ihnen alles selbst abnehmen. Und ich glaube auch, daß die Kleinen alle drei so sind, wie ich es haben will. Oh, Muttilein, oft ist es schwer. Mußt nicht denken, ich prahle, ich schreibe es nur Dir, daß Du weißt, daß einer gut für Deine drei Kleinen sorgt. (Frech bin ich nicht, das hat Tante Lore auch gesagt.)

Oft ist es schwer, sie zu trösten, wenn ich selber so traurig bin. Aber wenn ich meine ganze Kraft zusammennehme, geht es schon, denn es muß gehn, und schön ist es auch, wenn ich sie dann fünf Minuten später wieder rumtollen sehe und merke, sie sind wieder getröstet, und es war gut, daß du dich so zusammengenommen hast, denn nun

sind sie etwas erleichtert, die beiden. So wollen wir durch-
halten, bis Du wieder bei uns sein darfst. Um die Kleinen
brauchst Du wirklich keine Sorgen zu haben. Ihnen helfe
ich mit meiner ganzen Kraft und meinem ganzen Tun.

Mit der Kleidung geht es recht gut. Wir haben aus Fran-
kenstein und Breslau ordentlich viel und gut mitgebracht.
In Frankenstein ist es sehr, sehr schön. Das Geschäft von
Tante Ritas Mutter ist sehr groß und schön. Die Wohnung
ist auch ganz nett eingerichtet. Wir haben für alle vier
Kinder einmal Hemdchen und Schlüpfer bekommen. Alles
warme, angerauhte Sachen in weiß und rosa. Sehr gute
Qualitäten. Für Dorle, Eva, Hannele je noch einen
Schlüpfer und für Hannele noch ein weißes Wollhemd
extra, auf Punkte ...

Auf den folgenden zwei Seiten beschrieb Ilse detailliert alle
übrigen Kleidungsstücke, die sie aus Frankenstein mitgebracht hatte – und kam dann zum Schluß:

Ich hoffe, Du bist auch darüber befriedigt. (Ich bin es näm-
lich.) Die Post wird jetzt immer in Immenhausen geöff-
net. Warum, wissen wir nicht. (Von allen die Post an alle.)
Nun laß Dich so fest drücken und liebhalten, Dir einen
festen Kuß geben von Deiner Dich nie vergessenden Freun-
din Ilsekind.

Du darfst hoffentlich bald wieder bei uns sein!

Mit ihrem Hinweis auf die immer strengere Briefzensur
wollte Ilse die Mutter nur warnen. Lilli durfte nun nicht mehr
damit rechnen, daß ihre aus Breitenau herausgeschmuggelten
Briefe unbemerkt bleiben würden. Über kurz oder lang, so
war zu befürchten, könnte einer ihrer Briefe bei der Gestapo
landen.

Ilses Kleidertransport löste bei ihren Schwestern große Freude aus. Noch am selben Tag berichtete auch Johanna:

Mein allerliebstes Goldmuttilein!
Wie geht es Dir. Ach wie gerne würde ich jetzt bei Dir sein. Und Du bei uns. Bald kommt schon die Adventszeit. Oh, wie traurig ohne Dich Liebes. Aber es geht alles vorüber, es geht alles vorbei .... hoffentlich darfst Du bald wieder zu uns kommen.
Es ist Sonntag nachmittag, und ich glaube, alles denkt und schreibt an Dich, Gutes. Gerhard sitzt an Vatis Schreibtisch und schreibt, Ille sitzt beim Dorle und schreibt, und Hannele und Eva sitzen oben im früheren Mädchenzimmer und schreiben an Dich.
Ich habe aus Schlesien mitgebracht bekommen! Einen wunderschönen Stoff, kariert, von dem ich Dir noch eine Probe schicke. Unbedingt ein Stoff, den es kaum im Frieden besser gäbe, mit Angorawolle drin, echter Wollstoff. Er ist schon bei Frau Wittich, die ihn mir zu einem Kleid machen will. Das Kleid soll so werden, weißt Du Mutterle, die Ille hatte doch so ein braunkariertes Winterkleid mit Rollkragen, hinten geknöpft, eine Passe drunter gekräuselt, mit einem schrägen Rock. Es gefiel Dir doch ganz gut. Genauso wird mein Kleid auch gearbeitet. Gefällt es Dir wohl? ...
Oh, halt, das Beste hätte ich bald vergessen. Ein paar Pantoffeln, Mutti, Pantoffeln, so gute hatte ich nicht, ganz <u>*weiche, warme*</u>*, weißt Du, so karierte. Ach noch etwas: eine schöne helle Blümchenschürze, so aussehend. Jetzt zeichne ich Dir mal ungefähr etwas auf.*

Es folgt eine Zeichnung.

Bitte, Muttilein, Du weißt, daß ich nicht zeichnen kann,
lachen darfst Du, es aber keinem anderen zeigen. Wenn
das ein Fremder sieht, ich schäme mich halbtot. Aber Du
wirst schon entnehmen können ...

> *Gestern abend haben Ille und ich einen Kuchen gebak-*
ken, einen Rührkuchen. Heute hat mir der Vati geschrie-
ben. Da will ich auch wieder schreiben. Am Dienstag
kommt Vati auf Urlaub. Gerhard hat Wochenendurlaub
und verbringt ihn halb hier, halb beim Vati.

> *Mutti, der Professor Dr. Hofmann, der doch mit seiner*
Frau mal hier war, ist mit seiner Familie bei dem Angriff
ums Leben gekommen. Schrecklich. Die 13jährige Ulrike
Hofmann war doch in meiner Klasse, und die Christiane
zwei Klassen über der Ille. So nette, freundliche Mädels.
Der Besitzer von der Schwanenapotheke, der alte Herr
Meuschel, ist auch mit seinen Töchtern ums Leben gekom-
men. Ein gräßliches Elend.

> *Nun Muttilein, wir haben Mut und Hoffnung,*
> *Es grüßt Dich innig Dein liebes Hannelekind*

Anders als seine Schwestern verbrachte Gerhard immer wieder seine freien Stunden bei Ernst im Lindenberger Lazarett.
Die militärische Umgebung war dem 16jährigen vertraut, vor
allem aber blieb ihm so die Anwesenheit Ritas erspart. Gerhards Antipathien gegen die zweite Frau seines Vaters wurden immer stärker. Sein Brief an Lilli vom 7. November:

Meine liebe, gute Mutti,
heute bin ich nun schon wieder auf Urlaub. Wir Bomben-
geschädigten bekommen nämlich unseren laufend fälli-
gen Urlaub neben dem Sonderurlaub weiter. Und heute
habe ich meinen Wochenendurlaub ...

> *Nun will ich Dir erzählen, was ich in der letzten Woche*

alles angestellt habe. Am Samstagabend kam ich schon um 8.00 Uhr wieder in die Stellung ... In der ganzen Woche hatten wir keinen Unterricht. Da hatten wir morgens natürlich frei, und ich hatte sogar Zeit zum Lesen. Ich habe das Carossa-Buch »Eine Kindheit und Verwandlungen einer Jugend« gelesen. Es hat mir sehr, sehr gut gefallen.

Am Dienstag kam Wolf vom Urlaub zurück und brachte seine Quetsche (zu deutsch Schifferklavier) mit. Da kam natürlich Leben in die Bude. Aber schon am Abend rückten wir beide aus. Wolf war mit einem reichlichen Zigarettenvorrat versehen. Wir gingen in die Stellung und setzten uns auf den weitesten Geschützwall, rauchten, unterhielten uns, und Wolf machte Musik ...

Am Donnerstag haben wir uns auch ein Stück geleistet. Es gefiel uns in der Bude absolut nicht mehr. Beide hatten wir keine Lust zum Lesen. Da gingen wir in die Stellung und unterhielten uns. Als wir runterkommen, ist es Viertel nach 12 Uhr. Um Viertel vor 12 ist aber schon Mittagessen. Hintenrum – der Wachtmeister durfte uns doch nicht sehen – schlichen wir uns in die Kantine und bekamen unser Essen noch. Als nacheinander Chef, Leutnants und Spieß zum Essen kamen, standen wir natürlich Todesängste aus. Aber keiner sagte etwas. Ebenso heimlich wollten wir in unsere Stube zurück, aber der Wachtmeister hatte heraustreten lassen, er hatte etwas bekanntzugeben. Da sah er uns mit unseren Eßbestecken, als wir gerade in der Türe verschwinden wollten. »Tretet nur mit ein und hört euch das Theater an«, sagte er nur und beachtete uns nicht weiter. Als er uns dann endlich wegtreten ließ, da waren zwei aber sehr glücklich. Denn er hatte schon einmal einem aus diesem Grunde den Urlaub gesperrt.

Am Freitag sollte der Generaloberst kommen. Den gan-

zen Tag war kein Dienst. Alles lief festlich gekleidet in der ersten Garnitur herum. Am Nachmittag haben wir uns dann einmal so richtig ausgetobt auf der Bude. Wolf spielte, wir sangen. Wer tanzen konnte, tanzte, wir waren so ausgelassen, daß nicht einmal der Wachtmeister etwas sagte. Der Spieß kam zu uns und machte feste mit ...

Heute nachmittag sind wir hier von Tante Rita erlöst, sie fährt zum Lindenberg. Da wird es bestimmt noch schön.

Zum Schluß wünsche ich Dir alles Gute und sende Dir viele, viele Grüße,

Dein Gerhard

Da Lilli schon nach wenigen Wochen beobachtet hatte, daß Gerhard als Flakhelfer nicht eben viel las und seine literarischen Interessen vernachlässigte, bemühte er sich um so mehr, diesen Eindruck zu verwischen. Brav berichtete er stets von seiner aktuellen Lektüre und setzte zudem unter fast jeden Brief nach Breitenau noch ein Gedicht, diesmal eines von Hofmannswaldau:

> *Ach, was wollt ihr trüben Sinnen*
> *Doch beginnen!*
> *Traurigkeit hebt keine Not,*
> *Es verzehrt nur die Herzen,*
> *Nicht die Schmerzen,*
> *Und ist ärger als der Tod.*
>
> *Auf, o Seele! Du mußt lernen,*
> *Ohne Sternen,*
> *Wenn das Wetter tobt und bricht,*
> *Wenn der Nächte schwarze Decken*
> *Uns erschrecken,*
> *Dir zu sein Dein eigen Licht.*

In seinen Briefen paßte sich Gerhard weitgehend dem schnoddrigen Kommißton junger Luftwaffenhelfer an. Selten offenbarte er seiner Mutter, wie sehr er sie tatsächlich vermißte, selten versetzte er sich in ihre Lage, nie fragte er, wann sie denn wiederkomme.

Offenbar überforderte ihn die neue Situation. Der 16jährige hatte den Vater, der sich nun von der Mutter lossagte, stets als großes Vorbild betrachtet. Sehr viel mehr als Ilse und Johanna suchte Gerhard auch weiterhin seine Nähe; immer wieder besuchte er Ernst im Lazarett, manchmal verbrachte er auch seine freien Wochenenden dort. Während sich Gerhard eher mit dem Vater identifizierte, nahmen sich die Schwestern die Mutter zum Vorbild. Zudem befand sich Gerhard in einer schizophrenen Situation: Einerseits hoffte er als diskriminierter »Halbjude« und Luftwaffenhelfer auf Anerkennung durch die regimetreuen Militärs, andererseits wurde seine eigene Mutter vom Nazi-Regime als verabscheuungswürdig stigmatisiert und – für jeden, der sehen wollte – sichtbar zugrunde gerichtet.

Gerhard mußte damit rechnen, daß Briefe an die geliebte Mutter irgendwann im Kontrollsystem der Gestapo und danach bei seinen Vorgesetzten landen würden. Kritische Bemerkungen über die Haft in Breitenau hätten ihm schaden können, selbst allzu offene Sympathiebeweise für Lilli wären womöglich als politische Unzuverlässigkeit gewertet worden.

Und daß so etwas gerade für sogenannte Mischlinge gefährlich werden konnte, war Gerhard bewußt. Immer wieder wurde in den Kriegsjahren über weitere Sanktionen gegen »Halb-« und »Vierteljuden« spekuliert; Hoffnungen auf einen akademischen Beruf durften sie sich ohnehin nicht mehr machen.

Ein Risiko gingen allerdings auch seine Schwestern ein. Ilse, Johanna und Eva kritisierten in ihren Briefen zwar nie das NS-System, aber die Inhaftierung Lillis stieß offensichtlich auf Unverständnis bei ihren Töchtern.

Auf diplomatisch vorsichtige Formulierungen mußte damals jeder Briefschreiber ausweichen. Für Lillis Freundin Lotte galt das in besonderer Weise. Als Jüdin war sie allein durch ihre Ehe mit dem Nichtjuden Ernst August und durch ihren Sohn Peter geschützt – ein falscher Satz hätte sie das Leben kosten können. Am 8. November 1943 erhielt Lotte einen detaillierten Bericht Ilses über den Angriff auf Kassel; noch am selben Abend schrieb Lotte an Lilli:

Meine liebe, liebe Lilli!

Heute morgen kam endlich ein Brief von Ilse, auf den ich so sehnlichst gewartet hatte, und brachte Deine ausführlichen Grüße für mich. Du glaubst nicht, wie sehr ich mich gefreut habe.

Ilschen hatte mir nach dem Angriff eine Karte geschrieben, und heute endlich höre ich ausführlicher. Vor allem bekomme ich heute auch Deine erbetene Adresse, da ich von Ilse hörte, daß Du mehr Post bekommen kannst. Und auch Päckchen kann ich Dir schicken, wie sie schreibt. Verzeih mir, wenn ich es nicht gleich heute mache, weil ich übermorgen mit Peter wegfahren muß und noch so sehr viel zu tun habe. Peter hat noch immer erhöhte Temperatur, ohne daß eine Ursache festzustellen ist. Auch die Lunge ist völlig in Ordnung. Er soll nun einen Luftwechsel erfahren und wenn möglich besseres Essen bekommen, denn er magert ab.

Da bringe ich ihn nach Freiburg und von da ins Kinzigtal, wo zur Zeit unsere frühere Josephine ist. Mir selbst geht es besser, Ernst August ordentlich. Das kurz von uns.

Und Du, Liebe, hast einen neuen Schlag abbekommen.

Du kannst Dir nicht denken, wie ich mich aufgeregt habe, als ich hörte, daß Ihr alles verloren habt, und als ich mir vorstellte, was das nun wieder für Dich bedeutet. Und bei allem bist Du nun glücklich und darfst es sein, daß die Kinder alle gerettet sind. Die sind in Immenhausen nach menschlichem Ermessen gut aufgehoben. Ich habe dorthin geschrieben, daß sie jederzeit zu uns kommen können. Da Ille aber nichts dazu schreibt, denke ich, es ist nicht nötig und nicht erwünscht. Ich muß auch sagen, daß ich das Angebot nicht mit ganz vollem Herzen gemacht habe, weil wir hier keineswegs fliegersicher sind und neulich auch einen ziemlichen Angriff mitgemacht haben. Aber daß wir jederzeit in allem für die Kinder da sind, darauf kannst Du Dich verlassen.

Könnten wir nur auch für Dich, Du Arme, Liebe, etwas tun! Vor Tagen kam mir ganz plötzlich und zufällig eine leere Eu-med-Packung in die Hände. Ich trage sie seitdem mit mir herum und meine, ich könnte Dir damit etwas Liebes tun, ach, ich weiß, es ist eine kindliche Illusion! Aber ein wenig mag es Dich doch wenigstens freuen, wenn Du weißt, daß Du stets und immer in meinen Gedanken bist. Laß nicht die schwarzen Gedanken Dich übermannen – halte Dich zur Zuversicht. Ich glaube, es ist berechtigt. Die Sonne kommt wieder für Dich, Liebe, ganz sicher. Halte Dich aufrecht und vor allem gesund.

Ich wüßte gerne so manches über Dich und die ganze Situation, worauf Ilse mir eben doch nicht das Nötige schreiben kann, denn sie ist schließlich doch noch ein Kind. Aber Rita und Deine Schwägerin lassen nichts von sich hören, obgleich ich sie darum bat. Aber sie haben ja nun auch reichlich anderes zu tun und zu sorgen.

Bitte, laß mich wissen, wenn Du etwas brauchst, was ich Dir geben kann. Du weißt, ich wäre glücklich, Dir mit

etwas helfen zu können. Bist Du warm zugedeckt und soll
ich Dir noch eine warme Decke schicken? Oder sonst
etwas? Darfst und magst Du lesen? Hast Du da Wünsche?
Sowie ich heimkomme, wird es mein erstes sein, Dir ein
Päckchen zu schicken. Wenn ich auch zum Essen nicht viel
übrig habe, Du magst es daran sehen, daß ich Peter wegen
schlechtem Ernährungszustand fortschicken muß!

Hier ist es auch besonders schlecht. Wenn ich heim-
komme, muß ich zum Arbeitsamt. Sie haben mir vor eini-
gen Tagen in sehr angenehmer Verhandlung Aufschub
gewährt, wegen Peter. Na, wenn ich dann ran muß, ists
mir auch egal. Ist ja alles nicht so wichtig.

Ich muß noch was schaffen, noch viel!, und drum muß
ich aufhören. Laß mich wissen, ob Du den Brief bekom-
men hast, und schreibe ungeniert, wenn Du was
brauchst ...

Laß Dich fest umarmen und küssen, Liebe!

Deine Lotte

Lottes Appell »schreibe ungeniert« zeigt, wie wenig sie von
Lillis Haftbedingungen und der Situation in Breitenau wußte.
Schließlich durfte ihre Freundin ja nicht einmal an die eige-
nen Kinder schreiben, wann sie wollte.

Drei Wochen nach dem Luftangriff auf Kassel mußten Lillis Töchter nun wieder zur Schule gehen. Eva wurde einfach
auf die Volksschule in Immenhausen geschickt, obwohl sie
längst ein Gymnasium besuchen sollte. Für Ilse wurde nach
längerem Suchen das Gymnasium in Hofgeismar ausfindig
gemacht. Am 11. November fuhr sie erstmals mit der Bahn
in die benachbarte Kreisstadt. In dieser Schule herrschten
allerdings fast chaotische Zustände. Die 5. und 6. Klassen
des Gymnasiums, nach heutiger Zählung die 10. und 11. Klassen, waren zusammengelegt worden, weil die älteren Jungen

als Luftwaffenhelfer dienstverpflichtet waren. Unterrichtet wurde der Stoff der 6. Klasse. Ilse, die in Kassel noch die Fünfte besucht hatte, hatte also eine Menge nachzuholen; der Pfarrer in Immenhausen erteilte ihr Nachhilfe in Latein.

Johanna schließlich sollte zunächst in eine Jugendherberge nach Fulda geschickt werden, in der auch viele andere Mädchen ihrer ausgebombten Kasseler Schule untergebracht und unterrichtet wurden.

Die endgültige Entscheidung darüber zog sich noch zehn Tage hin.

In dieser Situation des Übergangs und der Ungewißheit traf nun der sehnlichst erwartete – und leider nicht erhaltene – Brief der Mutter aus Breitenau ein: das erste Lebenszeichen nach dem Angriff. Johannas Reaktion vom 13. November:

Ach war das eine Freude, als Dein Brief kam. Deine Briefe sind immer für uns alle eine Freude. Deine Briefe kommen aber alle an, hier bei uns. Ich verstehe nicht, daß unsere Briefe Dich nicht erreichen. Wir schreiben jeden Tag. Jeden Tag gehen hier Briefe weg. Die müßten doch noch kommen, irgendwo liegenbleiben können die Briefe auch nicht. Zweimal haben wir Dir schon ausführlich über den Angriff geschrieben.

Und so beschrieb Johanna ein drittes Mal, was sich in jener Nacht zugetragen hatte, als Kassel zerstört wurde. Lilli deutete später an, daß sie diese wiederholten Berichte auch als Bewältigung eines Traumas begriff, das ihre Mädchen bei dem Bombenangriff davongetragen hatten.

In dem nicht erhaltenen Brief hatte Lilli ihre älteste Tochter Ilse gebeten, zu Lotte nach Leipzig zu fahren; sie sollte im Detail über die Lage in Immenhausen und Breitenau berichten und sich mit Lotte zusammen um den Ersatz einiger in Kassel verbrannter Haushaltsgegenstände kümmern. Ilse antwortete ihr am 14. November:

> *Wenn Du es als gut empfindest und Dich darüber freust, fahre ich natürlich nach Leipzig. Dann fahre ich in den Weihnachtsferien doch hin. Ich kann nicht verstehen, daß Du keine Post von uns bekommen hast. Wir haben doch so oft geschrieben.*
>
> *Wenn Tante Rita nicht im Haus ist, ist alles wunderbar. Aber wenn sie da ist, ist es nicht schön. Oh Mutti, wenn ich Dich doch nur wieder hätte. Ich muß oft so traurig sein, und dann ist mir, als ob es mir mein Herz abdrücken wollte. Aber ich muß durchhalten vor allem wegen der Kleinen, denn sonst sind die auch traurig, und das dürfen sie nicht sein und sind es auch nicht.*

»Ihr müßt sehr vorsichtig sein!«
Lilli will ein geheimes Treffen arrangieren

Am 20. November 1943 traf in Immenhausen ein Brief mit der Absenderangabe »Gisela Stephan, Nienhagen bei Kassel« ein. Aufgegeben wurde er, wie der Poststempel zeigt, in Malsfeld und damit an jener Bahnstrecke, die Lilli und ihre Mitgefangenen zur Arbeit nehmen mußten.

Gisela war Ilses Schulfreundin, also öffnete Lillis älteste Tochter den Umschlag. Sie fand darin fünf kleine Zettel aus Packpapier, die beidseitig und eng mit Bleistift beschriftet waren – ein weiterer illegaler Brief von Lilli, datiert auf den 14. November:

Meine guten, innigstgeliebten Kinder,
damit die Post nicht merkt, daß ich Euch öfter schreibe,
hab' ich mir die Adresse schreiben lassen und Gisela als
Absender genannt, dies zur Erklärung. Und ehe ich's ver-
gesse, fragt doch bitte den Vati, ob er etwas Geld für mich
übrig hat, dann möchte er doch bitte der Anstalt etwas für
mich schicken, ich muß Schuhe besohlen lassen, und wenn
ich einmal – wer weiß wann!! – entlassen werden sollte,
hätte ich gar kein Fahrgeld, im voraus vielen Dank!
Und nun zu Euch, meine Lieblinge! Immer und immer
denke ich voll Liebe und Sehnsucht an Euch, und glaubt
mir, Eure Liebe zu mir, unsere gegenseitige Liebe hilft uns
durch diese so schweren Wochen und Monate hindurch.
Leider hab ich von Dir, mein Junge, schon sehr, sehr

*lange nichts mehr gehört, und auch von meiner Ille hab
ich seit 14 Tagen keine Post, was mir sehr fehlt, aber sicher
noch an den gestörten Postverbindungen liegt. Hoffentlich kommt alles noch nach und nach an, denn aus Frankenstein hast Du gewiß auch mal geschrieben. Daß Du
nicht in Leipzig warst, entnahm ich einem sehr lieben Brief
von Tante Lotte, den ich vorgestern erhielt.*

*Aber Deine Zeitungs-Sendung vom 2. XI. hab ich
gestern erhalten, liebes Hannele, recht herzlichen Dank,
und auch Deine Briefe vom 2. und 9. XI., zwei liebe feine
Kunstkarten von Dir, mit denen ich mich sehr freute, und
außerdem Eure Briefe vom 22. X. und 24. X. und zwei liebe
Eva-Briefchen. Also von vor und gleich nach dem Angriff.*

*Kinder, ich kann es noch immer nicht fassen, was Ihr
habt durchmachen müssen, aber nachfühlen kann ich es
Euch doch, wie Euch nach und nach immer mehr zum
Bewußtsein kommt, was wir alle verloren haben. Aber
seid nicht gar so traurig; wenn wir erst alle wieder gesund
zusammensein können, Ihr und Marilis, Tante Lore und
ich, dann ist alles wieder leichter und gut. Was Du in Frankenstein erlebt und erledigt hast, das höre ich sicher dieser
Tage noch, liebes Ilsekind, nicht wahr? Also, Bezugscheine
für Geschirr etc. habt Ihr schon erhalten? Habt Ihr denn
auch schon gekauft? Und Eva geht also in Immenhausen
zur Schule und Ille in Hofgeismar? Wie gefällt's Dir wohl
dort, meine Große?*

*Und mein Hannelekind ist noch nicht untergebracht? Es
wäre auch mir eine ganz große Erleichterung, wenn Du
auch in Hofgeismar ankämest. Bleibt Heidi vorläufig zu
Hause? Wie lieb von ihr, für Dorle Spielsachen zu bringen. Was macht denn mein bester Schatz? Hat sie sich wohl
gefreut, als Ille wiederkam? Spielt sie artig mit der kleinen Magda? Was macht denn Tante Lore, geht es ihr gut?*

Grüßt sie herzlichst von mir. Auch an Vati und Tante Rita viele Grüße. Hannele, läßt Du Dir denn jetzt Deine Haare wachsen?

Nun paßt mal auf, liebe Kinder, aber haltet ja Euren Mund. Seit dem Angriff haben wir am Zug keinen Wagen mehr für uns, und wir steigen zu den anderen Leuten ins Abteil. Wenn wir es geschickt anfangen, könnten wir uns doch dann mal treffen, ich dachte an Ille und vielleicht Tante Lore, oder wenn Vati und Tante Lore meinen, daß es ginge, Ille und Hannele (Ihr könntet dann ja einen Brief von Tante Lore mitbringen, falls sie mir etwas mitzuteilen hätte, was nicht durch die Kontrolle gehen soll!). Ihr müßtet Euch aber sehr zusammennehmen, damit keine Beamtin etwas merkt. Ich werde Euch ja in der Anstaltskleidung sehr verändert vorkommen, zumal ich nun auch den einen Zahn verloren habe, der schon immer lose war. Erschreckt also nicht.

Abends im Zug uns zu treffen, möchte ich <u>keinesfalls</u>, da Ihr mir da zu leicht in Alarm oder Angriff kommen könnt, denn der Zug ist ja erst nach 8 Uhr in Kassel. Nun gibt es noch zwei Möglichkeiten, und Ihr könnt Euch die aussuchen, die für Euch mit den Verbindungen am besten ist. Wir fahren jeden Morgen kurz nach 7 Uhr hier fort, der Zug kommt von Kassel. Ihr müßtet im letzten Wagen sein und in Guxhagen raussehen. Sollte ich nicht bei Euch einsteigen, dann steigt an der nächsten Station in mein Abteil um. Wir fahren dann zusammen bis Malsfeld. Besser vielleicht wäre noch, wenn es für Euch nicht zu schwierig ist, Ihr kämet Samstag nach Malsfeld, dort fahren wir gegen <u>14</u> Uhr zurück. Ihr steigt dann hinter mir ein. Es sind ja nur 20 Minuten, aber wir könnten uns doch mal sehen!! Wäre das nicht fein??

Aber Ihr müßt sehr vorsichtig sein auf dem Bahnsteig

und Euch und mich nicht verraten. Im Zug können wir dann miteinander reden. Wenn es zustande kommen sollte, dann bitte bringt mir Briefpapier mit, Freimarken, Zigaretten, Streichhölzer, etwas Hautcreme, eine Rasierklinge, mein kleiner Apparat ist wohl auch nicht mehr da. Und vielleicht kann Vati oder Dr. Schupmann (viele schöne Grüße an ihn) Euch Tabletten geben gegen meine Schmerzen in den Armen und Händen, die mich wieder sehr plagen. Am besten packt Ihr alles in ein kleines Paket und gebt es mir im großen Tunnel vor Guxhagen. Und wenn es nicht zu unbescheiden ist und Ihr es übrig habt, bringt mir doch bitte etwas Weißbrot oder Stolle mit, das wäre für den Sonntag ein bißchen mehr zu essen. Aber nur, wenn es wirklich geht.

Ich hab' mir in Gedanken schon seit Tagen ausgemalt, wie glücklich ich in den paar Minuten sein werde. Schreibt auch keine Andeutungen, ich werde von den nächsten Tagen an immer gut aufpassen. Wenn es klappt und wenn ich noch lange weg sein muß, dann kommen vielleicht ein anderes Mal Marilis und Eva.

Für heute lebt wohl, Ihr meine Kinder alle. Wann kommt mein Junge wieder auf Urlaub? Kann er über's Wochenende nicht mal nach Marburg zu Marilis? Ich halte Euch fest an meinem Herzen und küsse Euch zärtlich voller Liebe.   Eure Mutti

Diese Zeilen überschnitten sich mit einem Brief, den Ilse am 15. November nach Breitenau schrieb und in dem sie unter anderem von einem erneuten Treffen mit Lillis Freundin Maria Lieberknecht in Kassel berichtete:

Heute früh bis heute nachmittag war ich bei Tante Lieber-
knecht. Wir haben eine günstige Unterhaltung gehabt ...
Sie war wieder sooo nett zu mir, und Du darfst sicherlich
bald wieder zu uns kommen.

Lilli wußte, was diese verschlüsselte Botschaft bedeutete,
denn sie selbst hatte ja angeregt, Maria Lieberknechts Beziehungen zur Gestapo zu nutzen. Also: »Tante Maria« hatte Ilse
vom Stand ihrer Bemühungen erzählt, über ihren Schwager
eine Freilassung Lillis zu erwirken. Und zumindest Ilse gegenüber hatte sie den Eindruck erweckt, als stünden die
Chancen gut.

Johanna berichtete unterdessen vom immer noch nicht ge-
lösten Schulproblem. Vier Wochen lagen der Angriff auf Kassel und die Zerstörung ihrer Schule nun schon zurück, und
nach wie vor war unklar, wo sie jetzt untergebracht werden
konnte: in der Jugendherberge in Fulda oder doch auf dem
Gymnasium in Hofgeismar. Johannas Brief vom 18. November:

Liebe gute Mutti!
Wie geht es Dir? Heute hab ich eine große Weltrutscherei
gemacht. Um 9 Uhr bin ich mit Tante Rita im Auto nach
Hofgeismar zur Penne kutschiert. Es war sehr kalt und eine
dicke Nebelwand, ein sehr schlechtes Fahren. In der Penne
haben wir gefragt, ob eine Lehrkraft da sei für die Klasse 3.
Nein, war die Antwort. Dann sind wir schnell heimgefah-
ren und um 10 Uhr nach Kassel zur Schulbesprechung, die
um 11 Uhr war. Da ist uns gesagt worden, alle die mit-
wollten, bei denen ich war, sollten sich anschließend bei
ihren Klassenlehrern melden. Bei der Jahns standen eine
ganze Menge Leute. Aber alle sagten und fragten: warum
gerade nach Fulda? Wo die viele Industrie ist und die Sol-

daten? Da kommen die Tommies bestimmt noch hin. Nee,
da geben wir unsere Kinder bestimmt nicht hin. Es ist
unser letztes Gut.

Da haben sich von ungefähr 33 Kindern 4 gemeldet,
mit mir. Ist dies nicht entmutigend? Morgen meldet mich
Tante Rita wieder ab. Da wollen wir lieber mal den Schul-
präsidenten Kölling fragen, ob er nicht noch ein oder
zwei Lehrkräfte nach Hofgeismar schicken kann. Der war
nicht da, aber morgen. Nun müssen wir abwarten, dür-
fen den Mut nicht verlieren, mein Liebes. Nur Mut und
Hoffnung!

Es grüßt und küßt Dich innigst, Dein Hannelekind

Zwei Tage später traf der unter dem Pseudonym »Gisela Stephan« geschriebene Brief Lillis ein, der den Vorschlag für ein
Treffen mit den Kindern enthielt. Am Sonntag, dem 21. November, bestätigte Ilse den Erhalt der Nachricht und chif-
frierte, nach dem Vorbild der Mutter, ihre Antwort:

Mein allerbestes Mutterle!
Gestern war ich wieder so furchtbar müde, daß ich nicht
mehr schreiben konnte. Nimm es mir bitte nicht übel. Ich
erhielt einen dicken Brief von Gisela. Den Brief gab mir
der Postbote schon auf dem Weg vom Bahnhof zur Post.
Sie bat mich, ich solle sie besuchen am Samstag mit dem
Zuge gegen 2 Uhr Abfahrt. Das will ich auch gerne. Hof-
fentlich klappt es.

Am Samstag haben wir eine Mathematikarbeit
geschrieben, sie war recht schwer ... Gestern Nachmittag
habe ich noch einen Käsekuchen mit Mürbeteig gebacken.
Alles ganz allein hergestellt. Der Kuchen hat sehr gut
heute geschmeckt. Heute war ich mit Dorle beim Gerhard.
Der hat sich sehr gefreut, als ich mit Dorle zusammen

kam. Dort haben wir alle zusammen Kuchen gegessen und Briefe gelesen ...

Morgen muß ich noch einmal zur Tante Maria, um mit ihr zu sprechen. Morgen ist ja wieder unser schulfreier Tag, das ist immer sehr schön. Ich bekomme vielleicht meine goldene Uhr beim Uhrmacher in Hofgeismar repariert. Das wäre sehr schön.

Meine Allerbeste! Wie sehne ich mich nach Dir. Du darfst sicherlich bald wieder bei uns sein. Tante Lore sorgt gut für uns. Sie ist sehr, sehr lieb. Wirst Du auch satt?? Ich wünschte es so sehr!!! Unsere Pakete sind ja nicht mehr allzu reichlich. Aber es geht doch noch? Wir bekommen Sonderzuteilung, weil wir totalgeschädigt sind: Äpfel, 1 kg Zwiebeln, $^1/_2$ kg Geflügel, $^1/_2$ kg Fleisch, 1 kg Brot, $^1/_8$ kg Bonbons, bis jetzt. Das ist doch prima.

Nun mein Liebling, schlaf Du gut, mach Dir keine Sorgen und laß Dich fest liebhalten von Deiner Ilsemaus.

Lilli konnte also damit rechnen, daß Ilse am kommenden Samstag, dem 27. November, im Malsfelder Bahnhof auf sie warten würde. Ilse gab sich diesmal zuversichtlich, daß ihre Mutter demnächst heimkehren könne. Doch schon der folgende Brief, verfaßt nach dem angekündigten Gespräch mit Maria Lieberknecht am nächsten Tag, klang wieder alles andere als optimistisch:

Meine allerliebste Mutti!
Heute früh bin ich zu Tante Maria gefahren. Sie war wieder mal todkrank. Heute war der Todestag ihres Mannes, und dann hat sie sich gestern die Altstadt angesehen. Da lagen auf einer Anzahl Trümmerhaufen Kränze, weil die Menschen noch unter den Trümmern lagen. Sie hat wieder

sehr lieb mit mir zusammen gesprochen, und sie hat mir
mancherlei Gutes noch geraten ...

Morgen sende ich ein Paket mit allerlei ab. Und über-
morgen oder vielleicht auch morgen das dazugehörige
Brot. Damit Du es weißt und nicht denken mußt, ich
schickte kein Brot. Oh nein, lieber Liebling. Ich sorge so
viel und so gut ich kann für Dich, damit Du hoffentlich
keinen Hunger leiden mußt. Denn wenn ich wüßte, Du
hättest immer Hunger, wäre ich noch viel unglücklicher.

Und Mutterle! Wenn wir nun wirklich Weihnachten
alleine, getrennt sein müssen, wollen, <u>dürfen</u> wir zwei
Freundinnen nicht verzweifeln. Ich denke mit meinem
ganzem Herzen nur an Dich, und Du an mich. So wollen,
<u>müssen</u> wir es meistern. Das nächste Weihnachtsfest feiern
wir um so schöner. Ich habe vor Dir die Pflicht, mich
zusammenzunehmen, denn die Kleinen! Ich will so gut es
geht und so weit ich es kann, den Kindern ein schönes
Weihnachtsfest zusammen mit Tante Lore machen. Daß es
nicht »richtig« sein kann, weißt Du ja. Um die Kleinen
mußt Du sicher keine Sorgen haben. Sieh, liebes Mutterle,
so müssen wir es nun ertragen, ich versuche es mit meiner
ganzen Seele. Ach Muttilein, wenn ich nur wüßte, ob Du
nicht ganz elend wärest? Ob Du nicht ganz zugrunde gin-
gest? Dort alleine! Wenn ich wüßte, Du hättest an irgend
etwas Trost, so wollte ich es tun. Ich will noch einige
Gedichte für dich raussuchen, und die liest Du dann am
Weihnachtsfeste. Ich habe für niemanden etwas für
Weihnachten. Auch für Dich, Gute, nichts.

Siehst Du! Nun versuche ich mir einzubilden, ich hätte
mich mit Dir unterhalten. Die Briefe an Dich sind mir
immer eine frohe Beschäftigung.

Jetzt sollst Du mal lesen, was für Bezugsscheine wir
haben, Mutterle, was denkste, eben war wieder eine

wüste Ballerei. Ich habe schnell mein Dorle geschnappt
und bin ins Bücherzimmer gesaust. Eine wahnsinnige
³/₄ Stunde habe ich überstanden. Immer diese grausame
Angst. Ich kann es wirklich nicht mehr ertragen, wenn es
auch bloß schießt (keine Bomben).

Nun schlaf Du gut und laß Dich so fest liebhalten und
Dir tausend Küßchen geben von Deiner nur an Dich den-
kenden Ilsemaus.

Auch in der Schule wanderten Ilses Gedanken immer wieder
zu Lilli; am nächsten Morgen meldete sich Ilse aus Hofgeismar:

Meine allerbeste, gute Mutti!
Wie mag es Dir wohl gehen? Es ist mitten in der Biostunde.
Der Pauker ist ein kleines Männchen. Es ist Dr. Grupe. Ein
Professor. Er predigt uns über Vererbungslehre. Es ist tod-
langweilig. Jetzt wird es interessant!!! Jetzt werden Noten
gegeben. Alle Jungs aus Klasse 7 müssen sich zusammen-
stellen. Nun wird überlegt. Der weiß genausoviel wie die-
ser. Also was hat dieser gehabt? Eine 3. So, dann bekommst
Du auch eine 3. Was haben denn diese beiden gehabt?,
und so weiter, bis alle durch sind. Jetzt erzählt er uns von
weißen Bohnen.

Ich denke an Dich, was Du wohl machst? Ob Du wohl
auch an mich denkst? Ich glaube. Mein Liebling! Sei nicht
so traurig! Ich versuche es auch! Aufwiederlesen bis heute
abend. Deine Ilsemaus.

Tatsächlich verfaßte Ilse nach ihrer Rückkehr nach Immenhausen gleich noch einen weiteren Brief an Lilli:

Meine liebe, gute Mutti!
Guten Abend! Liebchen. Hast Du jetzt hoffentlich Ruhe
von der Arbeit. Eben hatte ich wieder furchtbare Angst, es
war wieder mal Alarm. Schon um 7.15 Uhr gab es Alarm.
Ich habe dann eine unbändige Zappeligkeit in mir. Nun ist
es Gott sei Dank wieder vorüber, und ich kann wieder
ruhig sein. Nein, nun doch nicht. Eben gibt es schon wie-
der Alarm, und die Zappeligkeit geht wieder von vorne los.
Ich mußte Dorle aus dem Schlafzimmer holen in die
Küche, wo Tante Lore eine schwarze Kostümjacke für mich
aufgebügelt hat. Als sie fertig war, habe ich Dorle in Vatis
(jetzt Evas) Bett gelegt. Und eine Nachttischlampe ange-
macht und diese verdunkelt, mich neben Dorle gesetzt,
und nun schreibe ich. Dorle ist eingeschlafen. Ich sitze wie-
der am Tisch und fahre fort. Aber zu Ende ist es leider
noch nicht.

Als ich heute Mittag vom Zuge kam, habe ich schnell
gegessen. Dann einen Honigkuchen für Dich gebacken.
Hoffentlich schmeckt er Dir. In der Zwischenzeit unten im
Keller an dem Korb gewesen und eine weniger schöne
Kaffeedecke für sie rausgesucht: Tante Rita sagt immer, sie
habe so wenige, und ob unten nicht noch eine für den
Gebrauch sei. Wo ist denn nun aber der Schlüssel für den
Rohrplattenkoffer? Ich will morgen noch einmal in der
flachen gelben Holzgelddose nachsehen. Hoffentlich finde
ich ihn.

Danach noch in großer Hast ein Paket für Dich mit
folgendem Eingeweide gepackt: 1 Weißbrot, 1 Graubrot,
Butter, Käse, Marmelade, Salz, 1 Medizinflasche gegen
Dein Rheuma, das Du doch sicher jetzt wieder hast,
Tabletten gegen dasselbe, Seife, viele Äpfel, Zeitungen,
Honigkuchen und Guten Appetit! Hoffentlich schmeckt
Dir auch alles.

In dieser Zwischenzeit war auch noch Helmut Rüdiger
hier, um mein Englisch abzuschreiben. So kam es endlich
nach vielen Hindernissen zur Post. Bis zum Abendbrot
habe ich noch einmal wieder Ordnung in meine Sachen
gebracht. Dann kam wieder dieser nervenaufpeitschende
Alarm. Bis eben harmlos.

Nun die Bezugsscheine: Für Gerhard: 1 Anzug, 1 Ober-
hemd, 1 Unterhemd, 1 Paar Strümpfe, 1 Nachthemd ...
Ilse: 1 Hut, 1 Wollkleid, 1 Hemd, 1 Schlüpfer, 1 Paar Hand-
schuhe, 1 Nachthemd ... Eva, Hannele pro Mann: 1 Nacht-
hemd, 3 Taschentücher, 1 Regenmantel, 1 Schlüpfer,
1 Hemd ... Dorle: 1 Überziehschlüpfer, 3 Taschentücher,
1 Nachthemd, 1 Paar Handschuhe, 1 Mütze, 1 Kleid ...
So, nun hat es ein Ende. Bist Du zufrieden mein Lieb-
ling?

Jetzt muß ich noch Deutsch machen. Schlaf gut! Sei
nicht gar zu traurig. Denk an meinen Brief von gestern,
Schatz. Ich denk an Dich und Du an mich. Laß Dich fest
umarmen und Dir einen festen Kuß geben von Deiner nur
an Dich denkenden Ilsemaus.

Der von Ilse erwähnte Rohrplattenkoffer war von Tilly
Schlüchterer in Immenhausen abgestellt worden. Lillis Tante
hatte darin große Mengen von Wäsche und Kleidung ver-
staut. Tilly wollte noch auswandern, war jedoch von den Nationalsozialisten nach Theresienstadt verschleppt worden.
Lillis Töchter ahnten oder wußten damals schon, daß Tante
Tilly ihren Koffer nicht mehr brauchen würde.

Von den 800 Mädchen, die mit Ilse und Johanna die Jakob-
Grimm-Schule besucht hatten, wechselten nach der Zerstörung Kassels etwa 180 nach Fulda in die zum Gymnasium
umfunktionierte Jugendherberge, darunter auch Ilses beste
Freundin Gisela Stephan. Johanna hingegen wurde am Ende,

wie von Lilli gewünscht, doch noch in Hofgeismar angemeldet, allerdings nicht in derselben Schule wie Ilse. Ein wegen der Bombenangriffe evakuiertes Jungen-Gymnasium aus Bremen war komplett nach Hofgeismar verlegt worden; und in dieser Schule wurde nun Johanna untergebracht. Ihr Brief vom 24. November:

> *Meine über alles geliebte Mutti!*
> *Wie geht es Dir, Liebes? Ach, könnte ich bei Dir oder Du bei uns sein. Wie froh und dankbar wären wir alle zusammen. Und gar morgen, wo ich zum erstenmal in die Jungenschule muß, wie entbehre ich Dich da, Du Liebes, Gutes.*
>
> *Also die Tante Rita hat erreicht, daß Heidi und ich dort aufgenommen werden. Von 2 bis 6 Uhr ist Schule. Dann fahre ich um 1 Uhr hier ab und warte in Hofgeismar auf die Heidi, die dort um $^1/_2$ 2 Uhr ankommt … Ille werde ich in Hofgeismar treffen, wenigstens ein Trost. Na, ich bin froh, daß ich in die Schule gehen kann, beziehungsweise fahren kann. Als Schultasche nehme ich ein Köfferchen, das ich in der Praxis gefunden habe. Da waren so alte Flaschen (leere) und Schachteln (leere) drin. Da tut es bei mir bessere Zwecke. Na, ich bin gespannt, zu wieviel Jungen wir zwei in die Klasse kommen. Handarbeit werden wir ja keine haben. Nun Schluß. Mein liebes Mütterlein, wir müssen zum lieben Gott beten, er hilft schon.*
>
> *1000000000000000000 innige Grüße und Küsse, Hannelekind*

Inzwischen rückte das geplante Treffen auf dem Bahnhof in Malsfeld immer näher. Zwei Tage vor dem verabredeten Termin, am Donnerstag, dem 25. November, schrieb Ilse an Lilli:

Meine allerbeste, gute Mutti!
Oh, was war heute für ein häßlicher, windiger Tag. Hof-
fentlich mußt Du nicht frieren!!! Oh, ich wünsche es so
sehr!!! Heute haben wir endlich den schon so lange erwar-
teten Aufsatz geschrieben. Das Thema für die anderen
Mädels, die schon immer in der Klasse sind, lautete: »Der
Aufbau einer Tragödie an Hand Goethes Egmont«. Und
wir Neuen hatten das Thema: »Was bedeuten Dir die
Umgangsformen«. Oh, das war ein seltsames Thema. Ich
habe über die Sitten: Hutabnehmen, die Dame rechts
gehen lassen, das Alter achten und so weiter ... vier
Seiten lang geschrieben. Hoffentlich bekomme ich eine
annehmbare Note.
  Leider, leider ist es uns unmöglich, Gisela zu besuchen.
Heute bekam ich von Stephi eine Karte, gar nichts Neues.

Die letzten beiden Sätze enthielten erneut eine verschlüsselte
Botschaft. Ilse sagte das Treffen mit der Mutter kurzfristig ab:
Es sei leider unmöglich, »Gisela zu besuchen«. Und um jede
Verwechslung auszuschließen, nannte sie ihre Freundin
Gisela Stephan in diesem Zusammenhang ausdrücklich bei
ihrem Spitznamen Stephi. Warum es nicht zum Treffen in
Malsfeld kommen konnte, erklärte Ilse nicht – wahrscheinlich
hatte Maria Lieberknecht vor den unabsehbaren Risiken einer
solchen Begegnung gewarnt. Weiter in Ilses Brief:

Ich habe heute 20 Reichsmark per Einschreiben nach Brei-
tenau gesandt an die folgende Adresse: »Landesarbeits-
anstalt Breitenau«. Ist doch hoffentlich Dir so recht. Ich
will es versuchen, ob ich nicht Erlaubnis bekommen kann,
Dich zu besuchen. Ich glaube es doch. Das wird sicher
schön. Hoffentlich bekomme ich Erlaubnis. Tante Maria
sorgt sich sehr um alle.

*Am Montag fahre ich wieder nach Frankenstein. Heute
nachmittag war ich im Keller und habe den Rohrplattenkoffer aufgebrochen, mühsam. Ich habe mir eine weiße
Unterhose daraus genommen. Das ist aber gut, daß wir
die Sachen haben.*

*Frierst Du wohl nicht? Das ist meine größte Sorge mit.
Oh, wenn ich es nur wüßte. Hoffentlich bekommst Du
bald unser Paket. Auf der Bahn werden ja jetzt die Pakete
furchtbar geschmissen. Ich sehe das jeden Mittag aufs
neue. Oh, heute abend bekommst Du wieder einen Kuß
von mir. Den Gutenachtkuß. Nun Schlaf gut. Laß Dich
fest liebhalten von Deiner nur immerfort Deiner geden-
kenden Ilsemaus.*

Sei nicht so traurig! Alles geht vorüber!

Lilli, so zeigte ihr nächster Brief, erhielt diese Absage nicht
mehr rechtzeitig und war denn auch sehr enttäuscht, als sie
niemanden in Malsfeld antraf. Immerhin, zugleich tauchte
eine neue Möglichkeit auf: Mit Hilfe von Maria Lieberknecht
sollte Ilse eine Besuchserlaubnis in Breitenau erhalten.

»Ein Sackkleid aus grobem Stoff und Holzpantinen«

Der Besuch bei der Mutter im Arbeitserziehungslager

Alle überlebenden Opfer des Bombenangriffs mußten bei den Behörden genaue Aufzählungen der zerstörten und vermißten Gegenstände einreichen, um die entsprechenden Bezugsscheine zu erhalten. Eine vollständige Liste für die ausgebrannte Wohnung in der Motzstraße 3, so konnte man der Gestapo klarmachen, war jedoch nur mit Lillis Hilfe zu erstellen – deswegen also der Besuch in Breitenau. Vorher allerdings mußten noch einige bürokratische Prozeduren erledigt werden, denn solche Besuche waren in dem Lager eigentlich nicht vorgesehen. Mit Bedacht erwähnte Ilse den Plan eines Treffens erst wieder, als die erforderliche Genehmigung tatsächlich vorlag. In ihren nächsten Briefen verschwieg sie dieses Projekt. Ilses Bericht vom 26. November:

Meine allerbeste, liebe Mutti!
Ach, nun eben war wieder so ein wildes, ziemlich langes Geballer. Oh, was ich da immer für eine Angst habe! Nun scheint es vorbei zu sein. Entwarnung war aber noch nicht. Andauernd horche ich noch. Dorle schläft auch noch nicht. Sie liegt neben meinem Tisch und hat rosige Bäckchen. Spielt mit ihren Fingerlein, und sie schläft sicher auch gleich ein. Sie sagt immer, wenn die Flak schießt:
»Ille, aber nicht wieder durch das Feuer laufen.« So hat Dorle sich das auch gemerkt. Du hast es sicher auch vorhin gehört.

Heute nachmittag war ich bei der Resemarie und habe nach Schulbüchern gefragt. Aber sie hat leider keine mehr. Dann war ich beim Pfarrer. Ich lerne jetzt schon Futur: laudabo, bis, bit, bimus usw. Für Latein müßte ich eigentlich sehr viel lernen. Aber meine Zeit ist ja leider sehr knapp bemessen.

Heute hatten wir in der Schule zwei Stunden Kunstgeschichte. Der Dr. Faust ist ein ganz fabelhafter Mensch. Er hat uns die Madonna im Rosenhag von Stephan Lochner gezeigt. Dann noch die Madonna mit der Wickenblüte, den Isenheimer Altar, und hat dazu Worte gesprochen, die ich mit meinen einfachen Worten gar nicht wiedergeben kann. Der Mann ist mir bis jetzt der größte Mensch gewesen, der mir begegnet ist ...

Oh Mutter, es ist ja gar zu traurig, daß Du das Weihnachtsfest, wahrscheinlich, noch nicht wieder bei uns fünfen sein kannst. Wir müssen es auch ertragen. Wir dürfen nicht verzweifeln. So schwer es uns beiden Freundinnen ja sein wird. Aber Du kannst Dich auf mich verlassen. Ich werde mein Möglichstes tun, um es den Kleinen »einigermaßen« froh zu gestalten. Wenn es nicht klappen will, so denk ich fest an Dich ... Aufwiederlesen, meine Liebste.

Laß Dich recht liebhaben von Deiner Ilsemaus.

Zur selben Zeit saß auch Johanna an einem Brief an die Mutter. Sie erzählte von ihren Erlebnissen in dem nach Hofgeismar evakuierten Gymnasium – und offensichtlich war ihr der Einstand in der anfangs so gefürchteten Jungenschule gut gelungen:

Mein liebes, gutes, allerbestes Muttilein!
Gerade ist Alarm, es ballert in den höchsten Tönen, und es ist taghell. Eva und ich lagen bis jetzt im Treppenhausfen-

ster und haben geguckt. Ille schwebt in den höchsten
Tönen. Aber es gilt, glaube ich, nicht uns.

Heute war es ganz fabelhaft in der Schule. Die Jungens
sind sehr nett. Man muß bloß allen Kohl mitmachen.
Heute in der Pause haben sie der Heidi ihr altes, volles
Aufsatzheft gemopst. Und da sind wir zwei beide hinter
denen her getobt, bis wir das Heft, in 100 000 Stücke zer-
rissen, wiederhatten. Dann bewarfen sie uns mit Papier-
bällen, die wir ihnen aber alle zurückwarfen. Das impo-
niert dann.

In der Geschichtsstunde mußten die eine Arbeit über
Heinrich den Löwen schreiben. Da wir nicht so weit
waren, mußten wir es im Buch nachlesen. Denen vor uns
sagten wir alles, was in dem Stück wichtig und bedeutsam
war. So hatten wir uns gleich Freunde gemacht. In Mathe-
matik und Erdkunde haben wir einen sehr netten, aber
auch strengen jungen Lehrer, Fatthauer genannt. Aber
Du mußt nicht denken, daß der keinen Spitznamen hat.
Sechseck heißt der, weil er bei einer Erdkundearbeit 28
Sechsen und 2 Fünfen gegeben hat. Das ist was gewesen.

Dann haben wir einen in Biologie und Religion, namens
Hengst. Unter uns nur »hü hott« genannt. Dann unser
Klassenlehrer, der Jachens, ist ein Ekel. Bei dem haben wir
Latein, Geschichte, Englisch. Hu, Latein ist so eine Sache,
da muß ich noch viel nachlernen.

Ob Du bald wieder zu uns darfst? Ich glaube, das Christ-
fest sind wir nicht zusammen. Ach, wenn man nur wüßte.
Wir müssen Mut und Vertrauen haben. Es grüßt und küßt
Dich Dein Hannelekind.

In der Zwischenzeit war Lillis Freundin Lotte aus Freiburg
wieder nach Leipzig zurückgekehrt. Ihr Sohn Peter schien bei
ihrem ehemaligen Freiburger Hausmädchen Josephine gut

untergebracht. Auch Lotte wurde nun zur Zwangsarbeit verpflichtet, durfte aber weiterhin bei ihrem Mann wohnen. Am 26. November schrieb sie nach Breitenau:

Meine liebe Lilli!
Gleich nach meiner Rückkehr schicke ich Dir schnell ein klein bißchen was zu essen. Ich wollte selber etwas backen, aber in diesen Tagen reicht die Zeit nicht, denn ich muß übermorgen anfangen zu arbeiten in einer Fellfabrik.
Jetzt habe ich noch so furchtbar viel vorher zu erledigen. Aber sobald es dann geht, bekommst Du was Besseres, gell?
Von Ilse fand ich hier einen lieben Brief vor. Ich hoffe, daß sie uns besuchen kommt. Ich muß entweder bis 2 Uhr oder 4 Uhr arbeiten, dann habe ich ja doch noch schön Zeit für sie.
In Freiburg war es schön, schön! Ich habe mich erholt und sattgegessen. Zweimal war ich ein Stück in die Berge. Ich hab Dich überall mitgenommen.
Peter ist fein aufgehoben und bekam vom Gesundheitsamt Zusatznahrung wegen Unterernährung. Jetzt, wo ich arbeiten muß, bin ich doppelt froh, ihn vorerst so gut versorgt zu wissen.
Den Kindern will ich in den nächsten Tagen an Wäsche und so weiter schicken, was möglich ist. Ich hätte das alles gerne mit Ilse besprochen. Hoffentlich kommt sie bald.
Meine Anfrage wegen einer warmen Decke hast Du wohl erhalten? Gib bald Antwort, auch ob Du sonst was brauchst.
Verzeih mir diesen verhetzten Brief, aber ich muß noch so sehr viel erledigen.
Ernst August schickt Dir viele liebe Grüße, und ich umarme Dich fest und küsse Dich
Deine Lotte

In diesen Wochen im Spätherbst 1943 erhielt Lilli eine wahre Flut von Briefen; Ilse und Johanna schrieben täglich. Auch Päckchen wurden eifrig verschickt, wenn auch nicht alle ihr Ziel erreichten. Wahrscheinlich konfiszierte die Lagerleitung in Breitenau nun doch von Zeit zu Zeit die für Lilli bestimmten Sendungen.

Ende November 1943 gelang es ihr wieder, einen Brief aus dem Lager zu schmuggeln. Verfaßt hatte sie ihn am 28. November, Lilli schrieb diesmal mit roter Tinte auf drei braune Packpapierzettel. Und sie ging dabei ebenso geduldig wie ausführlich auf all das ein, was die Kinder und ihre in Marburg studierende Nichte Marilis ihr in den Wochen zuvor berichtet hatten:

Meine lieben geliebten allerbesten Kinder!
Heute ist nun der 1. Advent, und ich möchte doch so gerne wünschen, daß Ihr alle, trotz all unseren Kummers, ein klein wenig Weihnachts-Vorfreude empfindet: Ich denke so sehr an Euch, den ganzen Tag schon, mit all meiner Liebe und mit sehr viel Sehnsucht: Illemaus, mein Liebes, Du bist so tapfer und mußt es auch weiter bleiben und brauchst nicht zu denken, ich sei immerzu und nur traurig. Das bin ich ja gar nicht, und wenn ich Eure lieben guten und zärtlichen Briefe erhalte, dann bin ich sogar ganz stolz und froh und so dankbar.

Und ich erfahre auch hier so manches an Freundlichkeit und Zuneigung und Güte. Heute hab ich doch tatsächlich einen kleinen Adventskranz geschenkt bekommen, und wenn wir wieder alle beieinander sind, werde ich Euch noch manches Mal von hier erzählen. Wenn es nur bald sein dürfte!

Gestern hab ich mir in Malsfeld die Augen nach Euch ausgeguckt und war doch recht enttäuscht, daß Ihr nicht da wart. Ich nehme an, daß Ihr keine Fahrterlaubnis von der Eisenbahn hattet, oder was war wohl sonst?

Dafür hatte ich aber auch viele, viele liebe Post – von Euch allen, auch von Gerhard zwei Briefe und von Marilis Brief und Karte. Ich freue mich stets _so_ sehr damit.

Und zwei Pakete hab ich diese Woche bekommen, eines mit Zellstoff, Haarnadeln etc. und den ganz vorzüglichen Plätzchen von Ille, die herrlich geschmeckt haben. Es war alles drin, was Ihr mir im Brief aufgezählt hattet, und der freundlichen Gerda danke ich ganz besonders für die lecke-ren Sachen. Das war aber nett. Und gestern kam ein ganz großes Paket von Tante Lore mit zwei Broten, Käse, Butter, Marmelade, Kuchen, _vielen_ Äpfeln und Medikamenten und dem Mikadospiel. Wie soll ich Euch nur für alles Liebe danken! Aber Ihr sollt mir doch _bitte_ keine Butter schik-ken, bitte, bitte nicht, ich kann das mit ruhigem Gewissen ja gar nicht essen. Also, Ihr Lieben alle, habt von ganzem, ganzem Herzen Dank, nun werde ich großartig satt, und hoffentlich helfen auch die Tabletten etc., ich nehme ganz brav ein.

Das Päckchen mit Brot von der vorigen Woche ist nicht angekommen, auch überhaupt keins von den von Euch und Marilis erwähnten Päckchen in den letzten Wochen. Aber das wird ja wohl jetzt wieder besser werden. Darüber wollen wir weiter nicht traurig sein, gell? Denkt nur daran, daß ich mich wirklich herzlich freue mit all dem, was ich von Euch erhalte. Und extra Dank auch für das Zeitungs-paket mit den zwei Illustrierten.

An Marilis schreibt bitte viele liebe Grüße und beson-deren Dank für das feine _liebe_ Gedicht-Heftchen von Mörike, das mich sehr freut. Und Dir, mein Junge, innigen Dank für Deine sonntäglichen Berichte mit den schönen Gedicht-Grüßen! Hannele, wie war es in Hümme? Und wie steht's mit Deiner Schul-Angelegenheit? Ich bin sooo froh, daß Du nicht mit nach Fulda bist. Und Evalein ist so tüchtig im Rechnen? Mach Du nur weiter so, mein Liebes. Von Dorle habt Ihr mir diese Woche aber gar nichts erzählt. Was macht denn mein Schatz?? Sehr, sehr froh bin ich, daß Ihr Euch so gut mit Tante Lore steht. Grüßt sie sehr lieb, mit ihren Grüßen hab ich mich arg gefreut.

Deine ausführlichen Berichte, meine Ille-Freundin, sind mir immer sehr wertvoll und auch beruhigend. Nur schmerzt es mich so sehr, daß _ich_ nicht für Euch sorgen und beschaffen kann. Wollt Ihr wirklich nochmal nach Frankenstein? Lieber wäre es mir fast, Tante Lore würde die Betten etc. kaufen, da sie mehr in meinem Sinne Haushalt führt als Tante Rita und mehr davon versteht. Ob Du mit Tante Lore zusammen nicht in Leipzig einkaufen könntest. Tante Lotte würde bestimmt sehr gerne Euch aufnehmen und Euch helfen. Wenn Ihr es anders allerdings für richtiger haltet, dann laßt Euch durch mich nicht beeinflussen. Wenn Du wieder zu Tante Maria gehst, so grüße sie recht lieb und herzlich von mir, ich danke ihr für all ihre Liebe und Güte zu Euch Kindern. Wie gut von ihr, Dir liebe Ille, noch ein Kleid zu schenken. Und so feine Zutaten für mich. Grüßt auch Tante Rita, Dr. Schupmann und vor allen Dingen den Vati. Recht von Dir, Illemaus, wegen Büchern nach Münster zu schreiben. Ihr Lieben, erzählt mir weiter von allem, von der Schule und von allem, was Ihr tut und treibt. Ob Ihr wohl heute gemütlich zusammen seid? Fährst Du, Illekind, mal nach Marburg? Ob ich wohl Weihnachten bei Euch sein darf???? Ich grüße Euch alle sechs tausendmal und umarme und küsse Euch innigst, dankbar, zärtlich und voller Liebe und Sehnsucht! Eure Mutti.

Am Rand auf der letzten Seite notierte sie noch:

Gerhards Briefe freuen mich immer sehr, auch wenn ich
aus Zeitmangel nicht extra drauf antworte, nicht wahr
mein Junge?!

Noch schrieben Lillis Kinder unverdrossen weiter. Auch wenn jeder Satz, jede Episode im Grunde nur immer wieder dieselbe Botschaft enthielt: Mutti, wir brauchen Dich, wann kommst Du wieder?

Allein Johanna gelang es zuweilen, diese Sehnsucht mit ihren fröhlich erzählten Geschichten für einen Moment zu verdrängen, so zum Beispiel an jenem 1. Advent, an dem auch Lilli geschrieben hatte:

Meine liebe, beste, gute, goldige, arme Mutti!
Wie geht es Dir? Gell, einen Tag wird, soweit die Post wie-
der regelmäßig geht, einmal mein Brief ausfallen.
   Das kommt daher: Ich hatte in den letzten Tagen immer
heftige Zahnschmerzen an einem ganz faulen, aber fest-
sitzenden Backenzahn, rechts oben. Nachdem ich eine
ganze Rolle Veramon gefressen hatte, schleppte mich
Tante Rita zum Dr. Holland, dem alten über 70jährigen,
kraftlosen Zahnarzt. Kurz holte der mich in seinen Mar-
terstuhl und spritzte mein Zahnfleisch in Betäubung. Den
Schmerz konnte man noch aushalten, aber dann: Nach
fünf Minuten holte der seine Zange und fing an den halb
abgebröckelten Zahn erst mal aus dem Zahnfleisch hin-
aus zu pökeln, hu, das tat weh. Ich dachte, ich würde mit
Stecknadeln gespickt. Dann holte der noch so ein Instru-
ment und zog und zog nach oben, nach unten, nach rechts
und nach links, und ich fühlte, daß ich 32 Zähne hatte.
Immer höher ging ich, Tante Rita hatte alle Mühe, mich

festzuhalten. Da endlich, der halbe Zahn war draußen,
aber wo die andere Hälfte? Ogotto Gott, dachte ich, soweit
ich noch denken konnte. Nochmal will das alte Scheusal
an mich ran. Jetzt hatte der aber alle seine Kräfte zusam-
mengerafft und hau ruck, hau ruck —— da ist er.
*   »Das war aber eine Anstrengung«, sagte der alte Knopf.*
Und ich wußte nicht, sollte ich weinen oder lachen oder
vor Schmerz schreien? Au, au, sagte ich nur immerzu, und
Tante Rita sagte, komm, komm. Doch ich war ganz aus
dem Geleise gebracht. Aufwiedersehen hat er keins zu
hören bekommen, nur eine Hand und eine Gestalt ge-
sehen. Dann war ich draußen. Aber Zahnweh hatte ich,
Zahnweh, na Muttilein ... Dann ein Tuch um den Kopf
und zwei Tabletten, eine für die Schmerzen, eine zum
Schlafen und ins Bett. Im Bett weinte ich noch eine Zeit-
lang. Da kam mein lieber, guter Onkel Dr. Schupmann rein
und tröstete mich und erzählte mir von seiner Zahnge-
schichte. Du weißt doch, wie er bei uns seinen Weisheits-
zahn gekriegt hatte. Dann ließen die Zahnweh nach, und
ich schlief in seiner Gegenwart ein. Ich hab Dr. Schupmann
so lieb wie einen Vater, der rutscht gleich hinter Dir ein, in
meiner Stellung von den Leuten, die ich lieb habe.
*   So, das war das Blatt des Zahnes.*

Johanna nahm noch ein Blatt Papier und fuhr fort:

Heute ist nun Advent und ohne Dich Liebes, oh ja —— ach,
es war schön, aber —— noch lange, lange!!!!! nicht so
schön wie bei Dir. Bei Dir ist wenigstens Weihnachtsstim-
mung aufgekommen. Und hier nichts dergleichen. Ja, aus
dem katholischen Meßbuch hat sie uns was vorgelesen
(beziehungsweise geleiert), wo wir alle soviel wie nichts
verstanden haben.

Und dann war ein Tellerchen mit Losen da. Jeder mußte ein Los ziehen und auf jedem Los war ein Name … Wenn Du nun »Ille« gezogen hattest, dann mußtest Du jeden Tag der Ille etwas Gutes tun, zum Beispiel ihr etwas schenken oder ihr helfen, Schuhe putzen, Strümpfe stopfen, Bettmachen oder irgendsowas. Das ist nett, aber es paßt gar nicht gut zu Tante Rita. Man durfte auch keinem sagen, wen man gezogen hatte. Aber als Tante Rita draußen war, da hat man schnell allen seines gezeigt.

Du wirst sicher gerne wissen wollen, wen wir hatten. Tante Rita natürlich mich und, weil einer zuviel war, auch noch Eva. Tante Lore hat Dorle, das ist nett, Gerda hat Ille, Ille hat Gerda, das paßt so gut. Eva hat die kleine Magda, sowas! Hannele hat Tante Lore, das ist fein, und Dorle hat, oh Schreck, Tante Rita. Und Magda hat Eva. Für die Kleinen müssen die Großen mitsorgen, Ille fürs Dorle und Tante Rita für Magda.

Ich hab heute der Tante Lore unser Zimmer gemacht, Betten eingelegt, und den Tisch aufgeräumt und den Fußboden gemacht. Dann hatten wir auch noch einen Adventskranz. Ille fährt morgen nach Frankenstein.

Das war die Adventsseite.

1000000000000000000000 Küsse und Grüße von Deinem Hannelekind.

Eine Woche später, am nächsten Adventssonntag, schrieb auch Gerhard wieder nach Breitenau:

Meine liebe, liebe gute Mutti,
zum 2. Advent wünsche ich Dir viel, viel Liebes und Gutes. Wie geht es Dir? Hier ist alles in Ordnung. Mir geht es gut. Den Kindern auch. Sie besuchen mich alle einmal. Am Sonntag war Ilse bei mir. Sie brachte mir ein paar Faust-

*handschuhe mit, die Marilis mir gestrickt hat. Darüber
habe ich mich ganz besonders gefreut. Ich hatte nämlich
bisher gar keine, und bei der Kälte jetzt ist das gar nicht
schön.*

*Als Ilse fort war – es wurde schon dunkel – ging ich in
die Stellung an ein Geschütz. Dort waren schon Wolf,
Ernst und Martin, drei Marburger, mit denen ich mich
prima verstehe, vor allem mit Wolf, sie sind viel netter als
die anderen. Mit ihnen habe ich dann im Geschützunter-
stand – dort waren wir wenigstens ungestört von den
anderen, die das doch nur lächerlich finden – den ersten
Advent gefeiert. Wir hatten einen Adventskranz, eine
Kerze, ein paar Plätzchen und ein paar Zigaretten ...*

*Mittwoch mittags, am 1.12.43, beförderte der Chef uns
alte Luftwaffenhelfer zu Luftwaffenoberhelfern.
Anschließend führte er einen strengen Appell durch, bei
dem selbstverständlich alle auffielen. Unsere Dienstrangabzeichen sind: Eine Unteroffizierslitze unten über die
Schulterklappe quer, wie ein Unteroffiziersanwärter.*

*... Von Donnerstag auf Freitag haben wir wieder einmal
geschossen. Die Tommies kamen aus Berlin zurück, und
da haben wir ihnen auch »ein paar Schuß auf den Pelz
gebrannt«, so beliebte sich der Chef auszudrücken. So
eine Schießerei jede Woche »hebt die Moral« und gibt die
gute Laune wieder. Wenn hinterher auch ziemlich viel
Arbeit ist: Hauptsache, wir haben geschossen.*

*Gestern war ich wieder Gefreiter vom Dienst (G.v.D.),
bis heute mittag, also ich habe wenig Ruhe. Gestern abend
meldete ich mich vorschriftsmäßig in 1. Garnitur, mit den
neuen Dienstrangabzeichen als Oberhelfer. Er gratulierte
mir und wünschte mir weiter alles Gute und viel Soldaten-
glück.*

Heute nacht war einmal wieder Hochbetrieb. Von 2 bis

6.15 Uhr Alarm. Und dann diese Kälte. Bis auf die Füße war ich ja versorgt, aber die Füße waren nach den vier Stunden richtige Eisklumpen ... Hannele war auch kurz da und brachte meine Wäsche. Nach vier Wochen komme ich morgen vielleicht auf Urlaub, mein Kurzurlaub wurde zum Ausgang verkürzt; aber nächstes Wochenende habe ich vielleicht meinen Wochenendurlaub. Wenn es morgen klappt, wäre es sehr schön, besonders weil die Dame des Hauses nicht anwesend ist. Ich freue mich nach so langer Zeit besonders! Hoffentlich klappt es. Viele, liebe Grüße und alles Gute

von Deinem Gerhard

> *Es war, als hätt der Himmel*
> *Die Erde still geküßt,*
> *Daß sie im Blütenschimmer*
> *Von ihm nun träumen müßt.*
>
> *Die Luft ging durch die Felder,*
> *Die Ähren wogten sacht,*
> *Es rauschten leis die Wälder,*
> *So sternklar war die Nacht.*
>
> *Und meine Seele spannte*
> *Weit ihre Flügel aus,*
> *Flog durch die stillen Lande,*
> *Als flöge sie nach Haus.*
>
> *Eichendorff*

Die 13jährige Johanna war beeindruckt von der militärischen Karriere ihres großen Bruders und berichtete ihrer Mutter am nächsten Tag:

19 Die »Kennkarte« für »Lilli Sara Jahn«,
ausgestellt am 31. Dezember 1938

20 Lilli mit Gerhard, Johanna, Ilse und Eva im Schwarzwald, um 1937

21　Ilse, Lilli, Eva, Johanna, Ernst und Gerhard 1939 in Immenhausen

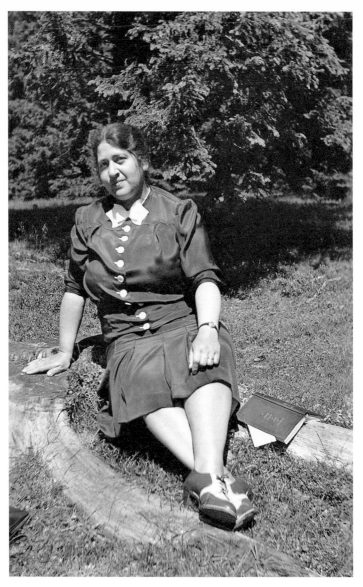

22 Lilli Jahn im Sommer 1939 im Schwarzwald

23 Ernst Jahn in seinem Opel, um 1939 in Immenhausen

24 Johanna, 1942

25 Konfirmationsfoto von Ilse, 1942

Gußhagen an der Fulda, Breitenau

26 Ansicht des ehemaligen Klosters Breitenau in Guxhagen.
In den Jahren 1940–1945 diente es als Arbeitserziehungslager
der Kasseler Gestapo.

27 Brief Lillis aus Breitenau
an die Kinder, 3. Oktober 1943

Sonntag den 3.

Meine innigstgeliebten Kinder alle 6,

daß heute in 8 Tagen darf ich wieder
an Euch schreiben, aber ein guter
Mensch, hat uns Steinacker u. Nm
Solar gedenkt u. hat uns auch nochm
... besorgen. Ich lasse also, daß
der Dienstag von unserer Reise zählt
bekannt. Ihr dürft in keiner Antwort uns
nichts verraten daß Ihr von uns Brief
hattet, unter keinen Umständen, das
würde uns sehr ... bekommen. Vor
8 Tagen habe ich Euch schon erst geschrieben, habe aber erst Freitag Gelegenheit den Brief fort zu bekommen durch
eine Maria. Hoffentlich habt Ihr

28 Brief Ilse Jahns an ihre Mutter Lilli, 19. Oktober 1943

29 Brief Lillis aus Breitenau
an Ernst Jahn, Ende Oktober 1943

Doch aber erst mal was vorläufig
und dir b... ... sagen sole. Es ka...
die niemand verübeln u. du ...
... nur hier ins Büro kontrolieren
was bei der ...apo. Aber bitte,
erzähl... nie etwas von in Briefen.
Ich hoffe ... ... dir gut u. du
fühlst Dich ... ... wohl.
... dir ... An dich denke
ich oft, Amadé.

Ru Love viele viele _liebe_
... u auch an Mutters,
... ... dann fort ...

30 Gerhard Jahn als Luftwaffenhelfer.
Das Foto lag dem Brief an Lilli vom 22. Januar 1944 bei.

31 Johanna, Ilse, Dorothea und Eva im Frühsommer 1944

Auschwitz, den 5/VI. 1944 g.

Meine liebe Lore! Ich bin so sehr glücklich Dir zu schreiben zu können. Es geht mir gut, ich arbeite in meinem Beruf und das ist sehr angenehm für mich. Nun erwarte ich sehnsüchtlich Nachrichten über Dich und Kinder. Was machen sie alle? Ist Gerhard schon im Arbeitsdienst? Gehen Ilse und Hanele nach Hofgeismar in die Schule? Was macht meine kleine Ewa? Und was macht mein Allerkleinste? Und wie geht es Dir selbst und Marelise. Ich erwarte nun regelmäßig Nachrichten von Euch. Ich danke Euch herzlich

32. 33 Brief Lillis aus Auschwitz an ihre
Schwägerin Lore Sasse, 6. Mai 1944

für die regelmäßige Feldsendungen.
Ich danke Euch für das letzte Packet
nach Breithenau Die Kinder möchten
auch selber schreiben. Meine Gedanken sind ununterbrochen immer
bei Euch. Hoffentlich seid Ihr alle
gesund. Ich grüße und küße jeden
einzelnen tausend Mal. Ich bin in
großer Liebe als Mutter und Schwägerin. Lilli u. Mizzi

Sterbeurkunde

(Standesamt *Auschwitz* ———————————— Nr. *XXX26/1944*

Die Ärztin Lilli Sara Jahn geborene ——————————

Schlüchterer —————————— *glaubenslos* ——————

wohnhaft *Kassel, Motzstrasse Nr. 3* ——————————————

ist am *19 Juni 1944* ——— um ——*11*——— Uhr ——*25*——— Minuten

in *Auschwitz, Kasernenstrasse* ———————————— verstorben.

Die Verstorbene war geboren am *5. März 1900* ———————

in *Köln* ————————————————————————————

(Standesamt ———————————————— Nr. ————)

Vater: *Josef Schlüchterer* ——————————————————

Mutter: *Paula Sara Schlüchterer geborene* ——————

Schloß wohnhaft in Birmingham ————————————

Die Verstorbene war — nicht — verheiratet *geschieden* ——

Auschwitz —, den *28 September* 1944

Der Standesbeamte

In Vertretung

(Siegel)

C 251 C 272 Sterbeurkunde (mit Elternangabe bezw. ohne Elternangabe).
Verlag für Standesamtswesen G. m. b. H., Berlin SW 61, Gitschiner Str. 109.
Verlag für kommunales Schrifttum und Vordrucke Kurt Gruber, Kattowitz. B/0262

C 251 | C 252

Gebühr RM —,60

34 Die Sterbeurkunde Lilli Jahns,
ausgestellt in Auschwitz am 28. September 1944

Gerda hat ihm schnell einen Kuchen gebacken, weil er
Luftwaffenoberhelfer geworden ist. An den Achselklap-
pen hat er jetzt ein silbernes Bändchen. Du wirst Dich
sicher freuen. Es sind auch nicht alle befördert worden.

Ilse war in diesen Tagen nun doch noch einmal mit Rita nach
Frankenstein gefahren, um vor allem Wäsche und Handtü-
cher für den Haushalt in Immenhausen zu beschaffen. Ihr
Reisebericht vom 7. Dezember:

Meine liebe gute Mutti,
so lange konnte ich nicht mit Dir reden in meinen Briefen.
Jetzt bin ich ja nun wieder zu Hause. Wir haben eine
Fahrt hinter uns, die war überhaupt grauenvoll. Der
D-Zug fuhr pünktlich ab, kam mit fast acht Stunden Ver-
spätung in Kassel an. Der Zug war geheizt, daher ließ es
sich überhaupt nur ertragen. Erst vor Halle mußten wir
eine lange Zeit stehen, denn der Leipziger Bahnhof ist voll-
ständig zerstört, dadurch kamen die ersten Verspätungen
zustande. Hinter Halle haben wir dann die längste Zeit
gestanden, ein Güterzug war entgleist.
So kamen wir erst um 1 Uhr nachts in Kassel an, mit
zwei Handtaschen, einem Schulranzen, drei schweren
Koffern und neun Schlafdecken. Das haben wir nach und
nach in den Bummelzug geschleift, der um 4.25 weiter-
fuhr. In den Wartesaal konnten wir nicht, denn es ist ja
keiner mehr vorhanden. Der Bummelzug war eiskalt. Da
habe ich mir durch das vierstündige Frieren einen wunder-
baren Schnupfen und erfrorene Füße geholt.
Als wir morgens hier ankamen, waren die hier gar nicht
darauf vorbereitet, und ein wüstes Durcheinander
herrschte überall … Dann wurden die Koffer von der Bahn
geholt, und es wurde ausgepackt. Alle neuen Sachen wur-

den rundherum ins Zimmer gelegt auf den alten Krempel, der noch von vorher herumlag. Danach gab es schnell Kaffee. Zwischendurch habe ich noch Dorle angezogen. Alles wurde stundenlang betrachtet. Dort nahm man es fort, da legte man es hin.

Als endlich sich alle verzogen hatten, kam Tante Rita und wollte ihre Sachen haben. Da mußte ich erst mal anfangen, unter allen Sachen zu suchen, unter anderem ein Paket Seifenpulver, welches kaputt war und seinen halben Inhalt über die Bettwäsche goß. Da konnte ich mich nun drangeben und habe von 10 Uhr bis um 1 Uhr unentwegt aufgeräumt und war noch nicht fertig.

Dann bin ich nach Kassel gefahren und bin nur mit knapper Not durch die Sperre gekommen. Bin zur Stapo gegangen und habe von dort mir Erlaubnis geholt, um am Sonntag Vormittag wegen der Aufstellung der Bombenliste mit Dir zu sprechen. Ich freue mich schon sehr darauf.

Bin dann um $^1/_2$ 5 wieder nach Immenhausen gefahren. Dort war jetzt Tante Lore mit Eva angekommen. In der Zwischenzeit hatte Tante Rita der Tante Lore schon etwas gezeigt und nun von neuem angefangen, Unordnung zu machen.

Dann fuhr Tante Rita zum Vati. Gott sei Dank, wir waren alleine. Ich zeigte Tante Lore alles, und sie war mit allem sehr zufrieden, auch mit der Bettwäsche und den Handtüchern für uns und die Küche. Wir haben Tante Lore und Marilis auch einiges mitgebracht auf ihre Bezugsscheine. Nach dem Abendessen haben Dorle und ich gebadet. Vorher hatte Tante Lore mir noch geholfen aufzuräumen, da war ich bald fertig.

Als Dorle und Eva eingeschlafen waren – Eva schläft jetzt auch im Kinderschlafzimmer –, habe ich von jedem noch einen Pantoffel gefüllt. Tante Rita hatte daran nicht

gedacht. Ich war noch am Morgen zum Gustchen gegan-
gen und hatte es gefragt, ob es denn gar nichts hätte für
Nikolaus. Da gab sie mir zwei Tüten Bonbons. Ich brachte
noch aus Kassel einige Honigkuchen mit. Da freuten sich
aber Dorle und Eva sehr, als der Nikolaus doch da war
heute morgen. Gestern abend wurde ich mit einem Mal so
furchtbar müde, daß ich wirklich nicht mehr schreiben
konnte, denn ich war ja fast 65 Stunden auf …

Nach Leipzig bin ich nicht gefahren, denn Tante Rita
wollte in Kassel abends auf der Rückfahrt eigentlich zum
Vati, und ich sollte mit den Koffern alleine weiterfahren. Es
ist aber auch gut, daß ich in Leipzig nicht einkaufen war,
denn da wäre ich bei dem Angriff dort gewesen.

Oh Muttilein, es ist ja so schade, daß Du Weihnachten
nicht bei uns sein darfst. Ich kann es mir kaum denken.
Aber ich werde mein Möglichstes tun, daß es den Kleinen
doch weihnachtlich zumute sein wird. An mir und meiner
Kraft soll es nicht liegen. Ich werde fest an Dich denken,
Mutterle, und Dir alles schreiben … Oh, Muttilein, meine
Sehnsucht nach Dir ist riesengroß. Immerzu ist mein gan-
zes Denken bei Dir, und immer werde ich dann traurig in
meinem Herzen. Dir kann ich ja alles ruhig schreiben, denn
Du kennst mich ja zu genau, um zu denken, ich wäre nie
traurig. Und die Briefe an Dich sind mir stets eine Freude …
Laß Dich fest liebhalten und Dir einen lieben Kuß von
Deiner Ilsemaus geben.

Ilses Brief enthielt noch eine lange Aufzählung der in Frankenstein erworbenen Kleidungsstücke. Wegen der Reise hatte
Ilse erneut einige Schultage versäumt, aus ihrer Sicht gab es
in dieser Zeit jedoch Wichtigeres – den bevorstehenden Besuch in Breitenau beispielsweise. Ilses Brief vom 9. Dezember:

Meine allerbeste, liebe Mutti!

Heut' war ich nun wieder zum ersten Male in der Schule. Oh, es gab viel Neues gleich. Am 15., nächsten Mittwoch, gibt es Ferien. Ich bin sehr froh, denn dann kann ich mich mehr unseren Kleinen widmen, denn so ist der ganze Tag nur eine einzige Hetzjagd für mich. Vier Wochen dauern diese Ferien an, bis zum 18. Januar, und dann geht es wieder von vorn los. In meinem Aufsatz über die Umgangsformen habe ich leider nur eine 4. Aber ich hoffe, daß es bald besser wird in der Schule. Heute hatte ich wieder Lateinunterricht. Ich komme schön und schnell vorwärts. Jetzt lerne ich Perfekt und Plusquamperfekt laudavis und laudaveritis usw. Er sagt aber, ich würde ordentlich lernen.

Heute waren wieder mehrere Leute sehr nett und haben Eva allerlei für Dich gegeben. Sie sind alle sehr rührend. Heute habe ich auch nachmittags eine kurze Zeit bei Tante Lore gesessen und mit ihr über mancherlei gesprochen. Nur am Sonntag!!!!, wenn Du diesen Brief bekommst, bin ich ja schon dagewesen. Aber dann erinnerst Du Dich noch mal daran ... Oh Mutterle, wie sehne ich mich nach Dir, meine Sehnsucht nach Dir kann niemand ermessen.

Was bin ich so froh, daß Tante Lore da ist. Mit der kann man wenigstens ordentlich sprechen und ihr manches sagen, worüber man unklar ist. Aber auch nur »manches«. Zu so etwas kann man Tante Rita doch nicht gebrauchen. Überhaupt, da schweigt man besser.

So mein liebes Mutterle! Schlaf gut! Sei nicht so traurig und friere nicht!!! Laß Dich fest liebhalten von Deiner nur an Dich denkenden Ilsemaus.

Bald am Sonntag!!!

Die zehnjährige Eva war ein wenig stolz auf all das, was ihr die Immenhäuser Bauernfamilien für Lilli mitgegeben hatten. Am 10. Dezember, also zwei Tage vor Ilses Besuch in Breitenau, erzählte sie ihrer Mutter davon:

> *Mein innigst geliebtes Muttileinchen, allerbeste.*
> *Heute abend will ich Dir noch schnell einen Brief schreiben.*
> *Heute am Freitag ist der erste Schnee gefallen. Heute*
> *nachmittag bin ich ganz viel Schlitten gefahren. Ich habe*
> *für Dich viele schöne Sachen besorgt, eine Wurst habe ich*
> *geschenkt bekommen und räuchern lassen – für Dich, beste*
> *Mutti.*
> *Hoffentlich kommst Du bald wieder. Wie geht es Dir?*
> *Uns geht es noch gut.*
> *Viele liebe Millionen Grüße und Küsse von*
> *Deiner Bauerntochter, Eva*

Ilse hatte ihrer Mutter bereits von dem schweren Bombenangriff auf Leipzig berichtet. Am 10. Dezember meldete sich Lillis Freundin Lotte endlich mit einer Postkarte:

> *Liebe Lilli,*
> *von dem Terrorangriff auf Leipzig hast Du wohl gehört.*
> *Wir leben, und unser Haus steht noch, trotz aller Brände*
> *ringsum. Wir haben nur keine Fenster mehr. Noch kein*
> *Gas und kein Licht. Ernst Augusts Betrieb steht noch. Er*
> *geht täglich vier Stunden hin und zurück. Mein Betrieb ist*
> *kaputt und der Chef tot. Ich weiß auch nicht, was wird.*
> *Ich schicke Dir Nähzeug, sobald man wieder was weg-*
> *schicken kann. Hast Du wohl ein Päckchen von mir*
> *bekommen?*
> *Bald mehr, Liebe!*
> *Ernst August schickt Dir viele Grüße.*
> *Ich einen Kuß, Deine Lotte*

Am Samstag, dem 11. Dezember, wurden in Immenhausen die letzten Vorbereitungen für Ilses Fahrt nach Breitenau getroffen. Man suchte nach kleinen Geschenken für die Mutter, und jedes der Kinder schrieb noch einen Gruß, auch Gerhard:

Diesmal kommen meine Grüße wohl richtig zum
3. Adventssonntag an, denn Ilse soll Dir diesen Brief mit-
bringen. Ich glaube und wünsche Dir auch, daß dies ein
ganz besonderer Tag für Dich ist, aber es tut mir so sehr
leid, daß ich nicht mitkommen kann. Hätte ich das gewußt,
dann hätte ich mir meinen Urlaubsschein vielleicht nach
dort ausstellen lassen können. Ich hoffe, daß es Dir so gut
geht wie nur möglich. Ilse wird ja sicherlich ausführlich
berichten.

Am nächsten Morgen war es soweit. Mehr als drei Monate lang hatte Lilli ihre Kinder nicht mehr gesehen. Nun durfte ihre älteste Tochter sie endlich besuchen. Heute, sechzig Jahre danach, hat Ilse diesen 12. Dezember 1943 so in Erinnerung:

Ich zog mich so hübsch an, wie ich konnte. An einem
regnerischen Morgen stand ich ängstlich vor den alten,
abweisenden, bedrohlich wirkenden Mauern des Gefäng-
nisses. In einem kleinen, dunklen Raum wartete ich auf
meine Mutti. In Begleitung einer Wärterin trat sie ein.
Wie verändert sah meine gepflegte Mutti aus. Sie trug ein
Sackkleid aus grobem Stoff, Holzpantinen ohne Strümpfe,
ein Schneidezahn fehlte. »Sie haben zehn Minuten Zeit«,
befahl die Wärterin, die im Raum blieb. Worüber wir
gesprochen haben, weiß ich nicht mehr. Wir haben uns
fest umarmt. Frau Lieberknecht hatte mir eingeschärft, ich
müsse Mutti unbedingt zuflüstern, sie dürfe keine heim-

lichen Briefe mehr schreiben. Würde das entdeckt, wäre
das tödlich für sie. Diesen Auftrag erfüllte ich. Und plötz-
lich stand ich wieder draußen vor dem großen Tor.

Unter Tränen fuhr Ilse mit dem Zug zurück nach Immenhausen. Dann berichtete sie ihren Geschwistern. Gerhard und Johanna schrieben noch am selben Abend kurze Grüße an ihre
Mutter:

Meine liebe gute Mutti,
gerade ist Ilschen zurückgekommen, und da möchte ich Dir
noch schnell einmal sagen, daß ich Dich sehr, sehr lieb
habe und sehr viel an Dich denke.
                                        Dein Gerhard.

Mein liebes, gutes allerliebstes Muttilein!
Ach, wie bin ich froh und traurig, daß ich weiß, wie es Dir
geht und vieles mehr. Ach, hab doch innigen, ganz vielen
Dank für Dein soooo liebes Taschentuchtäschchen. Wie
unsagbar ich mich gefreut habe, das kannst Du Dir ganz
gewiß nicht vorstellen. Es ist mir das allerliebste Weih-
nachtsgeschenk, ganz gewiß. Oh, es ist so fein! Ach, ich
bin so froh, daß es Dir gut geht. Und vielleicht darfst Du
bald wieder zu uns kommen.
                                        Hannele

»Daß Du nicht so arg viel weinst«
Die Jahreswende 1943/44

M it Ausnahme eines Briefes, den Lilli schon eine Woche vor dem Treffen in Breitenau geschrieben hatte, hörten die Kinder nun mehr als einen Monat lang nichts mehr von ihrer Mutter. Lilli hatte Ilses Warnung verstanden und unterließ vorerst das Schreiben heimlicher Briefe. Natürlich hoffte sie, daß die Bemühungen um ihre Freilassung dennoch fortgesetzt würden. Tatsächlich hatte Ilse am Tag nach dem Treffen in Breitenau ihren Vater im Lazarett bei Kassel aufgesucht und um eine Initiative zur Rettung der Mutter angefleht. In ihrem Brief vom 13. Dezember konnte sie diese Dinge nur andeuten:

Meine liebste, herzensgute Mutti!
Ach, wie hab ich mich doch so sehr gefreut, als ich Dich mal wieder sehen konnte. Hoffentlich warst Du nicht allzu lange so arg traurig, als ich wieder fortmußte. Ich bin dann gut nach Hause gekommen.
Ich bin gleich heute zum Vati gefahren. Als ich in Kassel Hauptbahnhof ankomme, ist Fliegeralarm, ich mußte in den Bahnhofsbunker. Von ferne her fing die Flak an zu schießen, und ich hatte wahnsinnige Angst. Als ich im Bunker drin war, hörte es sich an, als schlügen in allernächster Nähe die Bomben ein. Aber in Wirklichkeit hatten nur die Bunkertüren andauernd geschlagen, und kein Schuß war im näheren Umkreis gefallen. Du kannst Dir

nicht vorstellen, wie ich aufgeatmet habe, als es Entwar-
nung gab.

Als ich beim Vati nach ziemlich umständlicher Fahrt
ankomme, ist Tante Rita noch vom Sonntagabend her da.
Also konnte ich schon nicht so, wie ich gerne wollte.

Vati sagte nur andauernd: »Es wird alles geschehen, was
nur irgendwie gemacht werden kann.« Etwas Positives
habe ich nicht gehört. Wenn nicht bald etwas erfolgt, wer-
den Tante Lore und ich die Geschichte binnen sechs Tagen
in die Hand nehmen.

Für Gerhard habe ich einen kleinen Koffer bekommen,
der freut sich sicher sehr damit, denn seine Aktentasche
ist ja auch verbrannt. Ich war auch heute noch im Bären-
reiterverlag. Dort gibt es noch mancherlei zu kaufen. Aber
man bekommt nur ein Exemplar. Da habe ich eine Kunst-
mappe »Romanische Bauten in Frankreich« bekommen,
für Dich zu Weihnachten von uns allen.

Eigentlich müßte ich noch Latein ochsen, aber ich kann
wirklich nicht mehr. Ich will morgen früh eher aufstehen.

Von Dir noch kein Brief und von Tante Lotte auch noch
gar nichts ... So mein Herzlein, schlaf Du gut und laß
Dich lieb umarmen von Deiner Ilsemaus.

Die letzte Schulwoche vor Weihnachten war angebrochen.
Am Mittwoch, dem 15. Dezember, versuchte Johanna erneut,
ihre Mutter mit einer Anekdote aus dem Jungen-Gymnasium
aufzuheitern. Johannas Freundin Heidi stand im Mittelpunkt
dieser Geschichte:

Mein lieber, guter Muttischatz!
Wie geht es Dir? Uns geht es gut. Du brauchst Dir
bestimmt keine Sorgen zu machen. Heute war es in der
Schule wieder ganz groß. Heidi war in Mathematik dran

und mußte an der Wandtafel vorrechnen, bei diesem ganz jungen Mathelehrer, höchstens 30 Jahre alt. Als sie vorne stand, platzten an ihrem Rock die Druckknöpfe fast alle auf, und der Unterrock guckte raus. Da sagte Fatthauer, so heißt der, »Heidi, dein Hemd guckt raus.« Was hat die Klasse gegrölt. Da guckte so ein Junge, der immer so gerne anbändeln möchte, so ganz mitleidig auf Heidi, die vorne stand, glührot. Da sagte der blöde Lehrer: »Hassogen, guck nicht so verliebt.« Von neuem begann das Gegröle. Dann sagte der Lehrer: »So nun Mathematiksachen weg, Heidi hinsetzen. Und wir singen.« Dann wurde ein Lied nach dem anderen gegrölt, zum Beispiel »Es steht eine Mühle im Schwarzwälder Tal« und »Marie Helen« und noch so alte Schwarten. Das war eine Stunde! Aber, Mutti, wir machen alles mit, das ist ganz knorke.

Mit vielen lieben Grüßen und Küssen, Dein Hannelekind

Ilse bemühte sich unterdessen weiterhin, ihren Vater zu einer Hilfsaktion für Lilli zu überreden. Doch der zeigte sich unwillig, wie Ilse am 16. Dezember notierte:

Ein Gesuch ist noch nicht gemacht. Aber wenn bis Montagmorgen, wenn Tante Rita von Vati kommt, nichts geschehen ist, dann werden Tante Lore, Marilis, die heute kommt, und ich die Geschichte erledigen. Am Sonntagnachmittag fahre ich mal zur Tante Maria, die hoffentlich von Bad Liebenstein wieder da ist, mit Marilis.

Marilis, die junge Studentin, kam in den Weihnachtsferien aus Marburg nach Immenhausen. Lillis Kinder freuten sich auf den Besuch der Cousine, Marilis bot ihnen etwas Rückhalt bei den nun immer wieder eskalierenden Streitereien mit

Rita. Gerhard plante auch einen Gegenbesuch in Marburg. Im Januar stand dem 16jährigen »Luftwaffenoberhelfer« erstmals ein längerer Urlaub zu.

Damit die Weihnachtsgrüße rechtzeitig in Breitenau eintrafen, brachten die Kinder schon am vierten Adventswochenende ihre Karten und Briefe zur Post. Gerhard versetzte sich diesmal ein wenig in die Lage seiner Mutter. »Sei bitte nicht gar zu traurig«, bat er sie am 18. Dezember, »sondern denke daran, daß es für mich auch viel schöner ist, wenn ich weiß, daß Du nicht so arg viel weinst.«

Ilse schrieb ihren Weihnachtsbrief am nächsten Tag:

Meine liebe, gute Mutti!
Heute ist Sonntag gewesen. Es ist schon ziemlich spät.
Marilis sitzt in der Badewanne und plätschert.

Am Samstag ... war der letzte Schultag, in der ersten Stunde hatten wir noch Geschichte. In der zweiten Stunde eigentlich Mathe. Aber der Pauker hatte keine Lust mehr zu unterrichten, und wir sollten doch Weihnachtslieder singen. Da haben wir diese ganze Stunde durch Weihnachtslieder gesungen. Die nächste Stunde hatten wir bei unserem Klassenlehrer. Der hatte am Freitag Geburtstag gehabt. Zwei Mädels hatten ihm einen Kuchen gebacken, ein Alpenveilchen hatten wir für ihn. Das hatten wir zusammen mit einem Gedicht, verziert mit Kerzen und Tannengrün, auf dem Pult aufgebaut. Als er reinkam, haben einige erst Flöte gespielt, dann haben wir ihm noch einen Geburtstagskanon gesungen, und zuallerletzt haben wir noch das Volkslied gesungen: »Ich trag ein goldenes Ringelein ...«. Er war ganz gerührt und sagte, er wüßte gar nicht, wie er das wiedergutmachen sollte. Mit guten Noten, das könne er nicht machen. Das wäre Bestechung von seiner Seite. Aber er wolle uns zum Dank für unsere Liebe ein

Gedicht sagen, das er selber verbrochen habe. Das Gedicht war über ein Bild einer alten Frau, die ihre Hände über die Augen deckt. Er sagte, damit ließe er uns bis tief in ihn hineinschauen. Das Gedicht war unbeschreiblich schön. Überhaupt so wie der Lehrer ein feiner und seltener Mensch ist. Danach gab es Zeugnisse, und dann war Schluß.

Mit dem Klingelzeichen sind wir ausgerückt und zur Bahn gesaust, um den Zug ... zu kriegen. In Immenhausen stieg Marilis noch zu, und dann sind wir beide zur Tante Maria. Sie war schon lange wieder von ihrer Reise zurück. Dort bekamen wir erst belegte Brote, dann Obstkuchen mit Mischkaffee und dann Sandkuchen mit Plätzchen und Bohnenkaffee!

Tante Maria hat mir wieder nur Gutes gesagt. Sie hat mir wieder Hoffnung gemacht. Dann gab sie uns noch die Weihnachtsgeschenke für alle mit: Dorles Puppe und für jeden, außer Magda und Tante Rita, ein Päckchen. Sie hat es mir mitgegeben, eigentlich wollten wir an einem Feiertag alle mit Dorle zu ihr hinfahren. Aber ich bin viel zu ängstlich und kann es vor Dir nicht verantworten, wenn es doch einen Angriff geben sollte. Die Kleinen sind sehr ärgerlich über mich, aber ich kann nicht anders. Du kannst mich doch sicher verstehen.

Tante Maria will mal dem Vati einen ordentlichen Brief senden. Sie ist auch nicht <u>ganz</u> zufrieden! ... Abends hatte ich noch eine ganz niedliche Auseinandersetzung mit Tante Rita wegen der Butter, und ab morgen bekommt jeder seine Butter selber auf einen Teller. Dann kommt wenigstens jedes Kind zu seinem Recht ... Nach dem Abendbrot kam Gerdas Mann. Da haben wir einen schönen Abend gehabt. Zwischendurch war die Heizung mal ausgegangen. Tante Lore, Marilis und ich haben sie wieder angezündet. Außerdem muß ich Dir etwas gestehen: Ich *habe heute meine erste Zigarette geraucht. Schimpfst Du auch nicht?!?!*

Am Samstag morgen ist ein Brief vom 2. Adventssonntag gekommen. Kann man denn Dir doch ein Paar Handschuhe und einen Schal schicken? Schreib doch bitte. Wir haben schon etwas.

Dorle ist sehr lieb. Sie hat sich einen Wunschzettel für das Christkind geschrieben: Ein Schwesterchen für Gretel (die Puppe von Dir mit den Locken ist Gretel), eine Miezekatze, eine Musik (Mundharmonika) und viele Plätzchen. Eva ist augenblicklich selig, daß sie Ferien bekommt. Hannele macht Weihnachtsarbeiten. Ich bin aber in großer Sorge, daß Du doch frierst. Hoffentlich wird es nicht gar zu kalt. Nun schlaf Du aber auch bestimmt. Sei nicht so arg traurig. Ich versuche es ja doch auch. Laß Dir tausend Grüßchen und Küßchen geben von Deiner Ilsemaus.

Johanna schrieb am selben Abend; sie verwendete, passend zum Anlaß, eine weitere Madonnen-Karte:

Liebes gutes Muttischätzlein!
Einen kleinen Weihnachtsgruß schicke ich Dir in Form dieser Karte.

Vielleicht ist sie dann Weihnachten bei Dir und sagt Dir, daß wir alle tapfer sind und nicht weinen, sondern auf den lieben Gott hoffen und vertrauen, daß wir nicht so traurig sind und uns recht tapfer halten. Dorle und Eva kommen schon leichter darüber weg, aber Ille und ich ..... Ich kann schon sagen, jede Stunde, ja bald jede Minute denken wir an Dich. Aber Muttilein, wir sind tapfer, und denke bitte Du auch nicht so traurig nach. Ach Muttilein, es ist sehr, sehr schwer für uns alle. Sei Du innigst gegrüßt und geküßt, Dein Hannelekind.

Für den Heiligen Abend des Jahres 1943 hatte Gerhard keinen Urlaub bekommen, er mußte also bei den Flakhelfern in Obervellmar bleiben – ein ziemlich langweiliger Abend. »Aus Verzweiflung spielten wir stundenlang Schlager. Wolf an der Quetsche, ich am Schlagzeug«, berichtete er am ersten Weihnachtstag seiner Mutter. Seine Schwestern verbrachten Weihnachten zusammen mit Vater, Rita und Magda in Immenhausen. Ilses Brief vom 25. Dezember:

> *Du mein liebstes Muttilein!*
> *Meine Gute! Es war ganz erträglich. Ich will Dir mal der Reihe nach erzählen: Heiligabend war um $^3/_4$ 8 Uhr Bescherung. Vorher war ein wildes Gehetze. Zum Abendbrot gab es Kartoffelsalat und eine Bratwurst, die Evalein mitgebracht hatte. Vati war gräßlich nervös. Und mein liebes Dorlekind hatte Bauchschmerzen, und es war gar nicht recht gesund. Es aß nichts, wollte bloß schlafen, und ich war in größter Sorge um es.*
> *Als das Christkind unten geläutet hatte, gingen wir runter. Mir war überhaupt nicht feierlich zu Mute. Bloß als Vati die Weihnachtsgeschichte las, war es in mir auch weihnachtlich. Dann sollte noch ein Weihnachtslied gesungen werden, Eva sollte Tante Ritas Mundharmonika holen, sie fand sie aber nicht oben. (Vati wurde immer nervöser.) Da ging Tante Rita mit Magda rauf. Als Tante Rita mit Magda oben ist, macht Magda in die Hose. (Vati wurde noch nervöser.) Alle stehen auf einem Fleck schon fünf Minuten mindestens und warten. Es war gräßlich. Da waren zehn Minuten vergangen, und Vati sagte, wir sollten uns die Sachen schon ansehen. So haben wir bis heute abend noch kein Weihnachtslied gesungen, die Kinder waren nicht sehr traurig. Vorher hat Eva etwas geweint, aber sie konnte ich schnell trösten.*

Hoffentlich warst Du nicht zu traurig. Hast Du denn zu
essen gehabt? Hast Du Dein Weihnachtsbäumlein ange-
zündet?

Erst habe ich mich mit dem Dorlekindchen beschäftigt.
Die hat von Lene Hirdes einen gelben, selbsthergestellten
Teddybär bekommen, von Tante Maria die Puppe, von
Dir – habe ich gesagt – einen Wachstuchball und ein
Eichhörnchen, vom Vati hat sie ein großes Bilderbuch,
von Marilis eine schwarze, selbstgenähte Miezekatze,
von Tante Lore hat sie ein weißes Schürzchen bekommen ...
Sie freut sich mit allem sehr.

Ich habe eine Kunstgeschichte von Weigele bekommen
vom Vati. Von Tante Lore ein Buch mit Stichen, mit einem
Taschentuch und einem Taschentuchtäschchen. Von Lene
Hirdes Plätzchen und ein Taschentuch. Von Tante Rita
ein Hammerbuch über Caspar David Friedrich, ein Jung-
mädchenbuch, einen Schal und die Stiefel. So, jetzt weißt
Du auch alles.

Heute Nachmittag waren wir beim Gerhard. Der hat
sich sehr über meinen Koffer gefreut, und sie hatten schon
zwei fröhliche Tage hinter sich.

Nun Liebchen, Aufwiederlesen bis morgen abend, und
laß Dich fest liebhalten,

Dir einen festen Kuß von Deiner Ilsemaus geben.

Auch Johanna erzählte der Mutter am ersten Weihnachtstag
von ihren Geschenken. Sie hatte eine »Negerbaby«-Puppe bekommen, ein Nähkästchen, ein Nachthemd, mehrere Aben-
teuerbücher und vom Vater einen Kunstband mit Zeichnun-
gen von Moritz von Schwind:

Das war ein reicher, aber trauriger Weihnachtstisch. Aber Muttilein, wenn Du wieder zu uns kommen darfst, bekommst Du einen schönen Weihnachtstisch. Ich hab fast all Deine Geschenke fertig.

Die Kinder blickten nun mit Sorge auf das kommende Jahr. Am 28. Dezember schickte Johanna ihren Silvestergruß nach Breitenau:

Lieber Muttischatz!
Zum neuen Jahr nimm recht herzliche Glück- und Segenswünsche von mir hin. Hoffentlich wird das neue Jahr schöner als dieses 1943. Es hat uns, hauptsächlich Dir, viel Sorge, Angst und Traurigkeit gebracht. Wir wollen hoffen und bitten, daß wir im neuen Jahr wieder alle zusammen, vielleicht sogar in einer neuen Wohnung, sein können. Ich hab hier eine niedliche Karte, die Dir auch etwas Freude bringen soll. Ich wünschte, ich könnte Dir viel schönere Sachen schicken und schreiben.
Nun Schluß. Nochmal 100000000000 liebe Segens-wünsche für 1944.   *Dein Hannele.*

Am 31. Dezember schrieb auch Ilse kurz an die Mutter:

Liebes, gutes Muttilein!
Heute ist nun Silvester. Das erste Mal ohne Dich. Tante Rita hat uns alle mit Dr. Schupmann nach unten geladen. Dorle ist auch noch auf. Mal sehen, wie es wird. Heut früh habe ich lang geschlafen, meine übliche Arbeit getan ... Oh wenn Du doch bald bei uns sein dürftest. Meine Sehn-sucht nach Dir ist mir heute wieder so schwer.
Ach Liebchen, nun machs gut. Du darfst doch jetzt bald wieder schreiben? Ich freue mich schon sehr auf Deinen

Brief. Hoffen wir, daß uns das nächste Jahr etwas Gutes bringt. Laß Dich lieb und fest umarmen von Deiner Ilse- maus.

Am 3. Januar schließlich traf ein Silvestergruß aus Leipzig in Breitenau ein, Lotte hatte die Karte Ende Dezember aufgege- ben:

Viele liebe Grüße und Küsse!
Hast Du Nähzeug und Gutsel, eine Karte und einen Brief bekommen? ... Ilse schrieb mir, daß sie bei Dir war. War's sehr schön, war's sehr schlimm nachher? Ich denke an Dich, wenn das neue Jahr beginnt – es muß ein besseres für Dich werden.
  Leb wohl, Liebe! Deine Lotte
  Hier ist noch alles sehr schwierig.

»Wärest Du erst wieder bei uns«
Die Kinder warten auf Nachricht von Lilli

Am Abend des Neujahrstages 1944 berichtete Ilse ihrer Mutter vom Ablauf der Silvesternacht:

Liebstes Muttileinchen!
Oh, Du hast sicherlich ins neue Jahr geschlafen. Ich habe meine Sachen alle genäht, habe nur nichts mehr gestrickt. Die Gertrud hat mit Eva »Mensch ärgere Dich nicht« gespielt. Als ich mit dem Nähen fertig war, habe ich mit Tante Rita Rommé gespielt. Rotwein, Äpfel und Plätzchen hat es gegeben. Das war ein klägliches Silvester. Als es 12 Uhr war, haben wir angestoßen, sonst gar nichts. Hannele und ich haben noch gebadet. Dr. Schupmann hat uns noch lustig oben unterhalten.

Am Morgen haben wir schön lang geschlafen ... Nach dem Essen ist Tante Rita zur Bahn, um zum Vati zu fahren. Ihre Uhr ging aber nach. Der Zug war fort. Da ist sie erst um $^1/_2$ 5 gefahren und wollte um $^1/_2$ 9 wiederkommen. Sie ist aber nicht da, und es ist $^1/_2$ 10. Da kommt sie sicher erst morgen früh. Prima!!! ...

Dr. Schupmann hatte zum Kaffee einen ganzen Berg Kuchen bekommen, den hat er mit uns geteilt. Wir haben von Münchs drei Bratwürstchen bekommen. Da haben wir zwei davon heute abend gebraten und dazu heimlich Kartoffelsalat gemacht. Wir haben Dr. Schupmann zum Abendbrot eingeladen ...

Nach dem Abendbrot hat Hannele dem Dr. Schupmann geholfen, die Kartei zu ordnen. Ich habe noch Strümpfe gestopft. Gerhard hatte ein Loch, das war so groß, daß ich meine Hand durchstecken konnte. Dorle habe ich gebadet und Eva den Kopf gewaschen. Jetzt gehe ich auch ins Bett. Nun, Aufwiederlesen morgen abend. Laß Dir 1000 Grüßchen und Küßchen senden von Deiner immer an Dich denkenden Ilsemaus.

Die Kinder blieben nun immer mehr sich selbst überlassen. Ernst bekam nur noch selten Urlaub im Lazarett, Lore war wochenlang unterwegs, um eine neue Bleibe zu finden, und ihre Tochter Marilis studierte in Marburg.

Nur zwei erwachsene Personen lebten ständig im Ärztehaus: Rita, die sich sporadisch um die Kinder bemühte und von ihnen ohnehin abgelehnt wurde, und Dr. Schupmann. Die Mädchen hatten den Praxisvertreter ihres Vaters in ihre Herzen geschlossen. Er zeigte Mitleid mit ihnen, war zugleich ein fröhlicher Mensch und damit eine wichtige Stütze für die Kinder-Familie.

Die vier Mädchen lösten sich nun weitgehend aus Ritas Haushalt und führten im Dachgeschoß ihr eigenes Leben. Eine Kochplatte wurde dort installiert, Ernst stellte Ilse das nötige Haushaltsgeld zur Verfügung. Die Kinder beschränkten den Kontakt zu den unteren Stockwerken auf das Nötigste, allenfalls noch das Mittagessen wurde mit Rita eingenommen. Auch Gerhard kam nur selten nach Immenhausen, am 2. Januar 1944 erklärte er Lilli die Gründe dafür:

Meine liebe, gute Mutti,
nun bekommst Du schon den ersten Brief im neuen Jahr. Hoffentlich folgen ihm nur noch ganz wenige. Wie geht es Dir?

Am Dienstag beginnt hoffentlich mein zweiter Heimat-
urlaub. Ich werde die meiste Zeit zu Marilis nach Marburg fahren. In Immenhausen gäbe es auf die Dauer doch
nur Krach. Ich bekomme zwar gesagt, daß ich der Ver-
nünftigste sei, daß man mich furchtbar lieb habe und mir
meinen Urlaub so schön machen wolle, wie es nur ginge.
Auf der anderen Seite stiehlt man mir aus einem Weih-
nachtspäckchen zehn Zigaretten. Ein paar Tage bleibe ich
anstandshalber natürlich da ...

Ich hatte gleich am Montag wieder G. v. D. und deshalb
viel zu tun. Neuerdings spielen wir auch wieder Schach.
Das macht uns großen Spaß. Neben Lesen und Schreiben
wird nur noch Schach gespielt.

Dienstag und Mittwoch rächte sich der Chef mit zwei
ganz tollen Infanteriediensten dafür, daß er Weihnachten
so durch den Kakao gezogen wurde. Wir tauften die Infan-
teriedienste »Vergeltung«. Silvester bekam er das auch
wieder unter die Nase gerieben ... Silvester mußte ich
Schlagzeug spielen, vertretungsweise in unserer Kapelle.
Da mußte ich noch sehr viel üben. Am Nachmittag bekam
ich es beigebracht ... Am Abend ging es dann los. Wir
Musiker hatten nur Hose, Fliegerhemd und Schlips an.
Geschminkt hatte man uns auch, mit Schnurrbart und
allen Schikanen.

Wir mußten natürlich voressen. Kartoffelsalat und
Klopse. Prima, prima! Um 8 Uhr kam die Batterie. Wir
legten los und kamen nicht mehr zur Ruhe. Zwischendurch
gab es Bohnenkaffee und Sprudel ... Rauch- und Trink-
verbot für die Luftwaffenhelfer bestand selbstverständlich.
Aber die Landser gaben uns von der Bowle gerne ab, auf
Befehl vom Wachtmeister. Nur durften wir uns nicht vom
Chef erwischen lassen. Um 12 Uhr eine Ansprache vom
Chef, 12 Paukenschläge und dann allgemeines Beglück-

wünschen. Vom Chef bis zum Luftwaffenhelfer. Der Chef
war schon so weit, daß ich ihm mit einer Zigarette in
der Hand gratulieren konnte. Um 1.30 mußten die Luft-
waffenhelfer ins Bett. Nur die Kapelle blieb da. Es gab
dann Weißwein, von dem ich mir auch meinen Teil orga-
nisierte. Als es Schnaps gab, kamen verschiedene Wacht-
meister und Unteroffiziere und gaben uns während des
Spielens viel zuviel zu trinken …

    Evchen war auch kurz da, und nun sitze ich in der Kan-
tine und höre endlich einmal wieder gute Musik, Mozart
und Händel-Sonaten für Geige und Klavier.

    Viele liebe Grüße und alles Gute   Dein Gerhard

Während sich Gerhard weitgehend aus den Familienfragen
heraushielt, hatte Ilse ihre Rolle als Ersatzmutter völlig ak-
zeptiert. Zwar machte Ernst mehrere Versuche, die dreijäh-
rige Dorothea in seine neue Familie zu integrieren, doch er
war viel zu selten da, um das auch durchzusetzen. Ilses Brief
vom 3. Januar zeigt, wie sehr Dorle inzwischen zu ihrer
»Tochter« geworden war:

Mein lieber, guter Muttischatz!
Mein Liebchen, heut hab ich Dir viel zu erzählen. Viel ist
heut wieder geschehen. Heute morgen um $^1/_2$ 5 Uhr war
ein wildes Flakgeballere. Eva fing an zu weinen, Dorle rief
»Ille, Ille«. Da zog ich die Verdunkelungsgardine hoch und
merkte, daß die Flak über Kassel ballerte. Ich dachte, mich
rührt der Schlag. Wir sind aufgesprungen. Als es vorbei
war, sind wir wieder ins Bett.

    Ich bin zeitig aufgestanden. Habe die Sonntagssachen
ausgebürstet und fortgehängt, Kaffee getrunken und vor-
her erst noch Dorle angezogen. Nach dem Kaffee hab ich
dem Dorle den Trainingsanzug angezogen und wollte mit

ihr zu ... Armbrusts, um Butter zu holen. Da war der
Laden bei Armbrusts gestopft voll Menschen, Flieger-
geschädigte. Es gab Geschirr. Ich heim, einen Waschkorb
geholt und angestellt. Gustchen und Herr Armbrust
waren sehr nett. Ich erhielt 12 Becher, 9 weiße und 3 bunte.
Ein Service: 6 tiefe Teller, 1 Suppenterrine, 1 Soßenkanne,
1 kleine Fleischplatte, 2 Schüsseln ... ein Kaffeeservice:
1 Kaffeekanne, 1 Milchgießer, 1 Zuckerdose, 6 Teller,
6 Tassen und Untertassen – cremefarben mit einzelnen
roten Blümchen, richtig süß. Dann noch einen festen,
weißen Topf aus Steingut. Das Geschirr wird Dir sicher
auch gut gefallen.

Als ich das zu Hause hatte, haben Eva und ich ausge-
packt, und dann mußte ich noch unsere Betten abziehen
und frisch beziehen. Zum Mittagbrot gab es Bratkartoffeln
und Rotkraut. Nach dem Essen kam Dorle ins Bett, und
ich bin zur Toni und habe Dauerwellen gekriegt. Was
meinste wohl, was ich für eine Frisur hab??? Eine Rolle.
Steht mir aber recht gut. Hoffentlich gefalle ich Dir auch ...

Vor dem Abendbrot hatte ich Hildchen Rüdiger ange-
rufen und sprach Herrn Rüdiger. Ich wollte dem Hildchen
nur sagen, daß es erst am 5. zur Schule brauchte. Da sagte
Herr Rüdiger, ich sollte doch dem Hildchen Nachhilfe in
Englisch geben. Ich bin ordentlich stolz auf den Auftrag.
Das, was Hildchen in der 2. Klasse lernt, sollte ich wohl
können. Meinst Du doch sicher auch??

Vorhin habe ich noch den letzten Brief von Dir durchge-
lesen, oh das ist mir immer eine Freude. Nun mein Herz-
chen, schlaf Du gut, sei nicht so traurig. Hoffentlich sehen
wir uns bald alle beieinander. Laß Dich tausendmal grü-
ßen und liebhalten von Deiner nur an Dich denkenden
Ilsemaus.

Am 5. Januar endeten die Weihnachtsferien. Die beiden großen Mädchen mußten nun wieder täglich zur Schule nach Hofgeismar fahren. Die Leistungen von Ilse und Johanna ließen in diesen Monaten deutlich nach – unter den herrschenden Bedingungen war an regelmäßige Schularbeiten nicht zu denken. Vor allem Johanna litt unter dem Leistungsdruck:

Heute hat die Schule wieder angefangen. Oh Muttilein, was hab ich für eine Angst, daß ich nicht mitkomme. Du weißt ja, in der Jungenschule wird viel mehr verlangt als in unserer alten Penne. Du kennst ja meinen kleinen Horizont, der so beschränkt für Mathe ist. Und es ist bestimmt schwer zu verstehen in einer Stunde, was früher fünf Stunden gebraucht hat. Mit Latein geht es so lala.

Ernst interessierte sich wenig für die Schulsorgen seiner Töchter. Ihn quälte schon eher das schlechte Gewissen wegen seiner Trennung von Lilli – zudem ging es in seiner Ehe mit Rita inzwischen alles andere als harmonisch zu. Und so warb er bei seiner ältesten Tochter schriftlich um Verständnis für sein Verhalten. Ilse berichtete davon am 7. Januar ihrer Mutter:

Vati hat mir einen furchtbar langen Brief geschrieben. Wenn ich ihm darauf antworte, was ich denke, tue ich ihm bestimmt weh. Das will ich aber nicht. Ich will ihm gar keinen Brief senden.

Doch Ernst ließ nicht locker. Zwei Tage später schrieb Ilse:

Gestern bekam ich wieder einen acht Seiten langen Brief von Vati. Grauenhaft. Ach Liebling, wenn Du doch nur wieder bei mir wärest. Nie, nie mehr kann ich mich richtig freuen.

Die Kinder kamen mit den Spannungen im Hause kaum noch zurecht. »Wärest Du erst wieder einmal bei uns fünfen«, klagte Eva am 11. Januar ihrer Mutter. »Es ist ganz schrecklich, wenn Du nicht bei uns bist.«

Am nächsten Tag meldete sich wieder Ilse:

Mein allerbestes Muttilein!
Das war heute morgen eine Hetzjagd. Ich bin wieder um 6 Uhr aufgestanden, habe Englisch übersetzt und Vokabeln rausgeschrieben. Ehe ich mich versah, war es zehn nach sieben. Ich hatte mich noch nicht frisiert, noch kaum Schuhe geputzt und noch kein Brot gemacht. Um drei Minuten nach halb bin ich erst zur Bahn und habe nur mit Ach und Krach das Bähnle erwischt.

Jetzt hatte ich aber noch keine Geschichte gelernt. Wir hatten den ganzen 30jährigen Krieg auf. Ich wußte nur die Schlachten und Kriege bis 1635, das Ende des Schwedenkrieges. Den Rest habe ich noch in der Schule gelernt. In der ersten Stunde habe ich wieder unseren geliebten und verehrten Dr. Müller gehabt in Deutsch. In der 2. Stunde hatten wir Mathematik, den »Keller«. Das ist ein gräßlicher Mann. Er hat Hängebacken. Fast eine Glatze. Eine dicke Unterlippe und 'nen Bart. Es geschehen noch Zeichen und Wunder: Ich habe Mathe verstanden. In der 3. Stunde hatten wir wieder beim Cellarium Physik, mit einer anderen Klasse zusammen. Das war sehr langweilig. In der 4. und letzten Stunde hatten wir beim »Mohammed« Geschichte. Ich bin Gott sei Dank nicht drangekommen.

Nach der Schule kam ein Mädchen aus der B aus Fulda und hat uns sechsen aus Kassel die Verhältnisse aus dem Lager geschildert. Es bestehen Möglichkeiten, die Mädels zu besuchen. Da will ich Samstag / Sonntag mal die Gisela besuchen.

Gestern nachmittag habe ich meine erste Stunde ge-
geben. Ich glaube, Hildchen hat etwas dabei gelernt. Am
Freitag soll ich zur Tante Maria fahren, um mir meine
Geburtstagstorte abzuholen. Ist doch nett.

Hoffentlich hast Du die Bilder bekommen, die Pakete.
Dein Brief, den Du nach meiner Rechnung am 3. geschrie-
ben hast, ist noch nicht hier. Ob Du wohl keinen Hunger
hast?? Ob Du wohl noch frierst? Oh, wenn ich es nur
wüßte. Tag und Nacht sind meine Gedanken bei Dir. Schon
18 ¹/₂ Wochen sind wir getrennt. Hoffentlich haben wir
die längste Zeit hinter uns. Ein einsamer Tag folgt dem
anderen ... ohne Dich! Oh Muttchen, wenn Du doch nur
bald entlassen würdest!!

Nun ist Tante Lore auch fort nach Tübingen und in den
Schwarzwald, und wir sind nur für uns. Aber wir wollen
und werden durchhalten bis zum Ende. »Was helfen uns die
schweren Sorgen, was hilft uns unser Weh und Ach ...«

Laß Dich innigst umarmen, Dir tausend Grüßlein sen-
den von Deiner Ilsemaus.

Wieder machten sich die Kinder große Sorgen. Seit genau
einem Monat, seit Ilses Besuch in Breitenau, hatten sie kein
Lebenszeichen mehr von ihrer Mutter bekommen. Spätestens
zu Jahresbeginn hatte ihr ein weiterer Brief zugestanden.
»Wo bleibt Deine Post, Du müßtest längst wieder geschrieben
haben«, fragte Johanna am 12. Januar. »Ich bin schon in Unruhe, daß Du so lange nicht geschrieben hast«, klagte Ilse am
folgenden Tag.

Schließlich machte sie das, was Lilli schon im November
angeregt hatte: Ilse fuhr eines Morgens mit demselben Zug
wie die Zwangsarbeiterinnen aus Breitenau. Und von weitem
erkannte sie tatsächlich ihre Mutter, gab sich aber nicht zu erkennen, um Lilli nicht zu gefährden.

Gerhard wußte von den neuerlichen Sorgen nichts. Er verbrachte in diesen Tagen seine Ferien bei seiner Cousine Marilis in Marburg. Am 16. Januar lieferte er seiner Mutter einen ausführlichen Reisebericht:

Meine liebe, gute Mutti,
diesmal kommt mein Sonntagsbrief aus Marburg. Ich bin
schon eine ganze Woche hier, und es hat mir wunderschön
gefallen. Marilis ist mit ihrer Freundin Ilse in die Kirche
gegangen, und ich habe jetzt richtig Ruhe, um Dir zu
schreiben. Wie geht es Dir? Ich denke jetzt gerade in mei-
nem Urlaub so viel an Dich.

Am letzten Sonntag sind Marilis und ich um 7 Uhr in
Immenhausen fortgefahren. Um 11.30 Uhr waren wir in
Marburg und haben erst einmal zu Mittag gegessen, in
einer sehr schönen Gaststätte »Der Ritter«, wo ich dann
auch die ganze Woche gegessen habe, während Marilis in
der Mensa aß. Dann waren wir in Marilis' Bude. Die
Leute waren sehr nett und haben mir auch eine Couch zum
Schlafen freigemacht. Dann hat Marilis mir Marburg
gezeigt, zwischendurch waren wir ein paar Mal im Café,
haben zu Abend gegessen und waren dann noch im Kino:
»Gekrönte Liebe«, ein toller italienischer Film, aber auch
nicht bedeutend. Am Abend haben wir auf Marilis' Bude
gesessen, uns unterhalten und gelesen.

Am Montag früh sind wir dann in die erste Vorlesung
für mich gegangen: Professor Mommsen, ein Enkel des
großen Mommsen, über die Zeit von 1890 bis 1914. Ganz
groß war das und schrecklich interessant. Ich hatte Zivil
an, und so fiel das gar nicht weiter auf. Anschließend eine
Vorlesung über deutsche Märchen, die entsetzlich lang-
weilig war. Nachmittags waren wir in der Universitäts-
bibliothek, schwer interessant ...

Am Dienstag gingen wir morgens in eine Vorlesung über Mittelalterliche Geschichte, zum Einschlafen langweilig. Marilis und Ilse gehen auch meistens gar nicht hin. Dann haben wir uns eine juristische Vorlesung bei den Volkswirtschaftlern angehört. So 'was Stures. Praktisch lernen die nur das ganze Bürgerliche Gesetzbuch auswendig. Anschließend wieder Mommsen »Nachbismarckzeit«, prima. Danach Professor Kommerell über die Erzähler des 19. Jahrhunderts. Sehr interessant und ganz toll. Aber ich habe gemerkt, daß ich überhaupt nicht richtig aufpassen kann. Bei der interessantesten Vorlesung werde ich auf einmal furchtbar müde, höre gar nicht mehr richtig zu. Und hinterher habe ich immer ganz blödsinnige Kopfschmerzen. Beim Kommiß kommt man doch sehr raus aus der Übung.

Aber jetzt in den letzten Tagen ging es schon wieder besser. Am Nachmittag waren wir in der Universitätsbibliothek und dann bei Marilis. Abends mußten die beiden zum Sport, und ich habe gelesen. Auf Vatis Vorschlag von Fontane »Der Stechlin«, der mir sehr gut gefallen hat.

Am Mittwoch habe ich mir Paßbilder machen lassen. Dann war ich in der Elisabethkirche, sie ist sehr schön, aber alle bedeutenden Sachen sind entweder eingemauert oder fortgebracht ...

Freitag war ich wieder mit bei Mommsen und Kommerell. Nachmittags waren wir auf dem Schloß und auch drin. Aber auch hier ist fast alles in Sicherheit gebracht. Abends waren wir im Kino: »Meine Freundin Josephine«. Erschütternd! Zwischendurch gab es einmal Luftwarnung und dann noch Fliegeralarm. So habe ich den Film nicht einmal zu Ende gesehen. Bei Marilis haben wir dann noch lange geklönt.

Samstag morgen haben wir drei einen ausgiebigen

Geschäftsbummel durch Marburg gemacht. Am Nach-
mittag habe ich mir den Film zu Ende angesehen und war
dann mit den beiden Damen noch einmal im Kino: »Rei-
sebekanntschaft« – nichts Besonderes, aber wir haben ein-
mal ordentlich gelacht.

Bei Marilis wurde dann noch ein prima Pudding gekocht
und wieder sehr lange geschwatzt. Hier ist es ganz prima,
und ich bin froh, daß ich hierher gekommen bin. Es lohnt
sich wirklich. Hier habe ich Gemeinschaft. Das ist es
hauptsächlich, was in Immenhausen fehlt.

Viele liebe Grüße und einen herzlichen Kuß von Deinem
Gerhard

Nun endlich traf auch der sehnlich erwartete Brief von Lilli
ein. Ilse, die am Vortag 15 Jahre alt geworden war, bestätigte
die Ankunft des – nicht mehr erhaltenen – Schreibens am
16. Januar:

Mein liebstes, bestes Muttilein!
Gestern war nun mein Geburtstag. Es war nicht ein biß-
chen schön. Morgens, kurz bevor ich fortging, zur Bahn,
kam Tante Rita und gratulierte mir. Sie zeigte mir meine
Sachen. Von Onkel Josef: von Ricarda Huch »Vom großen
Krieg in Deutschland«, zwei Hammerbüchlein (Der
Stephansdom zu Wien, drei Kaiserdome), ein buntes
Glasschälchen, ein Album, worein ich Bilder kleben kann
oder mir etwas reinschreiben kann ... eine Tüte Spekula-
tius, die ich Dir schenke, zwei Käse- und die Schokoladen-
torte. Keiner hat mir geschrieben, nur Dein Brief kam
heute morgen ...

Abends haben wir uns kurze Zeit nach unten gesetzt.
Vati war nachmittags auch gekommen. Dann haben Han-
nele, Eva und ich gebadet. Wir sind rauf zum Dr. Schup-

mann ins Zimmer und haben die Schokoladentorte ge-
schlachtet. Die Torte hat phantastisch geschmeckt.
Dr. Schupmann hatte noch einen ganzen Berg Apfel-
und Streuselkuchen ... mitgebracht. Wir konnten nur
jeder zwei Stück Torte essen, und wir waren schon satt.
Wir waren kaum eine halbe Stunde oben, da kam der
Vati schon rauf und schimpfte, es sei schon spät, wir soll-
ten in drei Minuten im Bett sein. Dabei war es erst 20 nach
10. Nun, was konnten wir machen. Wir haben die rest-
liche Torte schnell versteckt und sind ins Bett. Heute
früh habe ich die Torte mit Hannele zusammen aufge-
gessen ...

Ein Gesuch ist von Vati gemacht worden. Die Schaden-
ersatzanträge will Vati stellen. Sorgen brauchst Du Dir
nicht zu machen, um mich auch nicht ... Dein Brief ist
erst am 13. gestempelt und schon am 1. geschrieben. Da
konnte ich lange warten. Nun Liebes, Gutes. Ich freue mich
sehr, daß es bei Dir Weihnachten auch ganz schön war.
Laß Dich fest liebhalten, Dir tausend Grüßchen und Küß-
chen geben von Deiner Ilsemaus.

Vor allem zwei Nachrichten enthielt dieser Brief, die Lilli in-
teressiert haben dürften: Einmal wurde der Nachlaß ihres
Onkels Josef aus Halle nun Stück für Stück auf die Kinder
verteilt, Ilse bekam ein Buch geschenkt. Wichtiger aber:
Ernst, so schrieb Ilse knapp, aber unmißverständlich, habe ein
»Gesuch« um ihre Freilassung bei der Gestapo gemacht –
Ernst hatte sich demnach tatsächlich zu einer Hilfsaktion auf-
gerafft. Lilli schöpfte sicher wieder etwas Hoffnung.

In Immenhausen vertrieb man sich derweil die Zeit mit
den kleinen Attraktionen, die der Krieg noch bieten konnte:
So berichteten deutsche Soldaten, die im Austausch mit alliierten Soldaten aus der Kriegsgefangenschaft heimgekehrt

waren, beim Gastwirt Pfleging aus Nordafrika. Johanna, das zeigt ihr Brief vom 18. Januar, war durchaus beeindruckt von dieser Veranstaltung:

> *Dr. Schupmann, Gerda, Ille und ich waren da. Es hat uns sehr gefallen. Die haben afrikanische Negerbauchtänze aufgeführt, haben sehr schön musiziert mit Klavier, Geige, Cello und Gesang. Von Beethoven und Mozart war die Musik. Hinterher wurden die Soldaten mit Kaffee und Kuchen bewirtet. Aber da ist so viel übriggeblieben, daß Dr. Schupmann noch einen großen Teller mit Streusel- und Stachelbeerkuchen mitbrachte. Den haben wir heimlich an Illes Geburtstag abends verzehrt. Der Mann ist in Ordnung, macht alles mit.*

Johanna genoß diese kleinen Glücksmomente – und doch war auch für sie die Situation in Immenhausen inzwischen kaum noch erträglich, wie sie ihrer Mutter vier Tage später gestand:

> *Tante Lore schrieb, in Tübingen sei es nichts mit einer Wohnung. Aber sie hätte größere Aussichten im Schwarzwald. Hoffentlich klappt da etwas, denn noch lange hier <u>ohne Dich</u>, Mutti, das geht schlecht. Aber, bitte mach Dir keine Sorgen, es wird schon alles werden. Ich habe Mut.*

Gerhard war unterdessen wieder aus dem Urlaub in seine Flakstellung in Obervellmar zurückgekehrt. Schon am ersten Tag, so berichtete er ebenfalls am 22. Januar, hatte ihn der militärische Alltag wieder:

> *Abends fünf Stunden Alarm, 8 bis 1 Uhr. Auch ein bißchen geschossen. Wahrscheinlich sogar ein Abschuß.*
> *Es fängt also gut an.*

Lillis Sohn schloß seinen Brief mit einem langen Rilke-Zitat und legte noch ein Foto bei, wahrscheinlich eines jener Paßbilder, die er in Marburg hatte machen lassen. Eine Woche später wurde Gerhard zusammen mit den übrigen Luftwaffenhelfern des Jahrgangs 1927 gemustert; danach berichtete er stolz an die Mutter:

Ich bin natürlich kriegsverwendungsfähig Ersatzreserve I, schnelle Truppen. Selbstverständlich auch arbeitsdiensttauglich.

Ilse hatte Immenhausen ebenfalls für ein paar Tage verlassen können. Sie besuchte, wie bereits angekündigt, ihre nach Fulda evakuierte Schulfreundin Gisela Stephan und erzählte Lilli dann am 24. Januar von ihrer kleinen Reise:

Mein liebstes, gutes Muttilein!
Nun bin ich wieder zu Hause angelangt. Es war sehr schön. Als ich am Samstag morgen in Fulda ankam, hatte ich einen sehr langen Marsch vor mir. Die Jugendherberge liegt ganz weit draußen auf dem Berg. Als ich ... oben bin, frage ich nach Giselas Zimmer. Ich komme kaum bis zum Zimmer, als ich schon Gisela im Waschraum sehe. Wir haben uns bald totgefreut, daß wir uns wiederhatten. Dann begann eine lebhafte Begrüßung mit der ganzen Klasse. Die Mädels waren alle sehr nett. Gisela schläft noch mit drei weiteren zusammen.
Nachmittags war ich mal unten in der Stadt und habe mir was zum Essen geholt. Gott sei Dank, daß die olle Oberin nicht da war. 1. ich hätte nicht in der Jugendherberge schlafen können. 2. Gisela hätte nie freibekommen ...
Nach dem Abendbrot haben Gisela und ich uns zusam-

men in Giselas Bett gelegt und uns erzählt, stundenlang. Am anderen Morgen hatten Gisela und noch einige Mädels aus der Klasse Fechtstunde. Da bin ich mit und habe zugesehen. Nach dem Mittagessen sind Gisela und ich in die Stadt. Erst habe ich mir eine Fahrkarte geholt.

Dann sind wir zur Nationalsozialistischen Volksfürsorge (N.S.V.) und haben gefragt, ob ich dort eine Nacht schlafen könnte. Sie waren sehr freundlich und sagten, ich könnte dort schlafen.

Um $^1/_2$ 6 mußte Gisela wieder im Lager sein. Ich habe sie noch ein Stück begleitet, bin aber bald Abendbrotessen und zur N. S. V. Dort mußte ich in einem Zimmer schlafen, wo den ganzen Tag das Fenster geöffnet war, mit zwei Frauen und einem Mann aus Düsseldorf zusammen. Ich habe ganz jämmerlich gefroren.

Als ich heute morgen in Kassel ankam, ist Fliegeralarm. Mir ist der Schreck ordentlich in die Glieder gefahren. Gott sei Dank ist nichts geschehen. So leicht fahre ich jetzt vormittags nicht mehr nach Kassel, nur noch nachmittags. Nach dem Essen habe ich mich erst einmal hingelegt und mit Dorlemäuschen zusammen geschlafen. Ich habe dann meinen Reisekram fortgeräumt und noch genäht und gelernt.

Eben habe ich im Radio noch die kleine Nachtmusik gehört. Ich habe so sehr an Dich gedacht. Wenn Du doch erst einmal wieder bei uns sein dürftest!!! Wenn man fortgeht, keiner kümmert sich um einen. Kommt man wieder, keiner ist da, der gleich freundlich deinen Erlebnissen zuhört. Wie lange soll das nur noch dauern? Einmal muß es doch anders werden. Nun, Herzchen, laß Dich fest umarmen, Dir tausend Grüßlein senden und 1000 Küßlein geben von Deiner Ilsemaus, die bloß an Dich denkt.

Ilsekind.

In den Tagen, als Ilse in Fulda war, kümmerte sich Johanna um die kleine Dorothea. Das ging ganz selbstverständlich: »Wenn Ille weg ist, dann muß ich an ihre Stelle treten«, hatte Johanna schon im Oktober 1943 geschrieben, als Ilse erstmals nach Frankenstein gefahren war.

Aber kaum war ihre große Schwester zurückgekehrt, trat Johanna von ihren Mutterpflichten zurück und konzentrierte sich wieder auf die Schule. Ihr Brief vom 27. Januar:

Mein liebes, gutes Muttilein,
gerade hat es hier Alarm gegeben – das Licht ging aus, und wir saßen alle im Dunkeln. Aber nun leuchtet etwas. Hier ist ein schreckliches Wetter, Sturm, Regen. Es war kein Vergnügen, draußen herumzustolpern.

In der Schule war es heute interessant. Die Hofgeismarer und die Bremer stehen sich wie Katz und Hund. Wenn um 6 Uhr die Schule aus ist, stehen an jeder Ecke so 5 – 6 Mann. Wenn dann die Bremer kommen, gibt es eine wüste Keilerei. Das ist dem Direks zu Ohren gekommen. Der hat nun einen Schlachtplan entworfen. Anstatt um 6 Uhr hört die Penne fünf Minuten vor 6 auf. Vorher sind schon ein paar Jungen aus der fünften Klasse als Kundschafter losgezogen. Dann kommt die Hälfte der vierten Klasse und die dritte (ohne Mädchen) und so weiter: immer kleine Trupps, geschlossen in drei Gliedern, hinterher noch mal große Jungs ... Aber nun stell Dir vor: Plötzlich stürmen die Hofgeismarer auf einen Pfiff aus allen Ecken hervor. Das war was. Mutti, im Nu waren wir weg. Denn da ging es toll her, Taschen, Jacken, Mützen, Stöcke, Schulterriemen, ein Gewimmel von all dem Kram. Wer gesiegt hat, wissen wir noch nicht.

In der Schule üben wir jetzt Aufsätze gliedern, wir lernen wahnsinnig viel in der Penne. Man kommt aus dem

Pauken nicht mehr raus, einfach schrecklich. Und wenn man dann nicht mal alles richtig versteht, macht es keinen Spaß. Ach, ich schaffe es schon.

Nun muß ich noch Strümpfe stopfen, dann also Gute Nacht Muttilein. Der liebe Gott muß uns doch helfen, ich glaub daran.

Laß Dich ganz feste liebhalten, von Deinem Hannelekind.

Die Auflösung der Hausgemeinschaft mit Rita zeigte sich auch im Detail: Die vier Mädchen im Dachgeschoß wurden nun morgens nicht mehr geweckt. Ilse mußte dafür sorgen und nahm einen alten Wecker, der Lilli gehörte. Sie hatte dabei ein schlechtes Gewissen, irgendwie kam dieser Aneignung doch schon eine symbolische Bedeutung zu: Gab sie die Mutter damit ein Stück weit auf? Ein Auszug aus Ilses Brief vom 29. Januar 1944:

Gestern hatte ich überhaupt vergessen, Dir zu schreiben, daß ich mir Deinen roten Wecker genommen habe. Jetzt bist Du doch sicher nicht darüber ärgerlich? Oder doch? Muttilein, es ging wirklich nicht anders. Keinen Morgen wußte man, wieviel Uhr es war. Heute Morgen hat er so schön geklingelt und ich bin aufgestanden.

Schon am nächsten Tag, einem Sonntag, setzte die 15jährige Ersatzmutter ihre Berichterstattung fort:

Liebstes, gutes Muttileinle!
Heute habe ich mich ausgeschlafen. Bis $^1/_2$ 9 Uhr hab ich geschlafen. Da hat mein Weckerlein geläutet. Ich bin aufgestanden, habe Dorlemaus angezogen und dann mich. Gleich nach dem Kaffee mit Hannele in die Kirche. Als wir

nach Hause kamen, haben Dorle und ich Hausputz beziehungsweise Zimmerputz gehalten. Allen Kleinkram
unter Betten und Kommode rausgeholt und abgerückt und
gefegt. Jetzt ist es endlich wieder richtig sauber. Dann noch
abgestaubt und aufgeräumt. So sieht alles tiptop aus. Jetzt
fühle ich mich richtig wohl in meinem so winzigen Reich.
Es ist noch so klein, aber schön ist es doch. Abends sitze ich
immer auf meiner Bettkante und lerne und schreibe. Wie
heute abend auch. Ein Kindertisch und Stuhl steht zwar
drin, aber das ist mir so unbequem.

Wenn ich dann so auf meinem Bett sitze, denke ich oft,
so oft, an unsere liebe Wohnung in Kassel, an unsere
schönen Sachen und an das Häuslein hier, in dem wir
zusammengelebt haben, und was nun ist? Und wem es
jetzt gehört. Wie anders ist alles jetzt geworden!!!!

Und am allermeisten denke ich an Dich. Aber wenn ich
immer noch auf bin, um 10, 11 oder 12, dann bist Du doch
sicher schon immer im Bett.

Mein Zimmerlein habe ich mir ganz nett eingerichtet.
Dort, wo früher Hanneles Bett stand, steht meines. Dort,
wo früher mein Bett stand, steht Dorles und ein Spiel-
schrank, jetzt Wäscheschränkchen. Dort, wo früher, ganz
früher, die Kommode stand, steht sie wieder. Zwischen
meinem Bett und der Heizung steht Evas Bett. Neben
Evas Bett steht Dorles Puppenbett mit Deiner alten Puppe,
jetzt Dorles Gretel. Auf der Kommode steht mein
Schmuckkasten, ein Holztellerchen mit einer Spitzendecke
von Vati. Dann eine kleine Kommode von Tante Rita.
Rechts neben der Kommode steht ein kleines Puppenbett-
chen mit einem Männlein und einem Weiblein. An dem
Bettchen steht »Stilles Glück« …

Eben gerade war Vorentwarnung, obwohl die Schein-
werfer noch am Himmel sind und auch die Flak entfernt

ganz erheblich schießt. Abend für Abend, Tag für Tag sind
doch diese Unheilsflieger hier über Deutschland …

Nach dem Mittagessen bin ich zum Gerhard gefahren.
Kaum bin ich in Obervellmar angekommen, steht der
Gerhard da und winkt und ruft. Auf der einen Seite die
Treppen rauf in Obervellmar, auf der anderen Seite wieder
runter in den Zug nach Immenhausen – das hatte tadellos
geklappt. Zu Hause habe ich Gerhard erst einmal etwas
zum Essen gegeben. In Gertruds Zimmer haben Gertrud,
Gerhard und ich noch geraucht und erzählt …

Zum Kaffee hat es denselben Kuchen gegeben, wie Du
ihn bekommen hast. Er war sehr trocken. Sonst ging es
eigentlich. Besser als nichts. Wie es nächste Woche mit
einem Paket für Dich werden soll, ist mir rätselhaft!! …
Gleich muß ich noch an Tante Lore schreiben und eine
Binde an Gerhards Mantel nähen. Ich bin heute so beson-
ders müde. Woher weiß ich nicht. Morgen früh wieder
Lateinstunde. Ich habe mir einen grünen Schlafanzug und
ein Paar blaue Lederhandschuhe geholt aus dem Koffer.
Das Flakgeballere kommt andauernd näher.

Nun Liebling! Dürfen wir uns wohl bald wiedersehen?
Mit vielen Grüßlein und Küßlein umarmt Dich Deine
Ilsemaus.

Obwohl Lilli nun schon fünf Monate inhaftiert war, hatte sich
ihr Schicksal noch nicht bei allen Bekannten herumgespro-
chen. Das galt auch für »Fräulein Frieda«, das ehemalige
Hausmädchen von Großmutter Paula in Köln, das der Familie
Jahn nach wie vor verbunden war. Frieda hatte sich nach langer Zeit wieder gemeldet, und Ilse informierte ihre Mutter
darüber am 31. Januar:

*Fräulein Frieda hatte vor kurzem einen eingeschriebenen
Brief an Dich gesandt. Den haben Gerhard und ich geöffnet. Frieda hatte große Sorge um uns, weil sie keine Antwort bekam. Ich habe ihr dann geschrieben, daß wir
alleine wären und Du verhindert wärest zu schreiben. Jetzt
soll ich ihr ausführlich schreiben und zwar umgehend.
Ich muß mir erst noch reiflich überlegen, was ich
schreibe.*

Die Wahrheit konnte Ilse kaum schreiben, ein solcher Brief
hätte nie die Zensur passiert, zudem hätte er die Kinder womöglich in eine schwierige Lage gebracht.

Ratlosigkeit machte sich in diesen ersten Wochen des
neuen Jahres breit. Lillis Töchter spürten, daß alle Hoffnungen auf eine Freilassung der Mutter immer wieder enttäuscht
wurden. Was sollten sie tun? Was konnten sie tun?

Sie schrieben weiterhin fast täglich, um zumindest in Gedanken bei der Mutter zu sein, aber ihre Briefe wurden kürzer, routinierter. Der lebensnotwendige Kontakt geriet zum
Ritual. Außerdem gab der monotone Alltag des Krieges wenig her. Am 1. Februar 1944 schrieb Ilse:

*Mein allerbestes Muttilein!
Heute früh war mal wieder eine Hetzjagd. Ich mußte mir
noch eine Fahrkarte holen. Aber es hat geklappt. In der
Schule war es mal wieder sehr schön. Aus der Deutsch-
stunde: Die Tragödie ist da, um unsere Seele zu erschüt-
tern. Oder: Sie hat die Gewalt über unsere Leidenschaften.
Das erste hat uns Dr. Müller gesagt, das zweite hat Les-
sing in seiner Hamburgischen Dramaturgie gesagt. Das
finde ich sehr schön gesagt, von unserem »Müller«.
Deine Ilse ist jetzt schon ganz anders geworden. Vieles
andere wälzt sich in ihrem Kopf. Beim Stopfen läßt sich*

schön über so etwas grübeln. Wenn du mir aber erst mal
wieder etwas erzählst. Heute nachmittag habe ich Aufga-
ben gemacht und bin in der Lateinstunde gewesen. Dort
habe ich mich gräßlich blamiert. Dieser Schandfleck wird
wieder ausgewischt.

Nun Gute Nacht! Vati ist da. Laß Dich fest liebhalten,
Dir tausend Küßlein geben von Deiner Ilsemaus.

Die Anwesenheit des Vaters machte die Situation für Lillis
Töchter etwas erträglicher, vor allem konnten sie sich bei
Ernst auch mal über Ritas Verhalten beklagen. In der Regel
wich er jedem Konflikt aus. Diesmal allerdings, so berichtete
Johanna am nächsten Tag, intervenierte Ernst:

Vati war gestern abend da, der hat der Alten den Kopf ein
bißchen zusammengesetzt, na, ob es hilft?

Das Verhältnis der Kinder zu Rita blieb zerrüttet. Im Grunde
hatte sie nur am Anfang ihrer Immenhäuser Zeit Lillis Töchtern gegenüber so etwas wie Sympathie gezeigt. Was dann
letztlich zum Bruch führte: die ihr eigene Härte und Unduld-
samkeit oder die Ablehnung durch die Kinder – schließlich
wurde sie erkennbar zu Lillis Rivalin –, läßt sich heute nicht
mehr rekonstruieren. Mitleid oder gar Liebe hätten die Kinder von ihr aber wohl kaum erwarten dürfen.

Am 4. Februar traf morgens ein weiterer Brief Lillis in Immenhausen ein: der reguläre Februar-Brief – auch er ist nicht
überliefert. Ilse bedankte sich noch am selben Abend:

Oh mein liebes gutes Herzchen, wie froh bin ich, daß Du
noch nicht gar so entmutigt bist, daß Du noch satt wirst,
und daß Du doch eine Freude durch unsere Briefe hast. Das
Schönste am ganzen Tag ist auch für mich, wenn ich mit
Dir (im Geiste) rede.

»Helft, daß ich bald erlöst werde!«
Hat Ernst das Gesuch an die Gestapo geschrieben?

Schon ein paar Tage später bekamen die Kinder erneut Post von ihrer Mutter, der Brief war auf den 6. Februar 1944 datiert. Lilli hatte irgendwo ein Registerblatt mit den Buchstaben PQ aufgetrieben – wahrscheinlich stammte es aus einem Adreßbuch – und mit Bleistift beschriftet. Auf dem in Malsfeld abgestempelten Umschlag war aus Sicherheitsgründen eine der Familie nicht bekannte Frau als Absenderin angegeben: »Eva Beisse, Gera, Große Kirchstraße 19«.

Zwei Monate lang hatte sich Lilli an Ilses Warnung gehalten und keine illegalen Briefe mehr geschickt – nun war das Heimweh stärker als jede Angst vor weiteren Schikanen:

Meine lieben, geliebten Kinder,
ich habe zwar erst am letzten Sonntag durch die Anstalt an
Euch geschrieben, aber wer weiß, wann Ihr den Brief
erhaltet. Und ich hab halt heute wieder <u>so</u> große Sehnsucht
nach Euch, und es drückt mich so sehr, daß ich nun schon
<u>6</u> Monate von Euch fort bin – ich muß mir mein Herz eben
ein wenig erleichtern, indem ich an Euch schreibe. Denkt
aber nur ja nicht, Eure Mutti sei immer und sei nur traurig,
dazu läßt mir schon die viele Arbeit in der Fabrik gar
keine Zeit, und es gibt auch sonst immer mal irgendwas,
das froh macht.
Da sind ja in erster Linie Eure guten, liebevollen Briefe,
mit denen ich mich immer so unsäglich freue, für die ich

Euch immer wieder von ganzem Herzen danke. Diese Woche habe ich mich besonders gefreut mit Deinem Bild, mein guter Junge. Ich habe mich so arg gefreut, Dein Gesicht mal wieder zu sehen und für den lieben langen Bericht mit den <u>schönen</u> Rilke-Worten am Schluß, innigen Dank!

Die schönen Karten von Hannele, Ille und Marilis haben mir auch viel Freude gemacht, es ist so gut und wohltuend, wenn man immer mal wieder an das Schöne, Gute und Wertvolle erinnert wird. Ob Marilis wohl wieder ganz gesund ist, und was macht mein liebes liebes kleines Dorlekind??

Ach, Kinder, wann dürfen wir wieder zusammen sein??? Ich kann es schon bald gar nicht mehr erwarten und werde von Tag zu Tag ungeduldiger. Der Vati soll doch noch mal hingehen zur Stapo und darauf <u>bestehen</u>, daß ich endlich frei komme. Und er soll ganz <u>bald</u> hingehen! Bitte, bitte, bitte! Es ist mir oft so weh um's Herz, wenn ich bedenke, daß so wenig für Euch gesorgt wird und Ihr so sehr Euch selbst überlassen seid. So schön, wie wir es hatten, werden wir es nie wieder bekommen, aber <u>wie</u> glücklich werden wir auch in der einfachsten Umgebung miteinander sein, nicht wahr?? Ob ich wohl an meinem Geburtstag bei Euch bin? Wie lange bleibt denn Tante Lore fort, und wo ist sie eigentlich?

Eure Pakete, Eure guten und reichhaltigen und liebevoll gepackten Pakete habe ich <u>alle</u> erhalten, und Ihr glaubt gar nicht, wie sehr Ihr mir damit geholfen habt. Ich bin nie mehr abends hungrig zu Bett, und meine Abteilungsleiterin in der Fabrik, mit der ich mich sehr gut stehe und die vier Wochen in Berlin war, war sehr erfreut über mein besseres Aussehen. Das danke ich Euch!

Evchen, sag doch bei Röschen, ich ließe herzlich gratulie-

ren zu dem kleinen Mädchen. Wie geht es denn Wilhelm Hirdes? Was macht Hanneles böser Finger und wo bleibt die Zeichnung vom lieben Dr. Schupmann? Ille-Freundin, Deine Schulberichte freuen mich immer besonders. Nur sollst Du bitte nicht stets so sehr spät ins Bett gehen. Du hast doch den Schlaf so nötig. Den Wecker kannst Du selbstverständlich benutzen, darüber freue ich mich nur. Hannele, wie ist denn die »Schlacht in Hofgeismar« ausgegangen? Liebe, liebe gute Kinder, lebt wohl, helft, daß ich bald hier erlöst werde. Ich sehne mich so sehr nach Euch, und ich küsse Euch in Gedanken 1000 Mal und umarme Euch ganz fest.

Eure Mutti, die Euch unendlich liebt!!

Ilse hatte ihrer Mutter ja geschrieben, daß Ernst bereits ein Gesuch gemacht habe – bisher ohne Erfolg, wie Lilli feststellen mußte. Also appellierte sie erneut an ihn: »Der Vati soll doch noch mal hingehen zur Stapo.«

In der mörderischen Logik der Gestapo ergab eine Freilassung allerdings überhaupt keinen Sinn, denn wo sollte Lilli in einem solchen Fall eigentlich hin? Man hatte sie doch schon einmal aus Immenhausen vertrieben und in Kassel einquartiert. Dort war nun alles zerstört. Und zurück in das Haus ihres ehemaligen Mannes hätte man sie nie ziehen lassen.

Insofern war Lores nun schon Monate dauernde Suche nach einer neuen Wohnung, in der sie, Marilis, Lilli und die Kinder leben sollten, durchaus sinnvoll, ja notwendig. Doch Lillis Schwägerin hatte keinen Erfolg – warum auch immer.

Ilse hatte das Wochenende bei Lores Tochter Marilis in Marburg verbracht, Johanna war also wieder für die Betreuung von Eva und Dorothea zuständig gewesen. Am Montag, dem 7. Februar, berichtete sie ihrer Mutter:

Meine liebe, gute Mutti!

Wie geht es Dir? Bist Du gesund? Uns geht es allen gut bis auf den Schnupfen, der reihum geht. Eben ging das Licht aus. Ille, Eva und ich haben bei Kerzenlicht (Überreste vom Weihnachtsbaum) Kuchen gegessen …

Ille hat es sehr gut bei Marilis gefallen. Nun bin ich wieder meines Amtes entwürdigt als Vizemama. Muttilein, mir gefallen von Tag zu Tag die Kinder besser, ganz schnuppe, ob sauber oder schmutzig. Wenn ich mal einen Beruf ergreife, so müßte er auf alle Fälle mit Kindern zusammenhängen. Gerne möchte ich ein großes Haus haben, wo ich kranke, arme oder gar Waisenkinder aufnehmen kann. Aber dazu muß man erst mal Geld haben, und dann will und muß ich ja auch einen Beruf ausüben. Ich glaube, das hat alles noch etwas Zeit. Ob Dir wohl mein Plan gefällt? Gerne möchte ich mit Dir darüber reden. Wir wollen hoffen, daß diese Zeit bald wieder kommt.

Für heute sei recht herzlich gegrüßt und geküßt von Deinem Hannelekind.

Am nächsten Abend erzählte Ilse dann selbst, was sie in Marburg erlebt hatte:

Liebstes, bestes, gutes Muttilein!
Jetzt bekommst Du endlich mal wieder etwas von mir zu hören.

Es ist schon wieder spät. Aber jetzt gibt es keine Ausrede mehr. Für Dich sind gerade Plätzchen im Ofen. Ich muß erst einmal nachsehen. – So, das erste Blech ist fertig, und das zweite Blech ist drin. Sie schmecken recht gut.

In Marburg war es sehr schön. Marburg ist eine niedliche Stadt. Am ersten Abend waren wir im Kino: »Ein weißer Traum«. Das war ein ganz toller Film. Morgens haben wir lange geschlafen. Am Samstag waren wir in Gießen im Theater, im »Grafen von Luxemburg« von Lehar. War recht nett. Vorher hatten wir in Gießen kein Unterkommen gefunden: Alle Kaffees hatten wegen Überfüllung geschlossen. Wir waren drum und dran, mit dem nächsten Zug wiederum zu fahren. Aber zu allerletzt, nachdem wir uns blau gefroren hatten, sind wir in ein kleines Kaffee geraten. Dort haben wir lange Zeit gesessen, bis das Theater anfing. Gießen ist eine todlangweilige Stadt.

Nein, so was! Eben bin ich noch mal bei den Plätzchen gewesen, die zweiten sind etwas verbrannt. Sie werden Dir aber sicher doch noch schmecken …

Ich habe eine ganze Menge Sachen eingekauft. Butter, Käse, Marmelade und so weiter. Morgen bekommst Du noch ein Paket. Heute war kein Brot mehr da. Hoffentlich wirst Du auch immer satt … An Gerhard habe ich eben noch geschrieben, der bekommt auch jede Woche zweimal Post. Dem soll auch nichts an äußeren Dingen fehlen. Dorle ist gesund und quietschvergnügt. Sie erzählt so oft von unserer Wohnung in Kassel. Wie schön war das. Eva und dem Hannele geht es auch gesundheitlich glänzend. Nun laß Dich recht herzlich grüßen und tausendmal küssen von Deiner

Ilsemaus, die so oft an dich denkt.

Ilse wußte, wie sehr Lilli auf Lores Hilfe hoffte, und hielt ihre Mutter stets über den Stand der Wohnungssuche auf dem laufenden. Die Nachrichten waren allerdings wieder einmal schlecht: »Tante Lore kommt am 20. aus Waldkirch wieder. Bis jetzt hat sie noch nichts erreicht wegen einer Wohnung«, schrieb Ilse am 9. Februar. »Wir müssen halt warten«, kommentierte Johanna tags darauf:

Mein allerliebstes gutes Goldmuttilein!
Jetzt wird es Winter. Liegt bei Dir auch so viel Schnee? Und
glatt ist es, ziemlich unangenehm.

Weißt Du, wo die schönsten Frauen der Erde wohnen?
Ich wußte das auch nicht, angeblich auf der Insel Java.
So blöde Fragen kann ja auch nur der Fatthauer stellen.
Er wollte uns Mädchen reinlegen.

Heute ist einer Frau in Hofgeismar eine Tasche mit
Wäscheklammern und Hosenträgern und Kochlöffel
unter den Zug gefallen. Da sind Heidi und ich unter den
Zug gekrabbelt und haben alles bis auf vier Klammern
aufgelesen. Denn da fuhr der Zug an, das war was. Mor-
gen früh fahr' ich nach Hümme und hab' Latein, darauf
freue ich mich.

Tante Lore schrieb aus Waldkirch. Große Aussichten
haben wir noch nicht, wir müssen halt warten und dem
lieben Gott vertrauen. Für heute sei recht herzlich gegrüßt
und geküßt von Deinem Hannelekind

Am selben Abend schrieb auch Ilse wieder:

Liebstes, bestes Muttilein!
Jetzt ist es wieder so kalt, und wenn ich morgens an die
Bahn gehe, muß ich immer sehr an Dich denken, Du mußt
doch sicherlich frieren. Wie lange noch!?? Eben habe ich
noch einmal Deinen letzten Brief gelesen. Mir kommt erst
dann immer alles so richtig zum Bewußtsein.

Wenn ich früher nach Hause kam, freute ich mich, alle
meine Dinge, die mir im Kopf herumliefen, zu erzählen.
Jetzt ist niemand da, der das kann, dem ich das erzählen
darf. Aber ich will alles und jedes noch lange tragen und
auf mich nehmen, wenn Dir damit geholfen wäre. Ich habe
Vati geschrieben. Aber Vati!!!! Arme Mutti!!! Nun Got-

tes Wege sind wunderbar, und das ist das einzige, was mir
immer und immer hilft ...

Laß Dir 1000 Grüßlein und Küßlein senden, Dich lieb
umarmen von Deiner Ilsemaus.

Ilse versuchte weiterhin, ihren Vater zu einer neuen Inter-
vention bei der Gestapo zu überreden. Inzwischen zweifelte
sie allerdings, ob er überhaupt schon einmal vorstellig geworden war. Am 16. Januar hatte sie dies selbst noch in einem
Brief an die Mutter behauptet, nun war sie sich dessen nicht
mehr sicher. Wahrscheinlich wäre ein solches Gesuch wirklich aussichtslos gewesen, aber Ernsts Ausreden brüskierten
seine Töchter nur. Tagsüber war Ilse durch ihre Aufgabe als
Ersatzmutter weitgehend abgelenkt, aber nachts beschlich sie
nun immer mehr die Angst um die Zukunft ihrer Mutter, so
auch am 12. Februar:

Jetzt ist endlich Ruhe. Die drei schlafen. Gleich gehe ich
auch ins Bett. Aber erst gehe ich noch ans Fenster und
sehe in der Richtung nach Breitenau zu Dir. Wann wird
wohl der Tag kommen? Wie mag es Dir gehen? Und 100
solche Fragen und Gedanken drehen sich bei mir. Nachts,
wenn ich nicht schlafen kann, denk ich an Dich. Wir fünf,
auch Dorlekind, vergessen Dich nie ... Aufwiederlesen bis
morgen abend.

Und am nächsten Abend:

In der Kirche waren Hannele und ich. Ich versuche jetzt
immer mehr, einen festen Halt darin zu gewinnen. Viel-
leicht gelingt es mir bald. Heute abend will ich noch etwas
in der Bibel lesen.

Ilse erwähnte in diesem Brief beiläufig auch wieder Julie. Das belgische Hausmädchen war in der Bombennacht vom 22. Oktober 1943 spurlos verschwunden. Nun traf man sie plötzlich in Immenhausen:

Als wir an der Bahn ankommen, ist unsere Julie da!!! Die sieht verhungert und verdreckt aus!!! Dorle war außer Rand und Band vor Freude.

Julie konnte oder wollte den Kindern nicht erklären, was sie jetzt machte. Möglicherweise versuchte sie sich nur weiteren Einsätzen als Zwangsarbeiterin zu entziehen. Nach bald vier Jahren machten sich erste Auflösungserscheinungen in der nationalsozialistischen Kriegswirtschaft bemerkbar. Einige Tage später berichtete Ilse von einer größeren Zahl russischer Zwangsarbeiter, die ausgebrochen seien. Die Kinder durften aus Sicherheitsgründen Immenhausen nicht verlassen. Julie im übrigen haben sie nie wiedergesehen.

Trotz solcher Probleme war die Versorgungslage der Bevölkerung immer noch erheblich besser als die des Millionenheeres der Zwangsarbeiter und Gefangenen. »Uns geht es gut. Ich habe überhaupt keine Asthmabeschwerden mehr und gehe auf wie ein Hefekloß«, spottete Johanna am 15. Februar.

Auch Lillis Freundin Lotte mußte nach wie vor Zwangsarbeit leisten, obwohl sie völlig erschöpft war und immer wieder erkrankte. Am 17. Februar berichtete sie aus Leipzig:

Meine liebe Lilli,
ich habe mich so sehr über Deine Grüße gefreut, daß ich Dir gleich schnell schreiben muß. Das an die Kinder geht natürlich heute noch weg.
Ich bin so unglücklich, daß ich Dir nicht öfter schreiben und vor allem nicht mehr für Dich tun kann. Aber seit

einiger Zeit muß ich nun wieder arbeiten und zwar Schutt schaufeln in der völlig ausgebrannten Fabrik, ohne Türen, Fenster, Wände. Bloß weite, offene Hallen voll Schutt, Asche, Dreck, Wasser oder Schnee, je nach Wetter. Du kannst Dir denken, daß es furchtbar kalt ist. Wir machen uns zwar immer ein Feuerchen aus brennbaren Resten, die wir so finden, aber trotzdem friert man. Noch zwei Frauen und ich.

Wenn ich dann in den Nachmittagsstunden schnell den Haushalt gemacht habe – noch immer ohne Gas – mit Einkaufen, Bügeln, Stopfen und so weiter, dann bin ich so völlig übermüdet, daß ich einfach nicht mehr schreiben kann. Ich weiß, Du begreifst es, aber doch quält es mich, daß ich nicht so kann, wie ich möchte.

Hast Du denn gar keine Wünsche? Du schreibst mir nie welche. Laß mir doch durch die Kinder sagen, was Du brauchst. Essen kann ich Dir leider gar nichts mehr schicken, ich kann einfach nichts mehr erübrigen und habe selber ewig Hunger!

Aber ich darf ja nicht klagen vor Dir! Wie stell ich mir immer wieder vor, was Du durchmachst! Und dann das immerwährende Warten auf die Entlassung und die dauernde Enttäuschung.

Ernst hat uns geschrieben, es laufe ein Gesuch für Dich. Ilse schrieb mir, daß sie daran zweifele, aber ich denke doch ganz sicher, daß das stimmt. Ob man mehr tun könnte, das kann ich von hier aus natürlich nicht beurteilen. Ernst schrieb, es werde getan, was möglich ist. Ich bin überzeugt, daß in Deinem Fall etwas erreicht werden kann, wenn man die richtigen Schritte tut. Einmal muß es doch soweit sein. Ach Liebe, wenn meine vielen Gedanken und Wünsche doch etwas nützen könnten!

Ich bin froh, daß Du menschlich anständig behandelt

wirst. Das macht das Ganze doch um vieles leichter. Und
ich bin überzeugt, nun hältst Du noch vollends durch. Laß
Dich nur nicht auffressen von der Ungeduld des Wartens –
so etwas zehrt und schwächt oft mehr als das Ertragen des
Schweren an sich. Und behalt Deinen so schönen Lebens-
mut, Du hast Dich ja so wunderbar bewährt und gehalten,
daß Du auch dieses nun noch zu Ende führen wirst.

Peter geht es gut. Aber mein Heimweh! Ernst August
ist von einer schweren Grippe mit Rippenfellreizung drei-
viertel wieder hergestellt, sieht aber entsprechend aus.

Ich weiß, daß er Dich ganz herzlich grüßt – er ist noch
nicht da, und ich schicke den Brief gleich weg.

Sei umarmt und geküßt!

Deine Lotte

Wenn Ernst an Lotte schrieb, es werde getan, »was möglich
ist«, so konnte das alles, aber auch nichts bedeuten. Ilse bekam
in diesen Tagen erneut einen »so seltsamen Brief« ihres Vaters. »Bald hab ich es satt«, berichtete sie Lilli am 18. Januar.
»Auf diese Briefe gebe ich nie eine Antwort.« Ernst flehte um
Verständnis, aber die Kinder konnten ihn nicht verstehen.

Ilses Brief vom 20. Februar, einem Sonntag, ist der letzte
überlieferte Kinderbrief an Lilli:

Liebes, bestes Mutterle!
Nun sind wieder zwei Tage verstrichen. Von Tag zu Tag
sehne ich mich mehr zu Dir. Manchmal denke ich, ich
könnte es wirklich nicht mehr aushalten. Aber ich finde
doch immer wieder neue Kraft.

Gerhard ist auf Urlaub gekommen. Das ist immer sehr
schön. In der Schule war es gestern auch sehr nett. Ein
Junge hat so 'ne witzige Antwort gegeben in Deutsch, daß
wir beinahe eine ganze Stunde gelacht hätten.

Unser Zug hatte mittags eine ganze Stunde Verspätung.
Deine Züge haben sicher auch Tag für Tag Verspätung.
Jetzt mußt Du, liebes Muttchen, sicher jeden Morgen bitter
frieren! Du gutes, liebes Lieblingchen! Wie lange noch
mußt Du das aushalten? Hoffentlich wirst Du bald erlöst!

Heute früh waren wir wieder in der Kirche. Mit unse-
rem Pfarrer bin ich nicht zufrieden. Ich wünschte mal eine
ordentliche Predigt.

Heute nachmittag habe ich uns einige Haferplätzchen
gebacken. Hannele, Eva und Gertrud haben Gerda im
Krankenhaus besucht. Da waren Gerhard, Dorle, Magda
und ich alleine. Wir haben mit Herrn und Frau Dr. Schup-
mann zusammen Kaffee getrunken. Nach dem Kaffee habe
ich noch genäht und auch Gerhards blauen Pullover wie-
der repariert. Wir haben die 5. von Beethoven gehört. Es
war aber bloß halber Genuß, weil das Kleinzeug dabei
war.

Gestern und heute hatte ich eine Menge Post: Gisela,
Tante Lotte, Tante Lore und Vati. Tante Lore bleibt noch
vorläufig im Schwarzwald. Tante Lotte muß wieder halbe
Tage arbeiten, Schutt schaufeln.

Heute Nacht war wieder ein Angriff auf Leipzig. 83 sind
abgeschossen worden.

Nun gute Nacht, tausend Grüßchen und Küßchen von
Deiner Ilsemaus.

Vor allem die Information über den Angriff auf Leipzig be-
unruhigte Lilli – das zeigt ihr letzter Brief aus Breitenau. Geschrieben wurde er auf dem von Lotte übersandten Briefpapier, und zwar am Sonntag, dem 27. Februar; oben rechts
trägt der Brief einen handschriftlichen Zensurvermerk
»29/2.44 St«. Von der Post abgestempelt wurde er erst am
2. März 1944:

Meine innigstgeliebten guten Kinder, alle 6,
wieder ein Sonntag hier in Breitenau, aber wenigstens ein
Sonntag, an dem ich schreiben darf, und wenn Ihr es ja
auch wißt, daß all meine sorgenden und liebenden Gedan-
ken tagtäglich bei Euch sind, so ist's mir doch eine Freude,
ein wenig mit Euch zu plaudern. Wie immer danke ich
Euch aus ganzem Herzen für all Eure so lieben Briefe, die
letzte Nachricht von Euch ist allerdings schon acht Tage alt;
ich nehme an, daß die vielen Alarme die Postverbindun-
gen wieder stören.

Und 1000 Dank für die herrlichen Pakete: Die Hafer-
plätzchen waren so lecker, und soooo viel Butter habt Ihr
geschickt, die eß' ich doch nur mit schlechtem Gewissen.
Der Kuchen vor 8 Tagen war ganz köstlich, meine Ilse-
maus ist doch schon eine tüchtige kleine Hausfrau. Und so
gut hat die Leberwurst geschmeckt. Kinder, Kinder, wie
macht Ihr das nur, daß Ihr so viel für mich übrig habt!
Auch die Seife war sehr willkommen, und die Hülse für
die Zahnbürste hat mich besonders gefreut.

Und doch hab ich schon wieder Wünsche, die Ihr mir,
wenn es möglich ist, erfüllen möchtet? Zahnpasta, Haut-
creme und schwarze Schuhcreme.

Aber die größte Freude sind und bleiben mir immer Eure
Briefe. Von Dir, liebe Marilis, habe ich länger nichts
gehört. Aber Du hast gewiß viel Arbeit mit den Vorberei-
tungen zu Deiner Prüfung. Es war arg lieb von Dir, Ilse
solch nettes Wochenende zu bereiten. Hoffentlich, hoffent-
lich hast Du beim Angriff in der vergangenen Woche
nichts abbekommen, ich warte schon ein wenig ängstlich
auf Nachricht von Dir. Wirst Du das Sommersemester
auch in Marburg bleiben? Hast Du gute Nachricht von
Deiner Mutti? –

An Dich, mein guter Junge, habe ich ganz besonders

gedacht. Ihr armen Kerle kommt ja vor lauter Alarm gar nicht mehr zur Ruhe. Das war doch eine tolle Woche, und Du wirst sicher todmüde sein. Es ist ja dann auch kein Wunder, daß Ihr in der Schule mit Euren Leistungen absinkt. Gell, die Bücher von Binding sind sehr, sehr fein, ich hab sie auch immer mit Freude gelesen. Und wie schön, daß Du in »Fidelio« warst! Ich bin so froh und dankbar, daß auch Ihr alle solche Liebe zu Musik und Kunst und Dichtung habt! Glaubt mir, der innere Besitz dieser Dinge und das Wissen darum hilft mir oft über alles Häßliche und Niederdrückende in diesen schweren Monaten.

Ein halbes Jahr sind wir nun schon getrennt, und ich werde nun doch allmählich ungeduldig. Ich hatte so <u>sehr</u> gehofft, es würde nicht länger dauern. An meinem Geburtstag in acht Tagen werde ich ja auch noch hier sein – bitte Kinder, seid nicht traurig darüber, ich werde es auch nicht sein, und später holen wir alles nach. Aber zu Deiner Konfirmation, mein Hannele, wäre ich doch <u>arg, arg</u> gerne bei Dir. <u>Bitte Du doch den Vati, daß er noch mal zur Gestapo geht.</u> Es sorgt ja auch gar niemand für das Notwendigste, zumal Tante Lore noch immer fort ist. Unten im Schrank bei den schwarzen Kleidern hängt noch ein schlicht-sportlich gearbeitetes schwarzes Kleid aus zweierlei Stoff, wenn ich nicht irre. Laß Dir daraus von Frau Wittich ein Kleid nähen, mein Liebes.

<u>Wie</u> schön, daß Du kein Asthma mehr hast! –

Deine Einkäufe, mein gutes Ilsekind, sind ganz in meinem Sinn, Du hast ja schon eine ganze Menge für unseren neuen Haushalt zusammengetragen und kümmerst Dich auch sonst so lieb um alles!! Gehe nur so oft Du kannst zur Kirche. Und ich freue mich schon heute sooo darauf, wenn wir über alles, was Dich bewegt, reden können. Wäre es nur bald!

Was macht mein Evalein und mein Dorlekind?

Und nun nehmt mir eine <u>große</u> Sorge und schreibt <u>gleich</u> an Tante Lotte und gebt mir dann Nachricht, ob ihr und Onkel Ernst August auch nichts passiert ist. Das liegt mir so <u>sehr</u> auf der Seele. Und schreibt ihr allerherzlichsten Dank für ihren so guten, tröstenden Brief vom 18. Februar, der mir eine große Freude war. Das von ihr eingelegte Briefpapier durfte ich heute an Euch benutzen. Und viele liebe Grüße und gute Wünsche für sie. Ihr alle seid auch viel 1000 x gegrüßt und umarmt, zärtlich geküßt von Eurer Mutti.

Am Rande der ersten Seite notierte Lilli noch:

Viele liebe Grüße für Vati, Tante Lore, Tante Maria

Irgendwann im März 1944 fuhr Ilse erneut frühmorgens mit der Bahn nach Malsfeld, um zu überprüfen, ob ihre Mutter noch im Arbeitserziehungslager Breitenau war. Tatsächlich sah sie Lilli ein letztes Mal im Kreis der Zwangsarbeiterinnen. Und wieder achtete Ilse darauf, daß Lilli sie nicht erkannte.

»*Ich werde weiter tapfer sein*«

Die Deportation in den Osten

Wenn die Nationalsozialisten ihr brutales Strafregime systematisch betrieben hätten, wäre Lilli vier Wochen nach ihrer Inhaftierung wieder freigelassen worden. Der Verstoß gegen die Polizeiverordnung vom 17. August 1938 hätte eine längere Haftstrafe kaum begründen können. Doch im Laufe des Krieges verlor das Terrorsystem die Fassade einer Gesetzmäßigkeit – klar erkennbar war nur noch das eine große Ziel: die Vernichtung der Juden. Lilli war schließlich ohne jede formale Erklärung fast sieben Monate lang in Breitenau festgehalten worden.

Im Frühjahr 1944 wollte man diesem Zustand ein Ende machen. Die Gestapo entschied, Lilli in das Vernichtungslager Auschwitz zu schicken und nicht – wie viele andere Breitenau-Häftlinge – in das Konzentrationslager Ravensbrück, Sachsenhausen oder Buchenwald. Die üblichen Vorbereitungen für eine Deportation wurden begonnen. Ein Arzt hatte die Transportfähigkeit zu bescheinigen, das für die Deportationen zuständige Reichssicherheitshauptamt in Berlin mußte informiert werden, der Landrat in Melsungen ebenfalls. Schließlich wurden Zivilkleidung und persönliche Gegenstände ausgehändigt.

Vor ihrem Abtransport aus Breitenau übergab Lilli die meisten der ihr geschickten Briefe heimlich einer Mitgefangenen oder Wärterin; die wiederum ließ die Dokumente den Kindern in Immenhausen zukommen. Aus den letzten vier

Wochen, die Lilli in Breitenau verbringen mußte, sind allerdings keine Kinderbriefe mehr erhalten. Lilli dürfte diese Briefe als Erinnerungen auf die Fahrt nach Auschwitz mitgenommen haben.

Nur wenige Habseligkeiten wurden von der Leitung des Arbeitserziehungslagers zurück in das Ärztehaus geschickt, darunter einige Bücher, zum Beispiel der Roman »Der Nachsommer« von Adalbert Stifter. Lilli hatte ihn mit einer Widmung an ihre älteste Tochter versehen: »Meiner lieben, so rührend um mich besorgten Ilsemaus, in Liebe und Dankbarkeit von ihrer Mutti. Breitenau, März 1944.« Auch Gerhard bekam noch ein Buch mit Widmung: »Meinem Jungen zur Freude und Anregung in herzinnigem Gedenken von seiner Mutti, März 1944«, schrieb Lilli in eine Ausgabe des Buches »Die Begegnung mit dem Genius«, einer Sammlung von kulturhistorischen Essays des populären Theaterkritikers Rudolf K. Goldschmit-Jentner.

Am 17. März 1944 war es so weit. Die Kasseler Gestapo, die seit dem großen Bombenangriff auf Kassel in Breitenau ihr Hauptquartier unterhielt, ließ Lilli zur Bahn bringen. Sie wurde einem Sammeltransport nach Auschwitz zugeteilt, die Dauer der Reise war ungewiß. Aus Dresden, einer Zwischenstation, schickte sie eine Postkarte nach Immenhausen, die allerdings nicht mehr erhalten ist. Am 21. März 1944 – die Deportierten warteten immer noch in Dresden auf die Weiterfahrt – sandte Lilli erneut einen kurzen Bericht an ihre Familie, diesmal per Brief:

Meine innigstgeliebten Kinder alle.
Das ist eine lange und langweilige Reise; am 1. Tag sind wir über Halle bis Leipzig!! Wie gerne hätte ich Tante Lotte noch mal gesehen! Illekind, Leipzig sieht böse, böse aus, am Bahnhof, Augustus-Platz und in der ganzen Innen-

stadt *nur* Trümmerhaufen. Am 2. Tag sind wir bis Dresden gekommen. Dort waren wir 3 Tage, und von dort schrieb ich schon eine Karte, die hoffentlich bald in Eure Hände kommt, und hoffentlich erhaltet Ihr auch diese Zeilen, das wäre mir eine solche Freude.

Wir sitzen nun schon seit 3 Uhr hier in Dresden am Bahnhof und hören eben, daß der Zug erst um 10 Uhr heute abend weitergeht. Morgen abend werden wir dann in Auschwitz sein. Die Mitteilungen darüber, wie es dort sein soll, sind sehr widersprechend. Es kann sein, daß ich erst nach vier oder sogar nach acht Wochen schreiben darf, seid also *bitte* nicht in Sorge, wenn Ihr jetzt länger nichts hören solltet. Und wenn es gar so lange dauert, dann versucht doch, mir zuerst zu schreiben, vielleicht bekomme ich's doch. Wir müssen nun abwarten, wie alles wird. Ich werde weiter tapfer sein und fest die Zähne zusammenbeißen und an Euch denken und durchhalten, wenn's auch noch so schwer sein wird.

Solltet Ihr mir Pakete schicken dürfen, so denkt bitte immer mal wieder an Zahnpasta, Haarnadeln und Körper-Puder. Und seid bitte nicht so traurig, Ihr meine Kinder. Es ist mir eine solche Beruhigung zu wissen, daß Ihr Eure Ordnung und Eure Pflege habt und Euren Vati, der sich um Euch sorgt und Euch sehr lieb hat. Vergeßt das nicht, wenn Ihr auch heute sein Verhalten nicht verstehen könnt. Der Vati wird Euch auch immer wieder die Wege weisen zu allem Schönen und Guten und Hohen – denn der Mensch lebt ja nicht nur vom Brot allein. –

Ich bedaure es auch sehr, daß Tante Lore sich doch nicht so um Euch kümmert, wie ich es gerne erwartet hätte. Tante Rita klagte mir auch, daß sie es so schwer habe mit Euch. Um Eures Vati willen seid lieb und folgsam, es geht dann alles leichter.

In den letzten Tagen habe ich die Familien beneidet, die alle zusammen damals fortgebracht wurden. Aber wenn ich's recht bedenke, ist es mir trotz aller tiefen Sehnsucht und allem Trennungs-Schmerz leichter, Euch in geregelten Verhältnissen zu wissen und Euch verschont zu sehen von all dem Widerwärtigen und Häßlichen. Ich habe nur den einzigen heißen Wunsch, Euch <u>alle</u> gesund wiederzusehen. Nochmals liebe Grüße, und bestellt ihm folgendes: <u>Er selbst</u> und niemand anders soll nochmals alles versuchen, und wenn er sich bis an die höchsten Stellen nach Berlin wendet.

Jetzt auf dem Transport hab ich einen früheren Staatsanwalt und Rechtsanwalt aus Freiburg kennengelernt, der Onkel Max gut kannte und auch Onkel Ernst August und Tante Lotte. Auch Mischehe, Sohn in englischer Kriegsgefangenschaft. Von diesem Herrn hörte ich, daß alle <u>einzelnen</u> jüdischen Personen aus Mischehen, also wenn der andere Teil tot oder geschieden ist, fortkommen, aber <u>nur dann</u>, wenn die Kinder über 18 Jahre sind. Er war sehr überrascht, als ich von Euch erzählte, und kann es gar nicht verstehen. So etwas sei noch nicht dagewesen bisher und solle eigentlich auch nicht vorkommen. Vati soll die Richtigkeit dieser Nachrichten nochmal nachprüfen und sie dann zur Grundlage seines Gesuchs machen. Er soll <u>verlangen</u>, daß ich freikomme, zumal er doch auch Wehrmachtsangehöriger ist.

Hoffentlich, hoffentlich erhaltet Ihr diesen Brief! Habt Ihr das Päckchen mit den Briefen, dem Löffel für mein Dorle und den Kleinigkeiten erhalten? Und das Bücherpaket? Sonst fordert es an von Breitenau (die Bücher! Die Briefe hatte ich heimlich abgeschickt!).

Und nun lebt alle miteinander nochmals wohl – Gerhard-Junge, Ilsemaus, Hannelekind, Evalein und

mein Dorle-Schatz! Gott behüte Euch! Wir bleiben unlös-
lich miteinander verbunden. Seid herzinniglich gegrüßt
und geküßt von Eurer treuen

Mutti

Am Rand notierte Lilli noch:

An Tante Lotte und Onkel Ernst August auch nochmals
viele liebe Grüße, auch von Herrn Homburger.

Der Hinweis des Rechtsanwalts Homburger entsprach freilich
nur jenen Auskünften, die Ernst schon vor der Trennung von
Lilli erhalten hatte. Damals, 1942, mochten die jüdischen
Mütter »halbjüdischer« Kinder nach einer Scheidung noch
geschützt gewesen sein – nun, gegen Ende des Krieges,
konnte davon keine Rede mehr sein. Selbst wenn Ernst im
März 1944 beim Reichssicherheitshauptamt in Berlin interve-
niert hätte: Dieser Appell wäre wohl folgenlos geblieben.

Und Lilli ahnte, was sie in Auschwitz erwartete. Ihre Bemerkung, »wie gerne hätte ich Tante Lotte noch einmal gesehen«, verriet mehr, als sie ihren Kindern zumuten wollte.
Auch die Formulierung, die Mitteilungen über die Lebensbedingungen in Auschwitz seien »sehr widersprechend«, ver-
harmloste die auf den Transporten bereits kursierenden Ge-
rüchte und Vermutungen. Daß sich in Auschwitz ein Lager
befand, setzte Lilli bei ihren Kindern als bekannt voraus, denn
sie erklärte diesen Ortsnamen in ihrem Brief gar nicht mehr.
Aber was in Auschwitz wirklich geschah, konnte oder wollte
sie nicht schreiben.

»Meine Gedanken sind bei Euch«
Die letzten Monate im Konzentrationslager

Am 22. März traf in Auschwitz ein Zug mit neuen Häftlingen ein. Wie üblich wurden die Kranken, Gebrechlichen und nicht Arbeitsfähigen »selektiert« und in den Gaskammern getötet, die übrigen erhielten eine Häftlingsnummer und einen Platz in einer Baracke zugewiesen.

Ob auch Lilli mit diesem Transport nach Auschwitz kam, läßt sich nicht mit Sicherheit sagen – die Indizien sprechen dafür: Lilli erhielt die Gefangenennummer 76 043, am Tag zuvor, dem 21. März, hatte ein weiblicher Häftling die Nummer 76 037 bekommen, für den 25. März ist die Vergabe der Gefangenennummern 76 076 bis 76 131 nachweisbar.

Die Transporte, die in diesen Tagen nach Auschwitz kamen, brachten eher kleinere Gruppen aus dem Reich und den besetzten Gebieten Westeuropas in das Todeslager, vor allem niederländische Juden. Die Vernichtung der polnischen und russischen Juden war weitgehend abgeschlossen, die meisten Todesfabriken standen bereits still. Doch in Auschwitz wurde weiter industriell getötet, eine letzte große Aktion, die Auslöschung der ungarischen Juden, begann in diesem Frühjahr.

Lillis Kinder hörten nun über Wochen nichts mehr von ihrer Mutter. Da sie nicht wußten, an welche Adresse sie sich wenden sollten, stellten sie auch das Briefeschreiben ein. Mit wachsender Angst warteten die Kinder auf ein Lebenszeichen. Im Juni 1944 kam in Immenhausen tatsächlich ein Brief aus Auschwitz-Birkenau an, also aus dem zentralen Vernichtungslager, das die Nazis neben dem sogenannten Stammlager Auschwitz errichtet hatten. Adressiert war der Brief an Lillis Schwägerin Lore, und als Absender wurde der Name »Jahn Lili Sara« angegeben, Gefangenennummer 76043, als Absenderadresse der »Block 24, Frauenlager, Auschwitz, Postamt 2«.

Neben der Anschrift finden sich auf dem Briefformular die »für den Schriftverkehr mit Häftlingen« zu beachtenden »Anordnungen«. Unter Punkt 1 heißt es: »Jeder Schutzhäftling darf im Monat zwei Briefe oder zwei Karten von seinen Angehörigen empfangen und an sie absenden«; unter Punkt 5: »Gesuche an die Lagerleitung zwecks Entlassung aus der Schutzhaft sind zwecklos«; und unter Punkt 6: »Sprecherlaubnis und Besuche von Häftlingen im Lager sind grundsätzlich nicht gestattet. Der Lagerkommandant.« Vorder- und Rückseite des Briefes sind mit dem Vermerk »Postzensurstelle K. L. Auschwitz« gestempelt.

Der Brief selbst, datiert auf den 5. Juni 1944, wurde mit Bleistift geschrieben und wahrscheinlich diktiert. Allenfalls die etwas wacklig geratene Unterschrift »Lilli o. Mutti« läßt Lillis Handschrift erahnen. Den Text dagegen brachte wohl eine des Deutschen nicht ganz mächtige Leidensgenossin zu Papier, er enthält eine Reihe von Rechtschreibfehlern (die hier ausnahmsweise nicht korrigiert werden). Lilli war offenbar schon zu geschwächt, um selbst zu schreiben. Auch die Wortwahl klingt merkwürdig fremd und steif; allerdings durften solche Briefe generell nur möglichst unverfängliche Floskeln und Versatzstücke enthalten. Die Briefschreiberin formulierte also vielleicht nur sinngemäß, was ihr Lilli vorher aufgetragen hatte:

Meine liebe Lore!

Ich bin so sehr glücklich Dir zu schreiben zu können.
Es geht mir gut, ich arbeite im meinem Beruf und das ist
sehr angenehm für mich. Nun erwarte ich sehnsüchtlich
Nachrichten über Dich und Kinder. Was machen Sie alle?
Ist Gerhard schon im Arbeitsdienst? Gehen Ilse und
Hanele nach Hofgeismar in der Schule? Was macht
meine kleine Ewa? Und was macht mein Allerkleinste?
Und wie geht es Dir selbst und Marielise. Ich erwarte
nun regelmäßig Nachrichten von Euch. Ich danke Euch
herzlich für die regelmäßigen Geldsendungen. Ich danke
Euch für das letzte Packet nach Breithenau Die Kinder
möchten auch selber schreiben. Meine Gedanken sind
ununterbrochen immer bei Euch. Hoffentlich seid Ihr alle
gesund. Ich grüße und küße jeden einzelnen tausend
Mal. Ich bin in großer Liebe als Mutter und Schwägerin.
Lilli o. Mutti

Lillis Töchter können sich heute an die von ihr erwähnten
Geldsendungen nicht erinnern. Daß Lilli im Konzentrationslager zunächst als Ärztin arbeitete, ist hingegen nicht ganz
ausgeschlossen. Entsprechend ausgebildete Häftlinge wurden
damals auf der Krankenstation eingesetzt.

Aber wahrscheinlich war Lilli selbst zum Zeitpunkt der
Abfassung ihres letzten Briefes schon krank. Die Lebensbedingungen in Auschwitz förderten Krankheiten und Epide-
mien; die sanitären Anlagen waren in einem katastrophalen
Zustand. Die Häftlinge wohnten in den – mit jeweils mehreren hundert Insassen – völlig überfüllten Baracken und
schliefen ohne Decken oder Kissen auf Strohsäcken und
mehrstöckigen Holzpritschen. Zunächst nächtigten jeweils
fünf Personen auf einer Pritsche, später bis zu 15. Wer unter
diesen Bedingungen krank und arbeitsunfähig wurde, mußte

stets damit rechnen, daß ihn die Lagerärzte »selektieren« und in die Gaskammern schicken würden.

In Auschwitz waren Anfang April 1944, also kurz nach Lillis Ankunft, etwa 67 000 Menschen inhaftiert. Bewacht von knapp 3000 SS-Leuten und Polizisten mußten sie im Lager oder in den umliegenden Fabriken unter den schrecklichsten Bedingungen arbeiten.

Den Hunger hatte Lilli schon in Breitenau kennengelernt und erdulden müssen, nur dank der Pakete aus Kassel und Immenhausen war ihre Versorgung mit Lebensmitteln zeitweise ausreichend. In Auschwitz kam es nun schlimmer: Jüdische Häftlinge wurden tagsüber in der Regel mit einer wässrigen Rübensuppe abgespeist, abends gab es dann noch eine armselige Mahlzeit aus Sägespanbrot mit etwas Margarine und – häufig verdorbener – Marmelade oder Wurst.

Das ganze System war auf die Vernichtung der zumeist jüdischen Lagerinsassen angelegt. Wer nicht in den Gaskammern umgebracht wurde, der starb an Unterernährung, Krankheiten oder schlicht an Erschöpfung. Und nicht wenige fielen den sadistischen Exzessen der Wachleute zum Opfer. Insgesamt wurden allein in Auschwitz mehr als eine Million Menschen getötet.

Lillis Brief aus Birkenau war erst wenige Tage in Immenhausen, als die Gestapo im Hause Ernst Jahns anrief. Rita ging ans Telefon und wurde über den Tod Lillis informiert, eine Todesursache wurde nicht genannt. Ohne jede Regung, so erinnern sich Lillis Töchter heute, berichtete Rita den Mädchen von dem Anruf, nur Dr. Schupmann tröstete die Mädchen. Daß sie überhaupt aus Auschwitz benachrichtigt wurden, war schon ungewöhnlich. Doch die Kinder wollten diese Botschaft nicht wahrhaben. Unter einem Konzentrationslager konnten sie sich wenig vorstellen. Und von der Barbarei in Auschwitz wußten sie schon gar nichts. Ilse schrieb mehrmals an die Leitung des Lagers und bat um genaue Aufklärung über das Schicksal ihrer Mutter – monatelang erhielt sie keine Antwort.

Statt dessen erlebten die Kinder selbst weitere Diskriminierungen. Ilse und Johanna mußten im Juni 1944 die Schule in Hofgeismar verlassen, jüdische Mischlinge durften nun keine höheren Schulen mehr besuchen. Gerhard wurde am 11. September als Luftwaffenhelfer entlassen und eine Woche später zum Arbeitsdienst eingezogen. Der Vater, Ernst Jahn, mußte seine Stelle im bei Kassel gelegenen Wehrmachtslazarett aufgeben und kam als Arzt an die Front ins Baltikum.

Und der Krieg rückte nochmals näher: Am 2. Oktober ging ein Bombenteppich mit etwa 140 Spreng- und mehreren tausend Brandbomben am Rande von Immenhausen nieder – eigentlich galt die Attacke der Kasseler Rüstungsfabrik Henschel. Wie die übrigen Bürger der Kleinstadt kamen Lillis Töchter abermals mit dem Schrecken davon.

Etwa zu dieser Zeit erhielten die Kinder dann tatsächlich eine amtliche Bestätigung des Todes ihrer Mutter: Mit der Post ging ihnen eine in ziselierter Schrift abgefaßte Sterbeurkunde des Standesamtes II Auschwitz, Nr. LXXXX26/44, zu, ausgestellt am 28. September 1944:

Die Ärztin Lilli Sara Jahn geborene Schlüchterer –
glaubenslos –, wohnhaft Kassel, Motzstr. Nr. 3, ist am
19. Juni 1944 um 11 Uhr 25 Minuten in Auschwitz, Kaser-
nenstrasse verstorben. Die Verstorbene war geboren am
5. März 1900 in Köln (Standesamt - - - Nr. - - -) Vater:
Josef Schlüchterer, Mutter: Paula Sara Schlüchterer gebo-
rene Schloss wohnhaft in Birmingham. Die Verstorbene
war geschieden.

Auch die Stadt Immenhausen bekam noch Post aus dem KZ: Die »Verwaltung des K. L. Auschwitz« schickte am 16. Oktober 1944 unter dem Aktenzeichen IVa 3/66d (14 KL7) F/10.44-76043 Lillis Ausweis zurück – und damit beim letzten bürokratischen Akt alles seine Richtigkeit hatte, als »Einschreiben«:

An den
Bürgermeister – als Ortspolizeibehörde –
Immenhausen
Anliegend wird die Kennkarte Nr. A 00002 der am 5. 3. 00
geborenen und hier am 17. 6. 44 verstorbenen Jahn, Lilli
Sara zur dortigen Verfügung übersandt.
1 Anlage.
Der Leiter der Verwaltung des Konzentrationslagers
Auschwitz

i. A. ...
SS-Obersturmführer

Der bürokratische Ordnungssinn war offensichtlich nur Fassade. Das in dem Schreiben genannte Todesdatum stimmte nicht einmal mit dem der Sterbeurkunde überein. Starb Lilli nun am 17. Juni oder am 19. Juni 1944? Und immer noch keine Auskunft über die Todesursache.

Bis heute wissen Lillis Töchter nicht, wie und woran ihre Mutter starb: an Schwäche und Krankheit – oder doch in der Gaskammer?

Epilog

Auch Lillis Kindern wurde gegen Ende des Krieges mit einer bevorstehenden Deportation gedroht; sie durften Immenhausen nicht verlassen. Am 13. November 1944 entließ man Gerhard aus dem Arbeitsdienst. Da die Nationalsozialisten ihn für »wehrunwürdig« erklärt hatten, wurde er auch nicht mehr zur Wehrmacht eingezogen. Nur die fortwährenden Luftangriffe und das Chaos der letzten Kriegstage, so notierte er später, hätten seine bereits geplante Verhaftung durch die Gestapo verhindert.

Lillis Freundin Lotte geriet noch in akute Lebensgefahr. Sie erkrankte, war also nicht mehr in der Lage, Zwangsarbeit zu leisten, und mußte mit dem Schlimmsten rechnen. Dank der Hilfe einer nichtjüdischen Ärztin konnte sie sich in die Obhut von Freunden in Freiburg begeben. Sie wurde in ein Krankenhaus eingewiesen, dort jedoch ausgebombt. Die letzten Tage des Naziterrors überstand Lotte im Schutz eines bei Freiburg gelegenen Klosters.

Am 5. April 1945 gegen 15 Uhr marschierten die ersten amerikanischen Truppen in Immenhausen ein. Noch am selben Tag wurde Lillis Verfolger, Bürgermeister Groß, seines Amtes enthoben und verhaftet.

Zuvor hatten die Nazis einige der sie belastenden Dokumente vergraben. Gerhard, der am 1. Juni 1945 die Leitung der Kartenstelle des Bürgermeisteramtes übernahm, konnte bald jene Briefe sicherstellen, die Groß geschrieben hatte, um

Lilli aus Immenhausen zu vertreiben. Gerhard wollte Rita sogar vor Gericht bringen, weil sie am Tod der Mutter mitschuldig sei. Ilse beschwor ihn jedoch, von diesem Plan abzulassen, sie wollte keine weitere Eskalation.

Denn Lillis Kinder lebten ja nach wie vor zusammen mit Rita im Haus ihres Vaters. Erst im Sommer 1946 zog Gerhard zur Familie Lieberknecht nach Kassel, um dort, nach einem neunmonatigen Vorbereitungskurs, die Reifeprüfung abzulegen; 1947 begann er in Marburg sein Jura-Studium.

Ilse und Johanna konnten wieder in die Schule nach Hofgeismar zurückkehren, Eva besuchte zunächst eine Waldorf-Schule in Kassel, wechselte dann aber auch nach Hofgeismar.

Im Sommer 1946 wurde Ernst aus russischer Gefangenschaft entlassen, doch an den Spannungen zwischen Lillis Kindern und Rita änderte das wenig. Schließlich wurden die Mädchen von Großmutter Paula und ihrer Tante Elsa nach Birmingham geholt: Im Februar 1948 emigrierten Johanna und Eva nach England, ein paar Monate später, nach Ilses Abitur, folgten auch Ilse und Dorothea. Ernst bestand jedoch darauf, daß die erst acht Jahre alte Dorothea schon wenig später nach Immenhausen zurückkehrte. Der Vater warb bis zuletzt um die Liebe und das Verständnis seiner Kinder, er war glücklich über jeden Besuch von ihnen, über jedes Zeichen der Anhänglichkeit, zumal sich die meisten Freunde von ihm und Rita abgewandt hatten, vor allem die Barths in Mannheim und Paepckes, die inzwischen in Karlsruhe lebten. 1960 starb Ernst an den Folgen eines Schlaganfalls.

Ilse und Johanna wurden in England zu Krankenschwestern ausgebildet, Eva zur Krankengymnastin. Lillis Töchter hatten bereits eine weitere Auswanderung nach Israel erwogen, doch zu Beginn der fünfziger Jahre lernten Ilse und Johanna deutsche Studenten kennen, sie heirateten und kehrten 1953 beziehungsweise 1954 nach Deutschland zurück.

Schließlich, wenige Monate nach dem Tod des Vaters, verließ auch Dorothea Immenhausen, um zu ihrem Bruder nach Marburg zu ziehen; später gründete sie ebenfalls eine eigene Familie.

Eva blieb bei Lillis Mutter in England und leitete bis zur Pensionierung eine Schule für Krankengymnastinnen in Birmingham. Paula starb 1972 im Alter von 97 Jahren im Exil, ohne je wieder in Deutschland gewesen zu sein.

Gerhard machte als junger Anwalt Karriere in der SPD. 1957 wurde er Bundestagsabgeordneter, später Parlamentarischer Staatssekretär und Minister. Die Stadt Marburg verlieh ihm 1977 die Ehrenbürgerwürde, 1998 starb er an einem Krebsleiden.

Am 25. September 1962, an Dorotheas 22. Geburtstag, hatte er zwei Bäume zum Gedenken an seine Mutter im Märtyrerwald der Gedenkstätte Yad Washem in Jerusalem gepflanzt. In der im ehemaligen Arbeitserziehungslager Breitenau eingerichteten Gedenkstätte wurde dreißig Jahre später, 1992, eine Vitrine mit Bildern und Briefen Lillis aufgestellt. Schließlich erinnerten sich auch die Bürger Immenhausens an Lilli Jahn: 1995 wurde eine Straße in einem Neubaugebiet der hessischen Kleinstadt nach ihr benannt, 1999 erhielt die örtliche Grundschule den Namen »Lilli-Jahn-Schule«.

Seit Sommer 1998 findet sich Lillis Name zudem auf dem Grabstein ihres Vaters Josef Schlüchterer auf dem jüdischen Friedhof in Köln-Bocklemünd. Ihre Kinder ließen die Inschrift mit den Lebensdaten der Mutter eingravieren, um so schließlich noch einen konkreten Ort des Gedenkens zu schaffen.

Lillis Freundin Lotte hatte in ihrem Erinnerungsbuch »Unter einem fremden Stern« am Ende erklärt, daß sich ihr Verhältnis zu den nichtjüdischen Deutschen auch nach dem Zusammenbruch des Nationalsozialismus nie wieder normalisiert habe. »Es wurde nicht wieder gut«, schrieb sie 1952, und sie blieb bei diesem bitteren Fazit bis zu ihrem Tod im August des Jahres 2000.

»Wieder gut« werden kann es nur für die Nachgeborenen. In Deutschland, England und Israel leben heute 13 Enkel und 22 Urenkel von Lilli. Ilses Tochter Beate – sie wanderte 1978 nach Israel aus und bekennt sich seither zum Judentum – gab später ihrer zweiten Tochter den Namen Sarah Lilly. Lillis Urenkel sind allesamt noch Kinder, die einen wurden evangelisch getauft, die anderen katholisch, wieder andere sind Juden. Doch sie alle verbindet eines: die Erinnerung an Lillis »verwundetes Herz«.

Zeittafel Lilli Jahn

5. März 1900	Lilli wird als Tochter des Kaufmanns Josef Schlüchterer und seiner Frau Paula, geborene Schloß, in Köln geboren
2. Juni 1901	Geburt der Schwester Elsa
1906 bis 1913	Besuch des Privat-Lyceums für höhere Töchter bei Fräulein Merlo in Köln; danach Besuch des Real-Gymnasiums der Kaiserin-Augusta-Schule, Ostern 1919 Abitur
Herbst 1919	Beginn des Medizinstudiums – zwei Semester in Würzburg, drei Semester in Halle, Physikum in Halle im November 1921, ein Semester in Freiburg, vier Semester in Köln
1924	Staatsexamen und Promotion in Köln
1924–1926	Tätigkeit als Ärztin in verschiedenen Praxen sowie im Israelitischen Asyl für Kranke und Altersschwache in Köln-Ehrenfeld
12. August 1926	Heirat mit Ernst Jahn in Köln
August 1926	Umzug in eine Wohnung nach Immenhausen bei Kassel, Aufbau einer gemeinsamen Praxis mit ihrem Mann Ernst Jahn

10. September 1927	Geburt des Sohnes Gerhard
Winter 1928/29	Umzug in ein eigenes Haus in Immenhausen
15. Januar 1929	Geburt der Tochter Ilse
26. Juli 1930	Geburt der Tochter Johanna
12. Januar 1932	Tod des Vaters Josef Schlüchterer
1933	Aufgabe der ärztlichen Tätigkeit
10. April 1933	Geburt der Tochter Eva
1933	Lillis Schwester Elsa emigriert nach England
Mai 1939	Lillis Mutter Paula zieht zu Elsa nach Birmingham
25. September 1940	Geburt der Tochter Dorothea
8. Oktober 1942	Scheidung der Ehe mit Ernst Jahn
Februar 1943	Lillis Sohn Gerhard wird Luftwaffen- helfer in Obervellmar
Sommer 1943	Ernst Jahn wird als Arzt zur Wehrmacht eingezogen
21. Juli 1943	Lilli zieht mit ihren Kindern in eine Wohnung in Kassel
ca. 30. August 1943	Verhaftung Lillis durch die Gestapo und Inhaftierung im Polizeipräsidium Kassel wegen Verstoßes gegen die Po- lizeiverordnung vom 17. August 1938
3. September 1943	Internierung im Arbeitserziehungs- lager Breitenau
22. Oktober 1943	Zerstörung des Kasseler Wohnhauses bei einem Bombenangriff; Lillis Kin- der kehren nach Immenhausen zurück
17. März 1944	Deportation Lillis von Breitenau nach Auschwitz
17. oder 19. Juni 1944	Tod Lillis im Konzentrationslager Auschwitz-Birkenau

Danksagung

Lillis Töchter trugen eine große Last – und unter ihnen Ilse, die älteste, die allergrößte: Meine Mutter hat drei Jahre lang die Entstehung dieses Buches begleitet, sie hat mit ihrem Wissen als Zeitzeugin und Betroffene geholfen, mit Anregungen und mit Fragen. Und vor allem mit Geduld. Häufig wurde die Auseinandersetzung mit ihrer eigenen Vergangenheit für sie zur Qual. Sie wollte, daß dieses Buch erscheint, und doch konnte sie es zuweilen kaum ertragen, wenn die Geschichte Lilli Jahns, ihrer Mutter, wieder und wieder heraufbeschworen wurde.

Lillis Töchter Ilse, Johanna und Eva stellten ihre Briefe an die im Arbeitserziehungslager Breitenau inhaftierte Mutter zur Verfügung. Zusammen mit ihrer jüngsten Schwester, Dorothea, bemühten sie sich um eine möglichst vollzählige Sammlung aller übrigen Dokumente, Urkunden und Fotografien ihrer Eltern. Außerdem berichteten Lillis Töchter in autobiographischen Notizen und vielen Gesprächen über ihre Jugendjahre im nationalsozialistischen Deutschland.

Dieses Buch verdankt seine Entstehung aber auch den Anregungen und Recherchen von Kollegen und Freunden. Dietfrid Krause-Vilmar, Universität Kassel, publizierte seit den achtziger Jahren mehrere Bücher und Aufsätze zur Geschichte des Lagers Breitenau. Wichtig für die Rekonstruktion der Haftmonate waren außerdem die Hinweise Gunnar Richters von der Gedenkstätte Breitenau sowie des Fabrikanten Ludwig G. Braun, Melsungen. Informationen über Lilli Jahns Kölner Jahre lieferte Barbara Becker-Jákli vom NS-Dokumentationszentrum Köln. Thorsten Wiederhold, Kassel, wertete die Akte Immenhausen im »Judaica«-Regionalmuseum Hofgeismar und den Bestand Immenhausen im Hessischen Staatsarchiv Marburg aus. Weiteres Material stellten die Stadtarchive Kassel und Marburg bereit.

Für Tips und bibliographische Hinweise sorgten zudem Volker Hage, Hamburg; Ursula Jahn, Marburg; Helga Paepcke, Karlsruhe; Resemarie Petersen, Immenhausen; Heinz Recken, Köln; Monika Rudolph, Immenhausen; Sybille Steinbacher, Bochum.

Meine Freunde Erwin Brunner, Thomas Kühne und Cornelia Rauh-Kühne sowie Michael Neher, Lektor der DVA in München, lasen das Manuskript und steuerten eine Vielzahl von Verbesserungsvorschlägen bei. Schließlich halfen mein Vater Jürgen Doerry, meine Frau Inge und meine Tochter Katja mit Rat und Tat bei der Textbearbeitung.

Ihnen allen möchte ich herzlich danken.

Editorische Notiz

Die vorliegende Biographie stützt sich auf mehr als 570 Briefe sowie zahlreiche amtliche und private Dokumente aus den Jahren 1882 bis 1962.

Lillis Sohn Gerhard hatte jene Briefe verwahrt, die er und seine Schwestern 1943 und 1944 an die in Breitenau inhaftierte Mutter geschrieben hatten. Bei diesem etwa 250 Briefe umfassenden Konvolut befanden sich noch weitere 45 an Lilli in Breitenau gerichtete Briefe von ihrer Schwägerin Lore, ihrer Nichte Marilis und ihrer Freundin Lotte Paepcke.

Die Kinderbriefe wurden nach Gerhard Jahns Tod im Oktober 1998 seinen Schwestern Ilse, Johanna und Eva zurückgegeben. Einer Bitte des Autors folgend, übertrugen Lillis Töchter im Laufe des Jahres 2000 fast alle ihrer Briefe in Maschinenschrift. Aus den Abschriften wurden vom Autor dann jene Texte ausgewählt, die für eine Publikation in Frage kamen. Schließlich sichteten die Schwestern diese Briefe erneut und prüften sie auf mögliche Übertragungsfehler. Gerhards Briefe wurden vom Autor selbst ausgewählt und übertragen.

In Gerhards Nachlaß fanden sich zudem Lillis letzter Brief, geschrieben in Auschwitz im Juni 1944, sowie beglaubigte Kopien der beiden Lilli betreffenden Briefe des Immenhäuser Bürgermeisters Groß aus dem Jahre 1942 und einige familiengeschichtliche Dokumente aus den Jahren 1939 bis 1962.

Von den Briefen, die Lilli selbst 1943 und 1944 aus Breitenau und aus Dresden (während des Transports nach Auschwitz) geschrieben hatte, existieren heute noch zehn Originalhandschriften, drei davon wurden am 22. Oktober 1943 im Luftschutzkoffer aus dem brennenden Haus in der Kasseler Motzstraße gerettet. Etwa fünf Briefe aus dem Winter 43/44 sind wahrscheinlich verloren gegangen.

Lillis Briefe befinden sich heute im Besitz ihrer ältesten Tochter Ilse. Sie waren bereits 1988 von Dietfrid Krause-Vilmar transkribiert und der Familie sowie verschiedenen Forschungseinrichtungen der Region Kassel zur Verfügung gestellt worden. Die vorliegende Biographie beruht ebenfalls auf den Originalquellen; die neuen Abschriften weichen in einigen Fällen, etwa bei Datierungen und Namensschreibweisen, von der bereits veröffentlichten Version ab.

Etwa 200 Briefe Lillis an ihren Freund und späteren Ehemann Ernst aus

den Jahren 1923 bis 1926 sowie 1930 wurden zeitlebens von ihm selbst aufbewahrt und gelangten erst in den 90er Jahren aus seinem Nachlaß in den Besitz von Ilse. Sie verwahrt außerdem drei Briefe, die Lillis Vater Josef
Schlüchterer 1926 an seinen zukünftigen Schwiegersohn Ernst geschrieben
hatte.

Weitere 60 Briefe, die Lilli und Ernst zwischen 1929 und 1943 an ihre
Mannheimer Freunde Hanne und Leo Barth gerichtet hatten, besitzt Lillis
Tochter Dorothea. 48 dieser Dokumente waren ihr vom Ehepaar Barth anver-
traut worden, 12 Briefe wurden im Herbst 2002 in deren Nachlaß aufgefun-
den.

Der Brief von Lillis Schwester Elsa an Ernsts Halbschwester Grete Jahn de
Rodriguez Mateo aus dem Jahr 1935 lag in einer maschinenschriftlichen Version im Nachlaß Elsas und befindet sich heute bei Lillis Tochter Johanna. Sie
besitzt auch eine Fotokopie des 1942 von Lilli geschriebenen Briefs an die in
Genf lebende »Tante Paula«. Der Brief Max Mayers an seinen Enkel Peter
existiert in mehreren Abschriften im Familienkreis, das Original liegt bei Peters Witwe Helga Paepcke.

Die für diese Biographie verwendeten Dokumente und privaten Fotografien aus den Jahren 1882 bis 1930 stammen aus dem Nachlaß von Lillis Mutter Paula und gehören heute zum großen Teil Johanna. Sie verwahrt zudem
das von Lilli wahrscheinlich 1941 angelegte Fotoalbum der Familie Jahn.

Mit Ausnahme der Kinderbriefe wurden sämtliche Briefe und Familiendokumente vom Autor selbst übertragen. Bei vielen Briefen empfahlen sich
Kürzungen, bei einigen boten sich nur kurze Ausschnitte oder Zitate an, auf
andere konnte ganz verzichtet werden. Alle zur Veröffentlichung vorgesehe-
nen Dokumente wurden im Hinblick auf Orthographie, Interpunktion und
Grammatik vereinheitlicht. Abkürzungen wurden mit wenigen Ausnahmen
aufgelöst. Bei zwei Personen sind mit Rücksicht auf noch lebende Zeitzeugen
Pseudonyme verwendet worden.

Die erklärenden und überleitenden Texte schließlich beruhen auf weite-
rem Archivmaterial, auf den Erkenntnissen der historischen Forschung sowie
vor allem auf den Erinnerungen von Lillis Töchtern.

Literaturverzeichnis

Adelsberger, Lucie, Auschwitz. Ein Tatsachenbericht. Hg. von Eduard Seidler, Bonn 2001.

Ambrosius, Gerold / Hubbard, William H. (Hgg.), Sozial- und Wirtschaftsgeschichte Europas im 20. Jahrhundert, München 1986.

Browning, Christopher R., Judenmord. NS-Politik, Zwangsarbeit und das Verhalten der Täter, Frankfurt am Main 2001.

Burmeister, Helmut / Dorhs, Michael (Hgg.), Fremde im eignen Land. Beiträge zur Kultur- und Sozialgeschichte der Juden in den alten Kreisen Hofgeismar, Kassel, Wolfhagen und in der Stadt Kassel, Hofgeismar 1985.

Czech, Danuta, Kalendarium der Ereignisse im Konzentrationslager Auschwitz-Birkenau 1939–1945, Reinbek bei Hamburg 1989.

Dettmar, Werner, Die Zerstörung Kassels im Oktober 1943. Eine Dokumentation, Kassel 1983.

Dettmering, Erhart (Hg.), Gerhard Jahn 1927–1998. Ehrenbürger der Stadt Marburg (Marburger Stadtschriften zur Geschichte und Kultur, Bd. 69), Marburg 2000.

Dietzel, Volker / Kaiser, Wolfram (Hgg.), 300 Jahre Juden in Halle. Leben – Leistung – Leiden – Lohn, herausgegeben von der Jüdischen Gemeinde zu Halle, Halle 1992.

Doerry, Martin, Judentum zwischen Anpassung und Selbstpreisgabe. 143 Briefe Moritz Ellstätters, in: Zeitschrift für die Geschichte des Oberrheins, 132 (1984), S. 271–304.

Ders., Übergangsmenschen. Die Mentalität der Wilhelminer und die Krise des Kaiserreichs. 2 Bde., Weinheim / München 1986.

Dreßen, Wolfgang (Hg.), Betrifft: »Aktion 3«. Deutsche verwerten jüdische Nachbarn, Berlin 1998.

Finkenstein, Kurt, Briefe aus der Haft 1935–1943. Hg. von Dietfrid Krause-Vilmar, Kassel 2001.

Frank, Anne, Tagebuch (Fassung von Otto H. Frank und Mirjam Pressler), Frankfurt am Main 1992.

Friedländer, Saul, Das Dritte Reich und die Juden. Die Jahre der Verfolgung 1933–1939, München 1998.

Gedenkbuch. Opfer der Verfolgung der Juden unter der nationalsozialistischen Gewaltherrschaft in Deutschland 1933–1945, Bd. 1, bearbeitet vom Bundesarchiv, Koblenz, und dem Internationalen Suchdienst, Arolsen, Bundesarchiv Koblenz 1986.

Gutman, Yisrael / Berenbaum, Michael (Hgg.), Anatomy of the Auschwitz Death Camp, Bloomington / Indianapolis 1994.

Hahn, Hans-Jürgen (Hg.), Gesichter der Juden in Auschwitz. Lili Meiers Album, Berlin 1995.

Herbert, Ulrich, Geschichte der Ausländerpolitik in Deutschland. Saisonarbeiter, Zwangsarbeiter, Gastarbeiter, Flüchtlinge, München 2001.

Hilberg, Raul, Die Vernichtung der europäischen Juden, 3 Bde., Frankfurt am Main 1990.

Issmer, Volker, Das Arbeitserziehungslager Ohrbeck bei Osnabrück. Eine Dokumentation, Osnabrück 2000.

Jahn, Gerhard, Rechtspolitik mit Augenmaß. Reden und Aufsätze zur Rechtspolitik, Karlsruhe 1972.

Kaiser, Reinhard / Holzman, Margarete (Hgg.), »Dies Kind soll leben«. Die Aufzeichnungen der Helene Holzman 1941–1944, Frankfurt am Main 2000.

Kammer, Hilde / Bartsch, Elisabet, Lexikon Nationalsozialismus. Begriffe, Organisationen und Institutionen, Reinbek bei Hamburg 1999.

Kammler, Jörg / Krause-Vilmar, Dietfrid (Hgg.), Volksgemeinschaft und Volksfeinde. Kassel 1933–1945. Eine Dokumentation, Kassel 1984.

Kaplan, Marion, Der Mut zum Überleben. Jüdische Frauen und ihre Familien in Nazideutschland, Berlin 2001.

Klemperer, Victor, Ich will Zeugnis ablegen bis zum letzten. Tagebücher 1933–1945, 2 Bde., Berlin 1995.

Klepper, Jochen, Unter dem Schatten deiner Flügel. Aus den Tagebüchern der Jahre 1932–1942, Gießen 1997.

Klüger, Ruth, Weiter leben. Eine Jugend, Göttingen 1992.

Krause-Vilmar, Dietfrid, Das Konzentrationslager Breitenau. Ein staatliches Schutzhaftlager 1933 / 34, Marburg 1998.

Ders., Korrespondenten der Chikago Herald Tribune berichten im Frühjahr 1933 über die Judenverfolgung in Kassel, in: Zeitschrift des Vereins für hessische Geschichte (ZHG), Band 106 (2001), S. 293–298.

Leo, Annette, Briefe zwischen Kommen und Gehen, Berlin 1991.

Lotfi, Gabriele, KZ der Gestapo. Arbeitserziehungslager im Dritten Reich, Stuttgart / München 2000.

Maier, Reinhold, Briefwechsel mit seiner Familie 1930–1946. Hg. von Paul Sauer, Stuttgart / Berlin / Köln 1989.

Marum, Ludwig, Briefe aus dem Konzentrationslager Kislau. Hg. von Elisabeth Marum-Lunau und Jörg Schadt, Karlsruhe 1984.

Meyer, Beate, »Jüdische Mischlinge«. Rassenpolitik und Verfolgungserfahrung 1933–1945, Hamburg 1999.

Paepcke, Lotte, Ein kleiner Händler, der mein Vater war, Heilbronn 1972.

Dies., Unter einem fremden Stern, Frankfurt a. M. 1952 (wiederaufgelegt unter dem Titel »Ich wurde vergessen. Bericht einer Jüdin, die das Dritte Reich überlebte«, Freiburg i. B. 1979, Neuauflage 2004).

Richter, Gunnar (Hg.), Breitenau. Zur Geschichte eines nationalsozialistischen Konzentrations- und Arbeitserziehungslagers, Kassel 1993.

Ders. (Hg.), Die Gedenkstätte Breitenau in Guxhagen bei Kassel. Ein Leseheft, Kassel 1995.

Schilling, Konrad (Hg.), Monumenta Judaica. 2000 Jahre Geschichte und Kultur der Juden am Rhein. Handbuch, Köln 1963.

Schlüchterer, Lilli, Über den Gesamtschwefelgehalt des Blutes, insbesondere der roten Blutzellen, Diss. med. Köln 1924.

Seidler, Eduard, Kinderärzte 1933–1945, entrechtet – geflohen – ermordet, Bonn 2000.

Serup-Bilfeldt, Kirsten, Zwischen Dom und Davidstern. Jüdisches Leben in Köln von den Anfängen bis heute, Köln 2001.

Sofsky, Wolfgang, Die Ordnung des Terrors: Das Konzentrationslager, Frankfurt am Main 1993.

Spoerer, Mark, Zwangsarbeit unter dem Hakenkreuz. Ausländische Zivilarbeiter, Kriegsgefangene und Häftlinge im Deutschen Reich und im besetzten Europa 1939–1945, Stuttgart / München 2001.

Stadt Immenhausen 1998. Festschrift für das Jubiläumsjahr. Hg. vom Magistrat der Stadt Immenhausen, Immenhausen 1998.

Tausk, Walter, Breslauer Tagebuch 1933–1940, Berlin 1975.

Walk, Joseph (Hg.), Das Sonderrecht für die Juden im NS-Staat. Eine Sammlung der gesetzlichen Maßnahmen und Richtlinien – Inhalt und Bedeutung, Heidelberg 1996.

Werner, Josef, Hakenkreuz und Judenstern. Das Schicksal der Karlsruher Juden im Dritten Reich, Karlsruhe 1988.

Wiederhold, Thorsten, Auf Spurensuche – Zur Geschichte der Juden in Immenhausen. Hausarbeit im Seminar »Probleme der Geschichtsdarstellung«, Universität Kassel 1998.

Wiegand, Werner, Sozialdemokraten in Immenhausen. Ein Beitrag zur Geschichte der Arbeiterbewegung, 2 Bde. (Arbeitskreis für Heimatgeschichte der Stadt Immenhausen, Heft 6 und 7), Immenhausen 1990.

Namenverzeichnis

Lillis Familie, Freunde und Zeitgenossen

Änne, Freundin Lillis in Köln
Änne, Friseurin in Immenhausen
Anna, Kindermädchen der Familie Jahn in den dreißiger Jahren,
    betrieb später einen kleinen Kolonialwarenladen in Holzhausen
Annekathrin, Freundin Ernsts in den zwanziger Jahren
Gustchen Armbrust, Tochter eines Ladenbesitzers in Immenhausen
Dr. Benjamin Auerbach, Geheimer Sanitätsrat und Chef des Israelitischen
    Asyls für Kranke und Altersschwache in Köln
Dr. Liesel Auerbach, Ärztin, Tochter des Geheimrats und Freundin Lillis
Hanne (eigentlich Johanna) Barth, Ehefrau von Leo Barth, Köln,
    später Mannheim
Leo Barth, genannt Posa, Studienfreund von Ernst, Journalist in Mannheim
Michael, Ursel und Veronika Barth, Kinder von Leo und Hanne
Frau Becker, Weißnäherin in Immenhausen
Dr. Bonsmann, Leiter der Lungenheilstätte in Immenhausen
Brandau, Geschäft in Kassel
Franz Bremer, Konditorei und Kaffeegeschäft in Köln
Sanitätsrat Dr. Fritz Cahen, chirurgischer Oberarzt am Asyl in Köln
Evelyn Crosskey, Freundin von Lillis Schwester Elsa in Birmingham
Dr. John Henry Crosskey, Arzt und Ehemann von Evelyn
Lise Diekamp, Ehefrau von Leo Diekamp, Bochum
Dr. Leo Diekamp, Studienfreund von Ernst, Rechtsanwalt in Bochum
Dietrichs, Geschäft für Kinderbekleidung in Kassel
Ellen, Mitschülerin von Ilse in Kassel
Hermann Fatthauer, Lehrer von Johanna in Hofgeismar
Dr. Faust, Lehrer von Ilse in Hofgeismar
Fiebig, Inhaber eines kleinen Geschäfts in Kassel
Johanna Forell, geb. Henning, genannt Tante Hansel, Studienfreundin
    von Lilli
Dr. Martha Franken, Ärztin in Köln
Fräulein Frieda, Haushilfe bei Lillis Mutter Paula in Köln

Bernhard Friedemann, Kolonialwarenhändler in Immenhausen
Johanna Friedemann, Ehefrau von Bernhard
Friedgart, Mitschülerin von Ilse in Kassel
Inge Gaugler, Nachbarin der Familie Jahn in der Kasseler Motzstraße 3
Gerda, Hausmädchen von Rita Schmidt und Ernst Jahn in Immenhausen
Max Goldin, Drogist in Immenhausen
Karl Groß, stellvertretender Ortsgruppenleiter der NSDAP in Immen-
    hausen, seit 1940 amtierender Bürgermeister
Hans, Freund von Lillis Schwester Elsa in den zwanziger Jahren
Hengst, Lehrer von Johanna in Hofgeismar
Lene Hirdes, Tochter des Gastwirts Wilhelm Hirdes in Immenhausen
August Hoppach, Chef des »Judenreferats« der Kasseler Gestapo
Ilse, Studienfreundin von Marilis in Marburg
Jachens, Klassenlehrer von Johanna in Hofgeismar
Jäger, Kfz-Werkstatt in Immenhausen
Maria Jahn, geb. Breuer, Ernsts Mutter (1864–1913)
Oskar Jahn, Ernsts Vater, Kaiserlicher Telegrafendirektor (1854–1905)
Grete Jahn de Rodriguez Mateo, Halbschwester Ernsts
Jahns, Lehrerin von Johanna in Kassel
Dr. Janik, Praxisvertreter von Ernst in Immenhausen
Dr. Julie Janssen, Frauen- und Kinderärztin in Köln
Josephine, Hausmädchen von Lotte Paepcke in Freiburg
Jung, Konditorei am Friedrichsplatz in Kassel
Ilse Kasten, Schulfreundin von Ilse in Hofgeismar
Sanitätsrat Keil, Arzt in Immenhausen, Vorgänger von Ernst
Kersting, Bauernfamilie in Immenhausen
Prof. Bruno Kisch, Kardiologe an der Universität Köln
Marie Klein, geb. Schloß, Tante Lillis (geb. 1877, deportiert nach
    Theresienstadt)
Resemarie Kreßmann, Schulkameradin von Ilse aus Immenhausen
Heinz Kroh, Kunstmaler in Köln und Freund Lillis in den zwanziger Jahren
Prof. Dr. F. Külbs, Direktor der 1. medizinischen Klinik der Universität Köln,
    Augustahospital
Familie Kunz, Nachbarn der Familie Jahn in der Kasseler Motzstraße 3
Maria Lieberknecht, Bekannte Lillis in Kassel
Paul Lieberknecht, Pfarrer in Kassel, Ehemann Marias
Dr. Anna-Therese Lobbenberg, Ärztin am Asyl in Köln
Dr. Eugen Löwenstein, Sanitätsrat, HNO-Arzt in Köln
Magda (Pseudonym), Tochter von Rita und Ernst Jahn
Julia Maguestiaux, genannt Julie, belgisches Hausmädchen der Familie Jahn,
    Fremdarbeiterin
Max Mayer, Ehemann von Lillis Cousine Olga, Lederhändler in Freiburg
    (1873–1962)
Olga Mayer, geb. Nördlinger, Cousine Lillis in Freiburg (1884–1960)

Minna, Hausmädchen der Familie Jahn in Immenhausen in den dreißiger
Jahren
Heidi Münch, Tochter eines Pfarrers und Schulfreundin von Johanna aus
Hümme bei Hofgeismar
Dr. Alice Nägele, geb. Nördlinger, Ärztin und Cousine Lillis (1890–1961)
Reinhold Nägele, Ehemann von Lillis Cousine Alice, Kunstmaler
(1884–1972)
Neuman, Bauernfamilie in Immenhausen
Helene Nördlinger, geb. Schlüchterer, Tante Lillis (geb. 1862, deportiert nach
Theresienstadt)
Frau Paack, Nachbarin in der Kasseler Motzstraße
Dr. Ernst August Paepcke, Ehemann von Lotte, Literaturwissenschaftler,
als Angestellter tätig (1898–1963)
Lotte Paepcke, geb. Mayer, Tochter von Lillis Cousine Olga, Schriftstellerin
(1910–2000)
Dr. Peter Paepcke, Sohn von Lotte Paepcke (1935–1995)
Pankow, Arzt in Düsseldorf
Tante Paula, Freundin (oder Verwandte?) der Familie Jahn in Genf
Paulus, Café in Kassel
Pfleging, Gastwirt in Immenhausen
Alfonso de Rodriguez Mateo, Ehemann von Grete, der Halbschwester Ernsts,
Journalist und Regierungsbeamter in Madrid
Friedchen, Hedwig und Hilde Rösch, Bauernkinder in Immenhausen
Dr. Lilly Rothschild, Ärztin, Freundin Lillis in Köln
Helmut und Hildchen Rüdiger, Kinder eines Gutsbesitzers in Immen-
hausen
Lutz Salomon, Bekannter Lillis in Köln
Lore (eigentlich Leonore) Sasse, geb. Jahn, Ernsts Schwester (1896–1963)
Marilis Sasse, Lores Tochter und Lillis Nichte (geb. 1924)
Dr. Wilhelm Sasse, genannt Willy, Ernsts Schwager, Arzt in Essen
(1879–1943)
Wilhelm Sasse, Sohn von Lore und Wilhelm, Lillis Neffe (1925–1943)
Schäfer, Kommilitone Lillis in Köln
Ellen Elise Schloß, geb. Wormser, Lillis Großmutter (1841–1927)
Eva Schloß, Ehefrau von Lillis Onkel Simon (deportiert nach Theresienstadt)
Georg Schloß, Cousin von Lilli und Sohn von Julius Schloß, Kaufmann in
Köln (1912–1990)
Dr. Josef Schloß, Lillis Onkel und Ilses Patenonkel, Sanitätsrat und Kinder-
arzt in Halle an der Saale (1867–1940)
Julius Schloß, Lillis Onkel, Gutsbesitzer (1879–1918)
Margarete Schloß, geb. Wiesengrund, Ehefrau von Lillis Onkel Wilhelm
(deportiert nach Theresienstadt)
Moritz Schloß, Lillis Großvater, Viehhändler in Halle an der Saale
(1839–1907)

Anselm Schlüchterer, Lillis Großvater, Herrenschneider in Zeitlofs (1832–1896)

Dr. Elsa Schlüchterer, Lillis Schwester, Chemikerin (1901–1949)

Josef Schlüchterer, Lillis Vater, Fabrikant in Köln (1863–1932)

Ottilie Schlüchterer, geb. Marx, genannt Tilly, Tante Lillis (deportiert nach Theresienstadt)

Paula Schlüchterer, geb. Schloß, Lillis Mutter (1875–1972)

Siegfried Schlüchterer, Onkel Lillis, emigrierte in die USA

Theodor Schlüchterer, Onkel Lillis, emigrierte in die USA

Rita Schmidt (Pseudonym), zweite Frau von Ernst Jahn

Prof. Dr. Kurt Schneider, Psychatrieprofessor an der Universität Köln und Oberarzt der Nervenklinik Lindenburg

Dr. Karl-Werner Schupmann, Arzt und Praxisvertreter von Ernst Jahn in Immenhausen

Prof. Dr. Ferdinand Siegert, Geheimer Medizinalrat, Medizinprofessor an der Kölner Universität

Frau Steinmetz, Aufseherin im Arbeitserziehungslager Breitenau

Gisela Stephan, genannt Stephi, Schulfreundin von Ilse, Tochter eines Arztes in Kassel

Onkel Theo, erster Ehemann von »Tante Maria« Lieberknecht

Prof. Dr. Erwin Thomas, Medizinprofessor an der Kölner Universität

Toni, Friseurin in Immenhausen

Ulla Ullmann, Schulfreundin von Ilse, Tochter eines Arztes in Kassel

Frau Wittich, Schneiderin in Immenhausen

Wolf, Luftwaffenhelfer und Freund von Gerhard

Prof. Dr. Ferdinand Zinsser, Direktor der Universitätsklinik für Hautkrankheiten in Köln

Fritz Zschiegner, Klavierlehrer von Ilse und Gerhard in Kassel

An das Schicksal von Lilli Jahn wird auch in
einer Ausstellung auf dem Areal des ehemaligen
Arbeitserziehungslagers Breitenau erinnert:

Gedenkstätte Breitenau, Brückenstraße 12,
Tel. 05665-3533.
Internet: www.gedenkstaette-breitenau.de

»Die große bange Sorge«

Gerhard Jahn, Justizminister unter Willy Brandt, war sehr schweigsam, wenn es um seine elterliche Familie ging. Erst in seinem Nachlass kamen längst verschollen geglaubte Familiendokumente zum Vorschein, die Jahns vier jüngeren Schwestern übergeben wurden. Es handelte sich um rund 250 Briefe, die die Geschwister 1943 und 1944 an ihre Mutter geschrieben hatten.

Lilli Jahn befand sich in dieser Zeit als »Volljüdin« im »Arbeitserziehungslager« Breitenau bei Kassel und wurde von dort nach Auschwitz deportiert, wo ihr Leben endete. Unmittelbar vor ihrer Deportation schaffte sie es, die Briefe aus dem Lager hinauszuschmuggeln, ein überaus seltener Fall.

Nun, nach dem Tod des Bruders, sahen sich Lillis Töchter unerwartet mit den bittersten Jahren ihres Lebens konfrontiert, der Zeit, als sie 14, 13, 10 und 3 Jahre alt waren und hilflos den Leidensweg ihrer Mutter aus der Ferne miterleben mussten. Auch sie scheuten sich, über diese Zeit zu sprechen – wie sehr viele ihrer Generation, ob Kinder von Opfern oder Tätern. Da gibt es zu viel Schmerz, Trauer, Selbstanklagen, auch Schutzbedürfnis gegenüber geliebten Personen – und Angst vor einem ungerechten, leichtfertigen Urteil Außenstehender. Wer gibt schon gern – auch um den Preis, die Mutter zu ehren – den Vater der moralischen Empörung der Nachkommen preis?

Lillis 13 Enkel wuchsen mit einem unausgesprochenen,

aber eindeutigen Frageverbot auf. Sie wussten nur zwei Dinge: Der »arische« Großvater hatte sich 1942 von seiner jüdischen Ehefrau scheiden lassen. Die dadurch schutzlos Gewordene kam in Auschwitz um. Zehn Briefe von ihr aus der Haftzeit waren bekannt und wurden gelegentlich in Predigten zitiert.

Jetzt aber lagen die vielen Kinderbriefe auf dem Tisch, und die Enkel begannen, die Mütter auszufragen. Einer von ihnen, der Journalist und Historiker Martin Doerry, sah die Briefe durch und erkannte ihren Wert. Dann brachte er Mutter und Tanten zum Sprechen, was einem fremden Historiker schwerlich gelungen wäre. Er forschte auch nach den Anfängen: Die Medizinstudentin Lilli Schlüchterer, 1900 in Köln als Tochter eines jüdischen Kaufmanns geboren, verliebt sich 1923 in den gleichaltrigen Kommilitonen Ernst Jahn. Er ist früh verwaist, ein schwieriger, schwermütiger, unsicherer Mensch. Sein geerbtes Vermögen geht in der Inflation verloren. Nun sucht er eine erste Stelle als Arzt.

1925, als es bereits um Heirat geht, schreibt Lilli ihrem »Amadé«: »Und dann hab ich Sorge, ob nicht Dir die Ehe mit einer Jüdin in Deinem Beruf und Deinem Vorwärtskommen Schwierigkeiten bereiten wird.« Trotz Einwänden von Lillis Eltern gegen den nichtjüdischen Schwiegersohn wird 1926 geheiratet. Das Paar wohnt in Immenhausen bei Kassel, wo Ernst eine Landpraxis hat. Lilli hängt ein zweites Praxisschild mit ihrem Namen neben die Haustür. 1927 wird Gerhard geboren, 1929 Ilse, 1930 Johanna.

Das Glück ist groß – bis Hitler an die Macht kommt. Lilli berichtet Freunden über den 1. April 1933, den Tag des »Judenboykotts«: »Denkt Euch doch, auch über meinen Amadé hat man gestern den Boykott verhängt, weil er mich – eine Jüdin – zur Frau hat!! ... Und dazu kommt nun die große bange Sorge: Wird es noch weitere Folgen für uns haben? Wir wagen gar nicht weiter zu denken.«

Die eingeschüchterte Lilli schraubt ihr Praxisschild wieder ab. Am 10. April 1933 kommt das vierte Kind, Eva, zur Welt.

Ernst Jahn wird wegen seiner jüdischen Frau nicht in die NS-Ärzteschaft aufgenommen und ist nun ein Arzt zweiter Klasse. Die Freunde bleiben aus. Lilli traut sich nicht mehr auf die Straße. Aber die Kinder wachsen in die »neue Zeit« hinein, haben laut Lilli »für nichts anderes mehr Interesse – vor allem der Junge – als für SA und SS, sie marschieren und exerzieren und beglücken uns unentwegt, von früh bis spät, mit dem Horst-Wessel-Lied«. Umso schlimmer trifft es die Kinder, dass sie als »Halbjuden« nicht in die HJ und zu den Jungmädeln aufgenommen werden. Ohne Uniform sind sie schon früh als Außenseiter gebrandmarkt. Lillis Mutter und Schwester fliehen nach England. Da aber Ernst Jahn wegen der Praxis nicht ins Ausland will, bleibt auch Lilli. Sie ist durch ihre »privilegierte Ehe« mit einem »Arier« geschützt. Glücklich preist sie »unsere gegenseitige Verbundenheit und Liebe, die wir immer wieder als Wall aufrichten müssen gegen das ›Draußen‹«. 1940 kommt das fünfte und letzte Kind: »Dorle«.

Doch Ernst Jahn hält dem Druck nicht stand. Er wird missmutig, unzufrieden mit seinem Leben, das ihn überfordert. Er ist kein Nazi und kein Antisemit. Aber er verliebt sich in eine junge Ärztin, die ihm, weil die Jüdin Lilli dies nicht mehr darf, in der Praxis hilft. Mit ihr geht er ins Theater, was seine Frau auch nicht mehr darf, verreist mit ihr. Bald erwartet die Geliebte ein Kind, das im Arzthaus geboren wird. Lilli ist zu Kompromissen bereit und assistiert sogar bei der Entbindung. Ernst Jahn lässt sich scheiden, heiratet die andere Frau. Was Lilli angeht, verlässt er sich auf die Rechtslage. Danach war auch eine geschiedene jüdische Frau geschützt, solange sie für minderjährige halbarische Kinder sorgte.

Aber der Bürgermeister will endlich die Erfolgsmeldung

herausgeben, dass Immenhausen »judenrein« sei. Als letzte Jüdin des Ortes muss Lilli mit ihren Kindern nach Kassel umziehen. Hier wird sie wegen einer Lappalie zur Gestapo geladen und verlässt am 30. August 1943 das Haus mit dem Ruf: »Bis gleich, Kinder«. Sie wird verhaftet, zu vier Wochen Zwangsarbeit verurteilt und kehrt nie mehr zurück.

Der nun beginnende Briefwechsel zwischen Mutter und Kindern ist wegen der Zensur von Vorsicht geprägt, aber umso zärtlicher und in seiner Schlichtheit herzzerreißend. Fast täglich schreibt einer der vier »Großen« an die Mutter. Diese darf nur einmal im Monat schreiben, wagt aber hin und wieder einen illegalen Brief. Fast alle Briefe und auch Päckchen mit Essen kommen an.

Die Reife und Behutsamkeit, die vor allem die drei Mädchen in ihren Briefen immer aufs Neue zeigen, ist erstaunlich. Die 14-jährige Ilse, die sich neben der Schule als Ersatzmutter abrackert, wagt sich sogar zwei Mal zur Kasseler Gestapo und fragt dort an, wann die Mutter entlassen werde. Sie bekommt schließlich die Antwort: »Wenn du noch mal kommst, behalten wir dich auch hier.«

Dann brennt bei einem Fliegerangriff das Haus ab. Die Kinder retten sich nur mit Mühe aus dem Feuer. Sie haben alles verloren, sind obdachlos und ohne Kleider. Ilse benützt geschickt ihren Bonus als Ausgebombte, um einen Besuch bei der Mutter durchzusetzen. Diese zehnminütige Szene in Anwesenheit einer Wärterin hätte breit ausgemalt werden können. Aber Ilse erzählt nach fast sechzig Jahren nur sehr kurz und scheu: »Wie verändert sah meine gepflegte Mutti aus. Sie trug ein Sackkleid aus grobem Stoff, Holzpantinen ohne Strümpfe, ein Schneidezahn fehlte.«

Im März 1944 wird Lilli Jahn nach Auschwitz deportiert. Im Dresdner Bahnhof, wo die Häftlinge sieben Stunden auf den Zug warten müssen, schreibt sie noch einen heimlichen

Brief: »Morgen Abend werden wir dann in Auschwitz sein. Die Mitteilungen darüber, wie es dort sein soll, sind sehr widersprechend.« Und: »In den letzten Tagen habe ich die Familien beneidet, die alle zusammen damals fortgebracht wurden. Aber wenn ich's recht bedenke, ist es mir trotz aller tiefen Sehnsucht und allem Trennungs-Schmerz leichter, … Euch verschont zu sehen von all dem Widerwärtigen und Häßlichen.« Die Kinder können sich unter Auschwitz nichts vorstellen. Aber die Worte, die Lilli wählt, zeigen: Sie weiß, was sie erwartet.

Aus Auschwitz kommt nur noch ein einziger, von Lilli offenbar einer Mitgefangenen diktierter Brief vom 5. Juni 1944: »Meine Gedanken sind ununterbrochen immer bei Euch.« Am 17. oder 19. Juni 1944 stirbt Lilli Jahn, Häftlingsnummer 76 043, Todesursache unbekannt.

Kein historischer Roman, keine Memoiren, keine noch so wissenschaftlich fundierte Schrift kann es mit Originalquellen dieser Qualität aufnehmen. Es handelt sich ja hier um »primäre« Quellen: unmittelbar aus der Zeit stammend und von den handelnden Personen selbst geschrieben. Das Charakteristische dieser Quellen ist, dass sie ungeordnet alle Bereiche ansprechen, wie das Leben so spielt, auch das Leben der Kinder: Schulaufgaben stehen neben Ehegeschichten und dem Kummer, dass die Nachbarn nicht mehr grüßen. Als das Haus in Asche fällt, trauert das Kind um den Wellensittich, den es nicht retten konnte. Die Tochter berichtet der Mutter von der ersten Zigarette. Ein Mann verliebt sich in eine andere Frau, will sein Leben ändern und verlässt sich ausgerechnet in Hitlers Reich auf bestehende Gesetze. Was den Quellenwert angeht, steht dieses Buch ebenbürtig neben den Tagebüchern von Anne Frank und Victor Klemperer.

Dankbar nimmt man zur Kenntnis, dass der Herausgeber sehr zurückhaltend kommentiert, ohne zu werten – auch, wenn es um die problematische Gestalt des Vaters geht. Und warum hat Bruder Gerhard seine Schwestern nicht zu seinen Lebzeiten über die Existenz der verschollen geglaubten Briefe informiert?

Trotz all der schlimmen Einzelheiten bleibt das Buch diskret und behutsam. Der bleibende Eindruck ist der einer großen Zärtlichkeit.

Brigitte Hamann

MARTIN DOERRY, geboren 1955, studierte Geschichte und Germanistik in Tübingen und Zürich. Nach seiner Promotion begann er 1985 seine journalistische Laufbahn beim Süddeutschen Rundfunk in Karlsruhe. Anschließend wechselte er zum SPIEGEL, wo er zunächst als Redakteur für den Bereich Bildung zuständig war. Seit Anfang der neunziger Jahre leitete er das Kulturressort und später das Ressort Deutsche Politik. Seit 1998 ist Martin Doerry stellvertretender Chefredakteur des SPIEGEL.

Der 2002 unter dem Titel »Mein verwundetes Herz« veröffentlichte Briefwechsel zwischen seiner in Auschwitz ermordeten Großmutter Lilli Jahn und ihren Kindern wurde in Deutschland ein Bestseller und ist inzwischen in 18 Sprachen übersetzt worden.

Weitere Bücher von Martin Doerry:

»Nirgendwo und überall zu Haus«
Gespräche mit Überlebenden des Holocaust
Mit Fotografien von Monika Zucht
DVA
2006

Übergangsmenschen
Die Mentalität der Wilhelminer
und die Krise des Kaiserreichs (2 Bde.)
Juventa Verlag
1986

SPIEGEL Edition **DIE BESTSELLER.**

Weitere Informationen zur SPIEGEL-Edition finden Sie unter
www.spiegel-edition.de